Thomas Perry · Big Fish

Thomas Perry

Big Fish

Aus dem Amerikanischen von
Günter Panske

Wolfgang Krüger Verlag

Für Jo

Titel der amerikanischen Originalausgabe: »Big Fish«
Erschienen im Verlag Charles Scribner's Sons, New York
© 1985 Thomas Perry
Deutsche Ausgabe:
© 1986 S. Fischer Verlag GmbH, Frankfurt am Main
Umschlaggestaltung: Manfred Walch, Frankfurt an Main,
unter Verwendung eines Bildmotivs von Gottfried Helnwein
Satz: Fotosatz Otto Gutfreund, Darmstadt
Druck und Bindung: Franz Spiegel Buch GmbH, Ulm
Printed in Germany, 1986
ISBN 3 8105 1508 6

Oregon

GIBT'S EIN LEBEN NACH DEM TOD?
WER HIER UNBEFUGT EINDRINGT, WIRD'S ERFAHREN.

Das Poster am Zaun schien eines der handelsüblichen zu sein, knallroter Druck, auf Hochglanz getrimmt. Altmeyer hob den Kopf und spähte in den schattigen Wald. An grauen Baumstämmen hingen noch ein paar von diesen Dingern, sämtlich unter Klarsichtfolie, zum Schutz gegen die Witterung. Dieser Raymond war ein Mann, der wirklich an alles dachte. Altmeyer stellte den Motor des Lieferwagens ab und steckte sich eine Zigarette an, ruckte dann kurz mit dem Kopf. »Bleib wo du bist«, sagte er, »ich höre den Laster kommen, den Brummi der Guten Hoffnung.« Rachel sah ihm nach, als er aus dem Lieferwagen stieg, in seinen Cowboystiefeln den Schotter überquerte, sich dann gegen den Zaunpfahl lehnte.

Motorengeräusche näherten sich, und Pulks winziger, brauner Spatzen stoben hoch und flüchteten wild flatternd in höheres Geäst. Dann schwankte der schwarze Transporter um die Biegung, und Schottersteinchen spritzten unter den wulstigen, überdimensionalen Reifen seitlich weg. Als der Fahrer Altmeyer sah, stoppte er und stieß den Laster über einen Waldstreifen voller Wilderdbeeren zurück, um sogleich zu wenden. Dann wartete er, das Dach des Lasters mit den verdeckten Scheinwerfern mitten in den tiefhängenden Blättern einer Eiche. Altmeyer ging langsam auf den Laster zu und warf einen Blick ins Fahrerhaus.

Raymond saß mit zurückgelehntem Kopf. Unter seiner grünen Baseballmütze quoll krauses Haar hervor, zerfranstem Wollfutter ähnlich. Mit zusammengekniffenen Augen blickte er in den Rückspiegel. »Ist das Ihre Tochter?«

»Die dort ist niemand. Ich hab 'ne schwere Ladung Waffen und muß aufpassen wie 'n Schießhund bei diesem Trip. Die da weiß nicht mal, in welchem Staat wir jetzt sind.«

»Schwere Ladung?« Raymonds klare blaue Augen, hellwach urplötzlich, hefteten sich auf Altmeyers Gesicht. »Irgendwer in der Nähe?«

Altmeyer blies eine Rauchwolke von sich und sah ihr nach, wie sie träge die Straße entlangtrieb, dann höher stieg in die stille Luft, um sich aufzulösen zwischen den Blättern. »Ich habe das Bestellte mit.«

Raymond nahm einen Umschlag vom Beifahrersitz und reichte ihn Altmeyer.

Altmeyer ging zum Lieferwagen zurück, warf den Umschlag durch das Fenster und kam dann mit einem mit Bindfaden umwikkelten Segeltuchbündel wieder. Er legte das Bündel auf die Ladefläche des Lasters und wartete, bis Raymond bei der hinteren Wagenklappe war, bevor er die Verschnürung löste und das Segeltuch auseinanderrollte. Drei AR-15 Karabiner kamen zum Vorschein, kurz und schwarz, mit ölglänzenden Läufen und Abzugsvorrichtungen. Raymond legte einen an seine Schulter und zielte auf die Bäume. »Scheint soweit in Ordnung zu sein.« Er betrachtete die linke Seite der Abzugsvorrichtung und spielte mit dem Daumen an dem Hebel für Einzel- und Dauerfeuer. »Alles klar, oder?«

»Und ob. Das Ding ist komplett, wie sich's gehört. Die Automatik ist von Hand gearbeitet und viel besser als die fabrikmäßige Ausführung. Hochkarätige Maßarbeit, auf ein Tausendstel Millimeter genau. Wenn Sie wollen, können Sie's ja auseinandernehmen und sich selbst davon überzeugen. Oder aber Sie ballern ein paar Stunden drauflos und verwandeln Ihren Viehbestand in Hamburger – soll ja'n Sport für Könige sein –, und ich komm heut abend wieder, damit Sie's mir schriftlich geben können.«

»Nein, nein, schon gut«, sagte Raymond. »Ist in Ordnung.«

»Ich hätte da noch 'n Sonderposten Vierziger-Magazine für die Dinger. Wie wär's? Ich könnte Ihnen sechs für hundertundfünfzig lassen. Sind echt Spitze.«

»Aus Army-Beständen?«

»Die Army verwendet keine Vierziger-Magazine – wär doch Verschwendung, jemanden mehr als zwanzigmal totzuschießen, meinen die. Aber ich sag Ihnen, diese Magazine sind das Beste vom Besten.«

Raymond starrte in die Ferne, schüttelte dann den Kopf. »Rufen Sie mich an, wenn Sie wieder mal in der Gegend sind.«

Rachel sah, wie Altmeyer langsam zum Lieferwagen zurückkam. Er stieg ein, ließ den Motor an, und sie sagte: »Es sind genau dreitausend. Stimmt das so?«

Er steckte sich eine neue Zigarette an, lächelte. »Hab's ganz vergessen, dir zu sagen. Mit diesen Leuten ist das anders. Die bescheißen nicht. Die machen mit Waffen keine Geschäfte. Die sind süchtig danach. Der da hat seine Moneten garantiert alle Naselang gezählt, während er dafür sparte. Ideale Kunden.«

»Was soll das heißen? Für uns ist das ein ziemlich lausiges Geschäft. Sonst machen wir immer einen besseren Schnitt.«

»Die sind zuverlässig – und berechenbar. Der Kerl dort besitzt jetzt drei voll funktionsfähige automatische Sturmgewehre. Für den Besitz einer einzigen Waffe dieser Art gibt's drei Jahre Knast in Leavenworth. Trotzdem muß er diese Dinger haben – und was immer sonst er sich für seine zusammengekratzten Moneten leisten kann.«

»Weshalb wollte er denn drei?«

Altmeyer zuckte mit den Achseln und trat aufs Gaspedal. »Vielleicht, weil ihm die Penunze für vier fehlte? Schwer zu sagen. Wahrscheinlich wird er zwei von den Karabinern in Bunkern auf seinem Anwesen aufbewahren wollen – für den Fall, daß er zu weit von seinem Haus weg ist, wenn russische U-Boote den Rogue River heraufdampfen oder die Chinesen in rauhen Massen durch Grant's Pass gestürmt kommen, um im Kollektiv seinen Brummi zu vergewaltigen. Ist doch echt 'n Lustobjekt, oder? War selbst ganz geil darauf.«

»Hör auf zu blödeln, Altmeyer. Sei mal für einen Augenblick ernst. Wenn du willst, daß ich dieses Geschäft kapiere, dann mußt du mir auch erklären, worum's dabei geht.«

»Für sich allein bringt keiner von diesen Survival-Typen viel.

Raymond hat vorletztes Jahr 'n paar Sachen gekauft. Letztes Jahr hat er dann wohl sein ganzes Geld in Trockenfutter oder was gesteckt. Und nächstes Jahr überredet ihn vielleicht jemand dazu, sich einen bombensicheren Unterstand für sein Außenklosett zu bauen oder einen Elektrogenerator, der sich im Fall eines Atomkriegs mit radioaktivem Abfall betreiben läßt; doch auf lange Sicht krieg ich schon 'n Stück von seinem Kuchen. Wenn diese Leute morgens aufwachen und 'nen Blick in die Zeitung werfen, gibt's bei ihnen immer gleich 'n Nervenflattern.«

Rachel schüttelte den Kopf.»Mit solchen Spinner-Typen Geschäfte zu machen, halte ich für eine Schnapsidee. Als ich bei dir eingestiegen bin, haben wir Waffen nach Afghanistan geliefert und keine Automatik-Gewehre in Zweier- oder Dreierpackungen an Verrückte verscheuert.«

Altmeyer seufzte.»Wo ist denn schon groß der Unterschied zwischen heute und sonst? Wir treffen uns auf einer Landstraße mit einem Kunden, kassieren das Geld, packen ihm das Gewünschte auf seinen Laster und schießen wieder in den Wind.«

»Das Problem bei dir ist, daß du's immer schlimmer treiben möchtes – als ob's mit dir nicht schon schlimm genug wäre.«

»Du irrst dich. Es ist höchste Zeit, sich aus dem Kriegsgeschäft zurückzuziehen. Wir können von Glück sagen, daß es so lange keine Bauchlandung gegeben hat. Immerhin haben wir mit Hilfe dieser Waffennarren unsere sämtlichen Lieferanten bei Laune halten können. Im nächsten Jahr werden wir 'nen Haufen Kleinwaffen an solide Bürger verkaufen, die sich's leisten können, für überflüssiges Zeug idiotische Summen zu berappen. Dann machen wir Schluß.«

»Unsere Geschäftspartner sind normalerweise Leute, die wissen, was sie tun.«

»Diese Leute sind noch angenehmer. Cash gegen Ware, weil sie 'nen Riesenschiß haben, die Behörden könnten ihnen auf die Schliche kommen, wofür sie ihr Geld so anlegen. Raymond wird heute abend aus jedem der AR-15 Karabiner 'nen Feuerstoß abgeben, bloß um sich zu vergewissern, daß ich ihn nicht angeschmiert habe; und dann versteckt er die Dinger, damit sie niemand finden kann. Er wird sie nie wieder anrühren, außer um sie zu reinigen und zu ölen – bis er den ersten Russen hinter seinem Hühnerstall entdeckt.«

»Hast du ihn angeschmiert?« fragte Rachel.

Altmeyer lachte und legte seine Zigarette in den Aschenbecher. »Das ist 'ne eherne Regel bei dem Geschäft. Du mußt deine Kunden verstehen, es dir jedoch verkneifen, ihnen Scheiße anzudrehen. Sonst kommt einer von ihnen mit 'ner Maschinenpistole zu dir, die nur halbwegs funktioniert. Bloß daß diese Scheißdinger nie Ladehemmung haben, wenn sie auf dich gerichtet sind.«

»Aber du läßt sie ganz schön bluten, wie?«

»Die wissen, was sie kriegen, und sie kennen den Preis. Ray Minor lebt hauptsächlich deshalb hier draußen, weil er fest davon überzeugt ist, daß schon bald was passiert, wonach keiner von uns noch Geld braucht.«

»Das klingt alles so – so unheimlich.«

»He, ist dies dasselbe Mädchen, das kein bißchen Angst zeigte, als die russischen Hubschrauber in Afghanistan mit Raketen auf sie feuerten?«

»Ich glaubte, die feuerten auf dich.«

San Francisco

Rachels Augen waren auf die Kerzenflamme gerichtet, und der Anflug eines Lächelns spielte um ihre Lippen. Altmeyer sagte leise:»Wenn du dich erotischen Träumereien hingeben willst, so hoffentlich in Vor- und nicht bloß in Nachfreude.«

Rachel sah ihn an.»Wenn wir jemals ein Kind machen, dann möglichst in so einer Nacht wie gestern. Und alle paar Jahre könnten wir an dem kleinen Hotel dort im Norden vorbeifahren, bloß um zu sehen, ob's noch steht.«

»Was paßt dir denn nicht an diesem Hotel?« fragte Altmeyer.»Wir können getrost davon ausgehen, daß das Prince Andrei de San Francisco bis zum nächsten Erdbeben durchhalten wird.« Er schien angestrengt zu grübeln.»Nun, zumindest für heute nacht möcht ich drauf wetten.«

»Altmeyer«, sagte sie,»mir ist hochromantisch zumute, aber du mußt wieder mal blödeln. Also ich finde den Gedanken wenig verlockend, später mal ein Kind *hierher* mitzunehmen.«

»Wieso? Ist doch hochelegant. Das Essen – einfach fabelhaft. Und wegen der Gäste kann man auch nicht meckern – diese Frau mit dem Zobelmantel . . . für so 'n Ding kann sie ein halbes Dutzend kleiner Hotels in Oregon kriegen.«

»Und für das, was sie auf dem Kerbholz hat, kann sie garantiert was noch Kleineres gratis kriegen – eine gemütliche Zelle in Leavenworth. Wenn dir das hier wirklich gefiele, würden wir öfter herkommen als bloß zum alljährlichen Schmuggler-Meeting.«

»›Importhändlerkonferenz‹ nennt sich das offiziell.«

»Wenn die Behörden nicht so lahm wären, würden sie ein Netz über diesen Kasten legen. Oder siehst du hier im Restaurant auch nur einen einzigen Typ, der nicht auf dunkle Geschäfte aus ist?«

15

»Ich kenne den Kellner nicht besonders gut.« Altmeyer hob die Hand, winkte, und der Kellner kam. »Meine Frau möchte gern wissen, ob ... wir noch zwei Brandies haben könnten.« Der Kellner ging, und Rachel lächelte. »Ich liebe dich.« Altmeyer strich ihr über die Hand. »Ich liebe dich auch. Wir fahren morgen in aller Frühe los, damit du Buckys Party nicht verpaßt – falls du dir deshalb Sorgen machst. Ich hab mir bloß gedacht, da wir gerade in der Gegend sind, seh ich mir mal an, was sich hier so tut in diesem Jahr.«

Rachels grüne Augen waren fast verdeckt von ihrem langen, braunen Haar. »Wie wär's, wenn wir aufhören würden, wie Handelsvertreter Klinken zu putzen, um etwas Kohle für Altmeyers letzten Coup zu bunkern? Blicken wir lieber der Zukunft ins feuchtglänzende Auge.«

»Du meinst, ich soll mich zurückziehen – privatisieren?«

»Vielleicht. Was würdest du denn tun, Altmeyer? Dir einen Wanst anfuttern und dich in Alkohol konservieren?« Rachel versuchte, ihm knapp über dem Gürtel in die Seite zu kneifen, konnte jedoch kein überflüssiges Fleisch finden.

»Oh, ich hätte da ein erstklassiges Fitneß-Rezept: Teilnahme am Sex-Marathon.«

»Marathon?«

»Marathon. Allerdings sollte ein Mann in meinem Alter sich nicht ohne Training in so was stürzen. Zufällig kenn ich da noch so 'n kleines Hotel, rund hundert Kilometer von hier, wo ...«

Sie beugte sich herüber und küßte ihn auf die Wange. »Hochinteressant. Ihr alten Hasen habt's doch faustdick hinter den Ohren, wie? Und ein so glasklarer Verstand, selbst in deinem Alter.«

»Ein schlichtes Ja hätte mir die alten Knochen gewärmt und mich womöglich sogar vor künftigen Herzinfarkten geschützt.«

Plötzlich tauchte ein blonder Mann bei ihrem Tisch auf, rückte einen Stuhl zurecht und setzte sich. »Ich hab 'ne Kanone, wie Sie sehn.« Er trug einen schwarzen Anzug und hatte eine Hand in der Jackentasche. Mitte dreißig schien er zu sein. Schultern und Brustkasten wurden vom Jackett so knapp umspannt, daß der Blonde fast aus den Nähten zu platzen drohte.

»Nein«, sagte Rachel. »Aber bei der Dame dort drüben sind Sie mit Ihren Bemühungen todsicher an der richtigen Adresse.« Sie deutete auf die Frau, die ihren schwarzen Zobel über die Rückenlehne ihres Stuhls gehängt hatte und sich nun davor in Pose setzte: weiße Schultern vor kontrastreichem Hintergrund.

»Ich meine es ernst«, sagte der Mann.

Der Kellner brachte auf einem kleinen, silbernen Tablett die beiden Gläser mit Brandy und stellte sie auf den Tisch. Während Rachel ihr Glas nahm, fragte der Kellner den Blonden: »Wünschen Sie irgend etwas, Sir?«

»Nein, danke«, erwiderte der Blonde. »Wir möchten gleich zahlen.«

Altmeyer sagte ganz ruhig: »Sie meinen es ernst, haben Sie gesagt. Ein wirklich feiner Zug von Ihnen. Da wird's das Beste sein, wenn Sie sich an einen Tisch bemühen, wo man so was *richtig* zu würdigen weiß.«

»Sie kapiern offenbar nicht. Ich weiß, daß Sie wegen dem Meeting hier sind.«

Rachel steckte sich eine Zigarette an und rückte ein wenig näher. »Wir sind in diesem Jahr nicht hier, um uns Waffen anzusehen. Wir schauen nur eben mal so vorbei – und würden gern für uns bleiben.«

Das breite Gesicht des Blonden hellte sich zuversichtlich auf. »Oh, es wird nicht lange dauern. Irgendwo habt ihr 'n Haufen Ware oder aber 'n Haufen Geld, wahrscheinlich in euerm Auto. Ihr führt mich hin, und gleich darauf seid ihr mich los.«

Altmeyer ließ ein langsames Lächeln sehen. Zu Rachel gewandt sagte er: »Mir geht 'n Licht auf, Sandra. Dieser Mann weiß, daß wir gestohlenes Parfüm verkaufen und möchte uns ausrauben. Deshalb die Pistole.«

Rachel saß noch immer dicht bei dem Mann und rückte keinen Zentimeter von ihm ab.

Der Mann nickte und sagte: »Ich nehm, was ihr habt, und dann verschwinden wir. Ihr werdet mir schon keinen Ärger machen und mir die Bullen auf den Hals hetzen, wo die doch hinter euch weit mehr her sind als hinter mir.«

17

Während der Blonde sprach, schien Rachel noch näher an ihn heranzurücken. Ihr Brandy-Glas war plötzlich unter dem Tisch verschwunden. Gleich darauf stellte sie das leere Glas auf den Tisch zurück und drückte ungeduldig ihre Zigarette im Aschenbecher aus. Sie sagte zu dem Mann:»Mein Lieber, Sie hätten sich wahrhaftig an andere wenden sollen. Jeder andere Tisch in diesem Raum wäre besser für Sie gewesen.«

Der Blonde sagte:»Sie machen die Rechnung...« Der Kellner mißverstand die Situation, legte die Rechnung vor ihn hin und verschwand wieder.

Altmeyer warf etwas Geld auf das kleine Tablett. Fast mitfühlend betrachtete er den Mann.»Sandra hat recht. Wir sind für Sie 'n paar Nummern zu groß.«

Rachel griff nach dem Feuerzeug und steckte sich eine neue Zigarette an; ließ dann die Hand sinken, in glatter, geschmeidiger Bewegung, so daß das Feuerzeug, noch immer brennend, dicht an das Jackett des Blonden gelangte.

Der Mann sprach ganz ruhig weiter:»ohne den...«, sagte er und stockte dann. Weil es nämlich leise *»puff«* machte, als seine brandygetränkte Jacke Feuer fing. Er sprang auf und kreischte:»Ich komm schon klar.« Bläulich züngelte es über den brandysatten Stoff auf der linken Seite, und gelbe Flammen leckten hoch zum Gesicht des Blonden, der jetzt mit beiden Armen um sich schlug im verzweifelten Versuch, das Feuer zu ersticken; doch in der rechten Hand hielt er, ganz unverkennbar, eine Smith & Wesson mit einem dicken, geriffelten Griff.

Die Gäste an den Tischen ringsum zog es von ihren Stühlen hoch; sie standen mit kreisrund geöffneten Mündern, und dann füllte Stimmengewirr den Raum. Der Kristalleuchter über dem Mitteltisch begann, vibrierend, leise zu klirren. Altmeyer zerrte das Jakkett des Blonden nach unten, wie um den Mann daraus zu befreien; doch dessen Arme steckten seitlich in den Ärmeln fest, während die Hand mit der Pistole jetzt unter dem brennenden Stoff der Jacke war.

Altmeyer rief mit Amtsstimme:»Beunruhigen Sie sich nicht wegen der Pistole. Dieser Mann ist Polizeibeamter.«

Vier Kellner schleuderten den Blonden zu Boden und wickelten ihn in Tischtücher. Rachel und Altmeyer tauchten im Strom der Gäste unter, die zur Tür drängten. Ein Mann in einem Kaschmir-Anzug hielt eine Speisekarte hoch, als wolle er sein Gesicht vor den Fotografen schützen, die urplötzlich da waren – wie stets, wenn eine Sensation winkt.

Rachel blieb in der Tür stehen: »Alles in Ordnung. Er hat gesagt, er kommt schon klar.«

Los Angeles

»Altmeyer!« Der Dicke mit den kurzen, sonderbar steif wirkenden Beinen bewegte sich ruckweise über das kreisrunde Mosaik mitten auf dem Rasen. »Und die liebliche Rachel.« Seine Hand, die das Glas hielt, hob sich, um die Augen zu beschirmen; ein paar Tropfen des Glasinhalts fielen auf die Schulter seines dunkelblauen Blazers. »Das ist doch die liebliche Rachel, oder nicht?«
»Sie wissen sehr genau, daß sie's ist, Bucky«, sagte Rachel. »Habe ich Ihnen nicht oft genug gesagt, daß Altmeyer ein zäher Spieler ist? Kein Mogler.«
»Gut, gut. Wär mir auch nicht der richtige Auftakt für diesen Abend, so 'ne weitere klassische Demütigung.« Er reckte sich auf die Zehenspitzen, um sie auf die Wange zu küssen. »Sie sehen noch besser aus, sofern das möglich ist.« Er blickte zu Altmeyer. »Besser, als ich's in Erinnerung hatte. Ich gebe Ihnen vierzigtausend für sie, auf der Stelle.«
»Nein, danke. Da würde sie mir dicke Prozente abzwacken.«
»Hörn Sie bloß auf, den Preis hochzukitzeln. Gott, wie ich Busineß hasse.« Bucky seufzte. Dann umklammerte er Rachels Arm mit seiner plumpen Hand und beugte sich zu ihr. »Ganz im Ernst, ich könnte Ihnen bestimmt innerhalb von zwei Wochen ein Werbeengagement verschaffen. Hab gerade heute ein Girl untergebracht, das aussieht wie ein Beagle, ungelogen. Die Gute lassen wir fallen wie 'ne heiße Kartoffel. Bucky Carmichael hat Sie entdeckt, und der ist mehr als bloß so 'n Agent – der ist ein eigener Lebensstil.«
»Oh, ich weiß nicht. Aber solange er vor Jugend und Schönheit nur so sprüht . . .«
»So tränkt sie's mir ein. Aber vergiß niemals, Schätzchen, daß Bucky immer scharf auf dich ist, und daß er sich auf gute Parties

versteht. Kommt, ihr beiden. Ihr braucht jetzt Drinks, und dann werdet ihr in die übliche Vorstellungstour katapultiert. *Take it easy*, Leute. Ist ein reiner Gedächtnistest.«

Auf der anderen Seite des Swimmingpools sahen sie auf dem Patio eine Menge Leute, teils rings um Rundtische, teils einfach durcheinanderschwirrend, meist in kleineren Gruppen. An der Bar war ein hochgewachsener, dünner, weißhaariger Mann in einem schwarzen Samtjackett, der sich auf seine Ellbogen stützte und zusah, wie der Bartender alle möglichen Ingredienzien in einen Cocktail-Shaker tat.

Bucky tippte dem Mann auf die Schulter, doch der drehte nur träge den Kopf, kaum besonders interessiert. Als er dann sprach, klang seine Stimme tief und resonant.»Bucky, scher dich weg. Dieser Gentleman hier versucht mir zu zeigen, wie man einen anständigen Martini macht, und wenn ich noch viele Bestellungen...«

Bucky ignorierte den Protest.»Arthur, dies sind meine Nachbarn, die Altmeyers.« Er blickte zu Altmeyer und zu Rachel.»Und dies ist der große Arthur Paston.«

»Freut mich, Sie kennenzulernen«, sagte Altmeyer.

»Ja«, sagte Paston.»Wie viele Martinis möchten Sie denn?« Er wartete die Antwort nicht ab, sondern sagte zu dem Bartender:»Geben Sie diese den netten Altmeyers hier und fangen dann nochmal von vorne an, aber langsam. Meine alten Augen sind nicht mehr, was sie waren, als ich heute abend hierherkam.«

Der Bartender zuckte nur mit den Achseln, gab Altmeyer und Rachel ein Glas und begann die Mixprozedur erneut vor Pastons fasziniertem Blick.

»Wer ist der große Arthur Paston?«flüsterte Rachel.

Bucky griente.»Einer der größten Regisseure aller Zeiten. *Die Killer. Zellenblock neunzehn.* Er hat Musicals gemacht, als Musicals *in* waren, und er hat Western gemacht, als Western *in* waren. Er ist älter, als er aussieht – wahrscheinlich hat er bereits Benjamin Franklin bei den Schularbeiten geholfen. Ich weiß mit Bestimmtheit, daß die Garbo unter seiner Regie gespielt hat, und das läuft so ziemlich aufs Gleiche raus.«

24

»Und nun gibt er dem Bartender Regieanweisungen«, sagte Altmeyer. »Ein Gigant der Filmindustrie ist immer im Dienst.«
»Lachen Sie nicht«, sagte Bucky. »Der Mann ist das Geheimnis meines Erfolgs als Agent. Schauspieler kommen und gehen so schnell, daß ich kaum Zeit habe, mir ihre Namen einzuprägen, doch Arthur Paston bleibt ewig. Die Angebote, die ich für ihn habe, könnte er nicht einmal annehmen, wenn er sein eigener Enkelsohn wäre.« Buckys flinke Äuglein hefteten sich auf einen fernen Punkt. »He, könnt ihr beiden für ein paar Minuten hier ohne mich klarkommen?«
»Wird schon gehen«, sagte Rachel.
»Danke. Ich sehe meinen guten Freund und Agentenkollegen Billy Bittmeister soeben aufkreuzen, und wenn ich den nicht an die kurze Leine nehme, quatscht der glatt irgendwen an.«
Mit steifen Schritten stakste er davon und hielt sein Glas so in die Höhe, daß noch mehr Martini auf sein Jackett schwappte. »Daß ihr mir aber ja nicht von der Bildfläche verschwindet. Ich möchte euch später noch sehen.«
Ein junger Mann mit blondem Haar, das sich in winzigen Löckchen kringelte, schlenderte herbei. »Guten Abend«, sagte er. »Ich bin Bob Scranton. Bucky hat Sie die Altmeyers genannt, wenn ich richtig gehört habe?«
»Ganz recht. Wir wohnen nur 'n kurzes Stück von hier. Und Bucky meinte wohl, wenn er 'ne laute Party gibt, wär's smart, gleich die Nachbarn miteinzuladen.«
»O ja, Bucky ist smart, das trifft's genau«, sagte Scranton. »Smartsein ist sozusagen sein Beruf. Was treiben Sie denn so?«
»Ich fürchte, die Antwort wird Sie ziemlich enttäuschen bei all dem Glamour ringsum«, sagte Rachel. »Wir sind Geschäftsleute. Sie wissen schon: billig einkaufen, teuer verkaufen.«
Auf Scrantons hübschem Gesicht zeigte sich ein wenig Enttäuschung. »Oh. Ich dachte, ich hätte Sie bei Warner's gesehen.«
»Nein«, sagte Altmeyer. »Rachel gehört nicht zu Buckys Klienten.« Er riet aufs Geratewohl: »Aber habe ich Sie nicht neulich abend im Fernsehen gesehen? Wie hieß der Film doch noch, Liebling?« fragte er Rachel.

Scranton strahlte, kontrollierte sich dann mit Anstrengung und wartete.

»Also wirklich«, sagte Rachel. »Das waren Sie?«

»Ich fühle mich ehrlich geschmeichelt. Ich bin erstaunt, daß Sie mich überhaupt bemerkt haben. Sie besitzen wirklich ein untrügliches Auge, Mr. Altmeyer. Es hieß: ›Sie sind hier.‹ Mein Part gab viel mehr her, bevor er zusammengeschnitten wurde. Es sollte eine komplette Szene geben, in der ich von einem Laster überfahren werde. Aber als das Ding dann im Kasten war, da stellte sich heraus, daß in fast allen Einstellungen Angela einen Sonnenstrahl auf der Nase hatte. Es sah aus, als hätte sie den Zinken eines Clowns. Also wurde alles rausgeschnitten.«

»Tut mir leid«, sagte Altmeyer und nahm Rachels Glas. »Entschuldigen Sie mich, bin gleich wieder da.« Er ging zur Bar. Der Bartender war verschwunden, und Arthur Paston hatte seinen Platz eingenommen. Mit unverkennbarem Behagen mixte er Martinis, und als er Altmeyer bemerkte, füllte er rasch dessen Gläser.

»Wo ist denn der Bartender?« fragte Altmeyer.

»Der? Ach, der wandert mit einem Tablett durch die Gegend und versucht arglosen Menschen unsere Martinis anzudrehn. Falls Sie an Ihren irgend etwas auszusetzen haben, so heraus mit der Sprache, frei von der Leber weg.«

Als Altmeyer sich umdrehte, spürte er auf seinem Arm einen sachten Druck. Es war eine junge Frau mit kastanienbraunem Haar. Sie lächelte.

»Verzeihung«, sagte er und fragte sich, ob sie wohl diejenige sei, die wie ein Beagle aussah.

»Aber wieso denn. Bucky sagt mir, Sie seien Importeur.«

»Nicht nur«, erwiderte er. »Mein Name ist Altmeyer.«

»Ich bin Ronnie. Freut mich, Sie kennenzulernen.«

Altmeyer blickte über ihre Schulter hinweg. Er sah, daß Bob Scranton sehr lebhaft auf Rachel einredete. Vermutlich erzählte er ihr von den anderen Rollen, die er nie gespielt hatte.

»Oh, ich freue mich, Sie kennenzulernen«, sagte Altmeyer. »Sind Sie Schauspielerin?«

26

»Nein. Ich bin in der Produktion. Sobald ich hörte, daß Sie kommen würden, war ich fest entschlossen, Sie kennenzulernen.«
»Wie liebenswürdig von Ihnen«, versicherte Altmeyer. »Wie gutnachbarlich.« Er bewegte sich langsam auf Rachel und Bob Scranton zu, doch wieder spürte er ihre Hand an seinem Arm.
»Hier ist meine Büronummer.« Sie steckte eine Geschäftskarte in seine Brusttasche. »Wenn Sie eine Lieferung Koks kriegen, rufen Sie mich an. Ich würde Ihnen mehr bezahlen als Bucky, der ja ein Freund von Ihnen zu sein scheint.«
Altmeyer sah sie an. »Ich fürchte, es handelt sich um ein Mißverständnis. Die Sorte von Importeur bin ich nicht.«
Sie starrte ihn an. Plötzlich wirkte ihr Gesicht ausdrucksleer. Es war breit und rund, irgendwie teigig. »Was für eine . . . eine Sorte sind Sie denn?«
»Elektroteile aus Japan, Mineralien aus Afrika und Südamerika. Wissen Sie, die *langweilige* Sorte von Importeur.«
»Oh«, sagte sie. »Oh.«
»Tut mir leid.«
»Mein Irrtum.« Ihre Hand zuckte zu seiner Brusttasche und zog die Geschäftskarte heraus. Dann machte sie kehrt und ging zur anderen Seite des Swimmingpools und drückte sich eine Weile am Rand einer Gruppe herum, bis man sie bemerkte und in den Kreis aufnahm.
Während Altmeyer sich langsam durch die Menge schob, sah er, wie Bucky sich Rachel und Bob Scranton näherte. In seinem Schlepptau befand sich ein zweiter kurzwüchsiger und beleibter Mann, ein Mann mit einem schwarzen Schnurrbart und dichtem, buschigem Haar, das im trüben Licht aussah wie eine Wollmütze. Bucky gestikulierte, seine Arme schwenkten kreisförmig herum, und ein herzliches Lachen stieg aus seiner Kehle in den nächtlichen Himmel empor. Daß Bucky die ganze Zeit über Altmeyer sehr genau im Auge behielt, war praktisch kaum für irgend jemanden zu erkennen. Bucky gab Bob Scranton mit dem Handrücken einen scheinbar freundlichen Klaps, so daß dieser wie von selbst eine Verbeugung vollführte.
Schon in der nächsten Sekunde stand Bucky an einer ganz anderen

Stelle. Er tauchte neben Altmeyer auf, während dieser Rachel das aufgefüllte Glas reichte. »Dieser Raffzahn hier ist der unsterbliche Billy Bittmeister«, sagte er. »Und bei diesem Gentleman handelt es sich um den Großherzog Altmeyer, Prinzgemahl der Königin Rachel, die du ja bereits mit so unverhohlenem Genuß beäugt hast.«

Der Kurzwüchsige grinste und streckte seine Hand vor. »Schön, Sie kennenzulernen, Mr. Altmeyer. Rachel sagte gerade, sie sei keine von Buckys Klienten. Wie haben Sie bloß die Bekanntschaft dieses Geiers gemacht? Es wird mir doch niemand weismachen wollen, dieser alte Gauner hätte echte Freunde?«

»Altmeyer besitzt eine stattliche Farm nahe Big Bear. Hat seine rund vierzig fetten Biester pro Saison, aber frag ihn besser gar nicht erst danach. Kapierst du ja doch nicht, und geht sowieso über deine Verhältnisse. Rachel, könnten Sie wohl dafür sorgen, daß Billy seine Hand ein paar Minuten lang aus meiner Tasche *raus*hält. Ich habe genug damit zu tun, ihn mit niemandem quasseln zu lassen, außer mit dem Bartender mit dem Martini-Tablett.«

Bittmeister grinste. »Damit hätten wir ja 'n klares Feld.« Er blickte zu Rachel. »Buckys Klienten sind nämlich samt und sonders Ex-Kellner und Ex-Bartender. Oder auch nicht so Ex. Ich hab's wirklich nicht nötig, dem irgendeines seiner Talente abspenstig zu machen. Wenn ich jetzt nach einer Speisekarte riefe, dann würden seine gesamten ›Talente‹ aus alter Gewohnheit auf mich armen Gast zum Sturmlauf antreten.«

»Kommen Sie, Altmeyer. Da ist jemand, mit dem ich Sie bekannt machen möchte«, sagte Bucky und zog Altmeyer am Arm. Langsam, doch stetig kam der Dicke durch die Menge voran, wobei ihm sein Bauch exzellente Pufferdienste leistete. Altmeyer folgte. Und er beobachtete eine Szene, die ihn amüsierte. Ein besonders hochgewachsener lateinamerikanischer Kellner kam mit einem großen Tablett mit Schalen voll Guacamole und dünner, rosa Sashimi-Streifen. Der große Kellner kreuzte Buckys Weg, und während der Dicke mit schrägem Blick von unten festzustellen versuchte, was sich auf dem Tablett befinden mochte, schwebte

28

dieses blitzschnell wie eine Diskusscheibe über seinen Kopf hinweg und entschwand auf dem Handteller des riesigen Kellners in der entgegengesetzten Richtung.

Am Randes des Patio wandte sich Bucky nach rechts. Sie waren jetzt auf dem Weg, der zum Haus führte. Durch eine Tür gelangten sie in ein kleines Arbeitszimmer ringsum gesäumt von Regalen mit ledergebundenen Büchern. Sonderbarerweise waren die Bücher auf einem Brett jeweils von derselben Farbe. Erst nach einigen Sekunden ging Altmeyer auf, daß es sich immer um Dutzende von Exemplaren ein und desselben Werks handelte. »Wie ich sehe, kaufen Sie Bücher meterweise«, sagte er. »Fünfzig Exemplare von *Moby Dick?*«

Bucky schwenkte wie angewidert den Arm. »Ja. Rettet die Wale. Ich war mal mit so einer Spinnerin verheiratet, die auf den blödesten Mist von ›Haus und Heim‹ flog. Ein Alptraum. Ich habe genügend Exemplare von *Onkel Toms Hütte* für ein ganzes Siedlungsprojekt – weil sie den Buchrücken so dekorativ fand.«

»Verzeihung. Aber Sie sagten, Sie wollten mich mit jemandem bekannt machen.«

»Das war eine höfliche Erfindung. Ich wollte Sie für einen Augenblick aus dem Lärm dort raushaben, um zu hören, ob Sie mir vielleicht bei was helfen können.« Er setzte sich auf den Rand eines Ledersessels, steckte sich eine Zigarette an und seufzte. »Ich bin ein ziemlicher Waisenknabe, was das Exportgeschäft angeht. Aber Sie müssen da ja wohl ein As sein. Denn in den Zeitungen liest man in der Branche dauernd von Firmenpleiten, während es Ihnen doch blendend zu gehen scheint, wenn ich das richtig sehe.«

»Wenn's Ihnen um ein Darlehen geht, also, das Scheckbuch hat Rachel in ihrer Handtasche. Und sofern Billy sie nicht inzwischen schon in einen Filmstar verwandelt hat, so wäre darüber durchaus zu reden . . .«

Bucky sprang auf. Mit drei raschen Schritten durchquerte er das Zimmer. »Nein. Darum geht's nicht. Überhaupt nicht.« Dann schien ihm etwas einzufallen. »Vielen Dank jedenfalls.« Er ging zu seinem Sessel zurück, ließ sich hineinplumpsen. Seine Füße wippten ein Stück in die Höhe.»Nein, was ich brauche, ist wohl etwas anderes. Einen Kontakt. Sie müssen doch überall Kontaktleute haben – die Leute, mit denen Sie Monopoly oder was...« Er lächelte, doch mit dichtgerunzelten Brauen.»Wenn Sie mir den richtigen Kontaktmann verschaffen, dann, das schwöre ich Ihnen bei den zwanzig Exemplaren der Oxford-Bibel hier, wird niemand jemals etwas davon erfahren. Außerdem ist es einfach.«

»Tut mir leid, Bucky. Drogengeschäfte sind nicht meine Sache. Sie sind heute abend schon der zweite, der mich deswegen befragt, und ich trage einfach nicht...«

»Sie befinden sich abermals im Irrtum. Schwieriger als das ist es schon. Schauen Sie, Sie haben Arthur Paston vorhin kennengelernt. Er ist mein Problem.« Bucky schüttelte den Kopf und starrte auf den Teppich.»Wo soll ich anfangen? Arthur Paston ist nicht nur mein bester und verläßlichster Klient. Er ist ungeheuer mächtig auf eine Weise, die man einem Außenstehenden kaum erklären kann.«

»Und?«

»Warten Sie. Sie müssen verstehen. In diesem Busineß ist der große Test folgender: Kannst du mehr als ein oder zwei Jahre überleben? Arthur Paston hat mehr als sechzig Filme gemacht und das letzte Dutzend auch noch selbst finanziert. Weiß der Teufel, wie er's geschafft hat. Womöglich war er schon vor Urzeiten zur Stelle, als die Indianer das Land billig verkauften, Halb-New-York für'n Vierteldollar oder so; vielleicht hat ihm Old Washington persönlich was zugesteckt. Teufel auch, ich weiß es nicht. Ich weiß nur, alle dummen Witze beiseite, daß der Kerl es nicht nötig hat, sich erst lange mit Agenten und Anwälten und Finanzierern in freundliches Benehmen zu setzen. Er sagt, was er will. Er sagt, was er zu zahlen bereit ist. Und – und meistens kriegt er, was er will. Aber wichtiger ist, daß ich kriege, was ich will. Er plant einen neuen Film. Und falls es nach seinem Willen geht, werden darin zwei Drittel der Leute mitwirken, die hier am Pool Sushi in sich reinschlabbern.«

»Und jeder von denen müßte Ihnen zehn Prozent bezahlen?«

»Mindestens. Arthur weiß, daß es mitunter sehr kostspielig ist, genau die richtigen Leute zu finden. Er ist ein Perfektionist. Deshalb ist er dort, wo er ist, und deshalb bin ich dort, wo ich bin – in der Klemme. Denn falls er nicht kriegt, was er braucht, fällt das Projekt flach.«

»Was will er denn?«

Bucky ließ ein glucksendes Lachen hören. Seine Schultern zuckten leicht. »Himmelherrgott, genau das ist die Frage. Klingt gar nicht nach viel. Oder eher: Klingt wie ein Witz. Dies ist der Mann, der über den Zweiten Weltkrieg Filme gedreht hat, daß alte Frontkämpfer Nervenschocks bekamen. Ich meine, der Mann hat Flugzeugträger eingesetzt. Wissen Sie, was dazugehört, sich einen Flugzeugträger zu pumpen?«

»Hab noch nicht viel Gedanken daran verschwendet.«

Wieder sprang Bucky auf, wieder schritt er auf und ab.

»Für *Spitfire* hat er es geschafft, die siebtgrößte Luftwaffe der Welt zusammenzukriegen. Und was könnte ihn diesmal stoppen?« Wie fassungslos schüttelte Bucky den Kopf. »Ein paar lumpige Maschinengewehre und vielleicht eine transportable Raketenabschußvorrichtung.«

»Vielleicht?«

»Ja. Er meint, er braucht das. Eine Menge läßt sich zwar mit Hilfe von Plastik oder Pappmaché machen. Mit Dynamit kann man einen ›Laster‹ in die Luft jagen, und kein Schwanz merkt den Unterschied.«

»Wo ist das Problem? Die Studios haben doch wohl ganze Arsenale voll von allem möglichen Zeug.«

»Mal ganz kurz zu Ihrer Aufklärung: Die Geschichte der Beziehungen zwischen Arthur Paston und den Hauptfilmstudios ist ungefähr genauso kompliziert wie die Geschichte der Peleponnesischen Kriege und vermutlich auch genauso alt. Die meisten lassen ihn nicht einmal mehr auf ihr Gelände.«

Altmeyer nippte an seinem Riesen-Martini und betrachtete Bukky. »Dies hier könnte ein Pfündchen Oliven vertragen. Was genau sucht er eigentlich?«

»Ich glaube, erst mal so zwei oder drei von diesen Maschinenpistolen, wie heißen sie doch noch. Diese kleinen Uzis oder vielleicht auch Ingram MAC-10, und ein paar tausend Schuß scharfe Munition.«

»Keine Platzpatronen?«

»Arthur ist Perfektionist. Der will die Landschaft ein bißchen aufwühlen, so wie in der alten Zeit, als die Kameras beim Kurbeln ächzten und die Gehirne dahinter gleich mit.«

»Sie haben Ihre Klienten doch bestimmt versichert«, sagte Altmeyer. »Und für einen Mann wie ihn sollte es da eigentlich kaum irgendwelche Probleme geben. Rufen Sie das Federal Building in der Stadt an, erklären Sie, was Sie wollen, und die erteilen Ihnen garantiert eine Sondererlaubnis oder was. Was die Munition betrifft, die können Sie in jedem Waffengeschäft kaufen.«

»So einfach ist das nicht. Ich hab da bereits recherchiert. Problem Nummer eins: die Bundeslizenz. Wissen Sie, was die da vorab verlangen? Eine Eingabe, unterschrieben von der Polizei, worin steht, es verstoße gegen keinerlei Gesetz. Nun, in fünfunddreißig unserer Staaten wäre da alles Eier backe Kuchen, nur gehört Kalifornien leider nicht dazu. Zwar gibt es Sonderbestimmungen für die Filmindustrie, doch die Bürokratie ist mörderisch. Die brauchen geschlagene drei Monate, bis sie auf so 'ne Eingabe auch nur einen Blick werfen.«

»Eine Alternative dazu gibt's offenbar nicht, Bucky. Ich versteh von diesen Dingen zwar weiter nichts, aber Sie können ja unmöglich Bundesgesetze brechen und solche Filme dann in den Kinos zeigen.«

»Es würde ein halbes Jahr dauern. Deshalb brauche ich Hilfe. Ich muß diese verdammten Dinger so bald wie möglich zur Verfügung haben. Paston hat sich bereits entschlossen, den Film zu machen, hat Leute auf seiner Lohnliste, hat Gerät gemietet und so weiter. Die Uhr tickt bereits, und der alte Bucky soll den Karren flottmachen. Hören Sie, Sie kennen doch bestimmt jemand, der mir helfen kann. Ich werde morgen um die Lizenz nachsuchen. Wenn der Antrag durch ist, werde ich *pro forma* höchst legal ein paar Schußwaffen kaufen. Inzwischen hat Arthur termingemäß die Dreharbeiten beendet, dazu noch besonders preisgünstig, und kein Schwanz wird wissen, was wann gedreht worden ist.«

32

Altmeyer nippte schweigend an seinem Drink. Plötzlich war an der Tür ein Geräusch, eine Art Klopfen, nur daß es von tief unten her klang. Bucky stand auf, öffnete. Und draußen stand Rachel, drei Drinks in den Händen.

»Hier, bedient euch«, sagte sie. »Vielleicht könnt ihr's brauchen. Billy, fürchte ich, hat mich allein gelassen, um sich vom Braten die schönsten Lendenstücke oder ähnliches abzusäbeln. Mag auch sein, daß er eine bessere Zuhörerin sucht. Schnorren hält in Übung, so oder so.« Sie blickte zu Altmeyer. »Wie wär's denn, wenn du mir helfen würdest. Eine Tür mit hochhackigen Schuhen einzutreten, ist nämlich gar nicht so einfach.«

»Wir hatten gerade ein Geschäftsgespräch«, sagte Bucky, »aber damit sind wir jetzt wohl fertig. Werden Sie sich die Sache wenigstens durch den Kopf gehen lassen?«

Altmeyer nickte.

Rachel lächelte. »Wenn Männer sich zu geheimnisvollen Geschäftsgesprächen zurückziehen, fragen sich Frauen ganz unwillkürlich, welcher Art die Geschäfte denn sein mögen. Verkaufen sie unsere Mitgift? Nehmen sie eine Hypothek auf für das Dach über unserem Kopf? Oder erzählen sie sich ganz einfach unanständige Geschichten?«

Altmeyers Gesicht war ausdruckslos. Er erhob sich, ging zur Tür, nahm einen der Drinks aus Rachels Hand und schob dann den Türriegel vor. »Nimm Platz, und ich setz dich ins Bild.«

Bucky versuchte zu lachen, doch es klang wie ein schrilles Gakkern. »Aber was soll's? Wozu das Ganze noch mal durchkauen? Ich bitte Sie ja nur darum, sich die Sache in aller Ruhe durch den Kopf gehen zu lassen. Teufel, die Gäste werden sich fragen, was mit uns los ist.«

»Dies wird Sie nicht lang in Anspruch nehmen, Bucky. Rachel ist mit meinem Busineß im Handumdrehen klargekommen, und ihr Gehirn arbeitet sowieso unter größerer Hochspannung als meins . . .«

»Ist schon okay. Ersparen wir dem armen Bucky, sich vor lauter Verlegenheit noch mehr zu winden. Gebt mir nur eine Minute, damit sich meine schmerzenden Füße ein bißchen erholen können, und dann spazieren wir zu dritt hinaus und sorgen dafür, daß der böse Billy Bittmeister unserem lieben Bucky keine Klienten klaut – oder was immer sonst.«

»Augenblick«, sagte Altmeyer und lehnte sich gegen die Tür. »Bucky hat mir gerade erzählt, er brauche zwei oder drei automatische Waffen, weil der alte Arthur Paston so 'n Superperfektionist *in puncto* Authentizität sei. Allerdings scheint's Paston scheißegal zu sein, ob er Uzis oder Ingrams kriegt. Außerdem hätte er gern 'ne Raketenabschußvorrichtung, wobei ihm der Typ gleichfalls schnuppe ist, weil er da was mit Pappmaché vortäuschen kann, falls er nichts Echtes kriegt. Andererseits besteht er auf scharfer Munition. Das große Problem ist: Er kann für all das Zeug keine Lizenz kriegen, weil's ganz einfach zu lange damit dauert und die Produktionskosten bereits wachsen. Die meisten der Leute draußen sind bereits engagiert, und Bucky kriegt von jedem einzelnen zehn Prozent, bloß macht ihn das aus irgendeinem Grund nicht gerade glücklich. Paston ist in diesem Busineß ein Mann mit großer Macht, also müssen Bucky und alle anderen tun, was er will. Bloß kann auch Paston sein Problem nicht lösen, außer sein Agent treibt irgendwie die erforderlichen Utensilien auf. Natürlich hat Bucky, zu dessen Job es ja gehört, jedermann im Filmgeschäft zu kennen, an den direktesten und logischsten Weg zur Lösung des Problems gedacht. Er erinnerte sich daran, daß sein Nachbar im Importgeschäft ist und ganz bestimmt jemanden kennen würde, der Maschinenpistolen verkaufen kann. Was denkst du?«

Rachel krauste die Stirn. »Hack nicht auf ihm herum, Altmeyer. Bucky steckt ganz schön in der Klemme.« Sie blickte zu Bucky, der schlaff in seinem Ledersessel hockte und zur Zimmerdecke starrte. »Wie sieht sie aus, Bucky?«

Bucky schloß die Augen und seufzte. »Ich bin ein Narr. Tut mir leid.«

Rachel trat zu ihm. »Vor wem haben Sie Angst?«

Buckys Kopf ruhte auf der Rückenlehne. Er drehte ihn von Seite zu Seite. »Vor wem ich Angst habe? An wen denken Sie da? Arthur Paston? Ja, vor dem habe ich Angst. Billy Bittmeister?

Sicher. Wenn diese Party lange genug dauert, kann er's schaffen, mir einen Schaden so um die dreißig Prozent zuzufügen. Und seit rund zehn Minuten können Sie Altmeyer zu dieser Liste hinzufügen. Bitte, lassen Sie mich allein. Vergessen Sie, daß ich irgend etwas gesagt habe.«

Altmeyer blickte zu Rachel.»Was denkst du?«

»Ich mag ihn. Keiner versteht es, einem Mädchen so zu schmeicheln wie Bucky. Auch kann er herrlich lügen. Und außerdem hat er uns mal 'ne Küchenmaschine geliehen.«

Altmeyer musterte den dicken, kleinen Mann, der auf dem übergroßen Sessel in sich zusammenzukriechen schien.»Sagen Sie uns die Wahrheit, und vielleicht können wir was für Sie tun.«

Bucky beugte sich vor.»Sie meinen, Sie beschaffen mir . . . beschaffen Arthur und mir die . . .«

Altmeyer hob die Hand.»Schön langsam. Die Wahrheit hat mit der Filmerei doch nichts zu tun. Und die Lösung besteht nicht darin, Sie mit automatischen Waffen durch die Weltgeschichte laufen zu lassen, die Sie noch nie abgefeuert haben und womit Sie sich vermutlich bloß den eigenen Arsch wegknallen würden. Jetzt mal raus mit der Sprache.«

Bucky wölbte die dicken Lippen vor. Seine Augen wirkten jetzt schmal.»Hat mit Drogen zu tun.« Sein spitzer Blick huschte zu Rachel, schien eine Reaktion zu erwarten. Als sie ausblieb, seufzte Bucky.»Um in meinem Busineß bestehen zu können, muß man eine ganze Menge Zeit zur Pflege aufbringen.«

»Pflege? Haben Sie Pflege gesagt?« Rachel bewegte sich auf einen Stuhl zu, der näher bei Bucky stand.

»Genau. Ich muß hart daran arbeiten, daß jeder meiner Klienten glaubt, ich wär Tag und Nacht am Ball, um ihn reich zu machen. Lerne ich einen einflußreichen Mann kennen, so muß ich dafür sorgen, daß er sich an mich erinnert, damit er sich nicht verleugnen läßt, wenn ich ihn anrufe. Ich muß ein ganzes Netz von Leuten unterhalten, die keine Klienten oder Kunden sind, mir jedoch nützliche Informationen zuspielen können. Ich muß wissen, wer was tut, wer auf dem Weg nach oben ist, wessen Zeit vorbei ist. Dazu gehört, nun ja, Pflege.«

»Und?« fragte Altmeyer.

»Und das ist eine recht intensive Beschäftigung. Es genügt nicht, eine Liste von Leuten aufzustellen und diese Herrschaften einmal pro Woche anzurufen, um sich mit ihnen irgendwo zum Lunch zu verabreden. Ich muß auf jeden den Eindruck machen, daß ich wer bin. Wenn zwei Monate vergehen, ohne daß mein Name groß erwähnt wird, halten sie mich für tot. Und wenn zwei Jahre vergehen, ohne daß sie von was Bedeutsamem hören, das ich geleistet habe, dann bin ich für sie mausetot. Man muß *jetzt* einen großen Namen haben, alles andere ist Schnee von gestern. Große Namen, einflußreiche Leute, bei denen kann man was ergattern – Vergünstigungen, einflußreiche Bekanntschaften, eine Erwähnung an der richtigen Stelle, ein Job, eine Chance.«

»Bucky«, sagte Rachel leise. »Sie reden nun schon eine ganze Weile.«

Bucky nickte. »Ich sollte jetzt rausgehen, damit jeder von denen seine Wochendosis Bucky kriegt. Wissen Sie, was mich dieser Abend kostet?«

»Nein. Wieviel?«

»Fragen Sie mich lieber nicht.« Er schwieg einen Augenblick. »Jedenfalls gehört dies dazu. Man schmeißt Partys und gibt sich Mühe, jeden in eine Bombenstimmung zu bringen. Und während man dabei ist, tut man ganz lässig, als sei man das kleine Genie, das höchstpersönlich den Reichtum erfunden hat. Gib ihnen alles, wovon sie glauben, daß sie's brauchen. Momentan futtern die da draußen Kaviar und Trüffeln, als wär's Erdnußbutter und Marmelade. Und es wird nicht lange dauern, da werden die ersten den letzten lausigen Rest von meinem Kokain ihre Nasenlöcher hochjagen.«

Rachel sagte zu Altmeyer: »Ich glaube, der gute, alte Bucky ist drauf und dran, wirklich aus dem Nähkästchen zu plaudern.«

»Könnte stimmen. Nur weiter im Text, guter, alter Bucky. Und Schluß mit der Trübsalblaserei.«

»Jawohl, Kopf hoch!« munterte auch Rachel ihn auf.

»Ist leider keine lustige Geschichte. Wenn man mit Leuten zu tun hat, die russischen Kaviar und französische Trüffeln verkaufen, dann könnte man glatt *glauben,* man hätte es mit Kriminellen zu tun. Wenn man Kokain kauft, dann *weiß* man, daß man's mit welchen zu tun hat. Ich vereinbarte mit einem gewissen Kubitz, etwas Koks zu kaufen – nein, eigentlich sogar eine ganze Menge.«

»Eine ganze Menge, Bucky?«

Bucky sprach die Wörter langsam aus, als sei er selbst verwundert, sie zu hören. »Zweihunderttausend Dollar. Ein halbes Pfund.«

»Sie denken wirklich in großen Kategorien, Bucky.«

»Mensch, Sie sind doch Geschäftsmann. Wenn man nicht gleich große Mengen kauft, dann wird man doch von den Zwischenhändlern ausgenommen.«

»Sind Sie ausgenommen worden?«

»Der Stoff war eigentlich schon vor zwei Wochen fällig. Ich sollte Kubitz in einem Auto in einem Parkhochhaus im Beverly Center treffen – ich gebe ihm die Kohle, er gibt mir den Koks, wir schütteln uns freundlich die Hände, und damit hat's sich. Bloß kommt er nicht. Am selben Tag taucht Kubitz in meinem Büro auf und sagt, es gibt da ein Problem. Und das Problem ist dies: Die Leute, die das Zeug von Kolumbien hergebracht hatten, mußten bei ihrer Ankunft in Miami in Cash bezahlt werden. Und die Leute, die das Zeug dann hierherbringen sollten, beschlossen kurzerhand, Kubitz keinerlei Kredit einzuräumen. Also muß er seinerseits, wenn er das Zeug haben will, für alles bar auf die Kralle zahlen. Ist einfach zuviel Zaster, um's anders zu handhaben, sagen die. Sie hätten ohnehin schon zuviel ausgelegt, eine Riesensumme vorgeschossen. Jetzt treten sie erst mal langsam und warten, bis Bargeld lacht. Ist ja ein echter Scheiß, sagt er, denn jetzt muß er all seine Kunden abklappern, um knapp fünf Millionen zusammenzukriegen. Aber...«

»Aber er gibt Ihnen einen Riesendiscount, wenn Sie im voraus berappen.«

Bucky schloß die Augen und nickte. »Und das Schlimmste bei allem – es war glaubwürdig. Ich meine, dieser Kerl, der Kubitz – er ist schwer zu beschreiben, aber Krimineller trifft's nicht. Er ist was wie aus einem Alptraum. Ich weiß noch, wie ich dort saß und so vor mich hindachte, Mann, das muß doch wahr sein, weil dieser

37

Kerl, also ich meine, dem gibt doch keiner so eine Menge Kokain, wenn einem das Geld nicht so sicher scheint wie auf 'ner Bank.« »Scharfe Logik, Bucky. Und wann haben Sie herausgefunden, daß die Kokslieferung geraubt worden war, von irgendwelchen Mars- oder Venusmenschen vermutlich?«

Rachel sagte: »Altmeyer, du solltest für den guten, alten Bucky wirklich mehr Mitgefühl aufbringen.«

Bucky setzte sich auf und schwenkte auf eigentümliche Weise die Hand, als werde sein Mammutledersessel im nächsten Augenblick mit ihm in der Ferne entschwinden. »Ich verdiene es nicht besser. Nichts spricht zu meiner Entschuldigung. Jedenfalls vergeht so etwa eine Woche, ohne daß ich irgend etwas von Kubitz höre. Langsam werde ich ein bißchen mißtrauisch, also rufe ich ihn an. Zuerst heißt es, er ist nicht in der Stadt. Dann heißt es, er ist in der Stadt, nur weiß man nicht wo. Schließlich meldet er sich am Telefon, ist aber gar nicht scharf darauf, über Geld zu reden, und tut so, als sei sein Telefon angezapft. Nicht mal von einem persönlichen Zusammentreffen will er was wissen. Er sei zu beschäftigt, werde sich aber mit mir in Verbindung setzen. Und er spricht, als rede er in Code, weil so ein zwei Dutzend FBI-Agenten bei ihm im Zimmer seien.«

»Natürlich«, sagte Altmeyer. »Nur weiter.«

»Nun, Sie können sich vorstellen, was ich inzwischen denke. Sollte er wirklich in der Klemme sitzen, so wäre sein Verhalten natürlich begründet und ich hätte allen Grund, mich von ihm möglichst weit wegzuhalten. Nur: Falls er mir das Fell über die Ohren ziehen will, ist das zweifellos genau der Eindruck, den er bei mir hervorrufen möchte. Aber so oder so – was soll ich machen? Dieser Kerl hat dauernd zwei Leibwächter bei sich – so miese Typen, daß man sie wegen ihrer Visagen nicht mal in einen Tätowierungsladen reinlassen würde. Beide tragen Kanonen, genau wie Kubitz, in Schulterhalftern, wie Bullen.«

»Klingt nicht sehr verlockend, wie?« fragte Rachel. »Und ich habe den Eindruck, daß Sie die Sache eigentlich abgeschrieben haben. Wozu wollen Sie also all die Ballermänner, lieber, alter Bucky?«

»Hab's abgeschrieben, sicher, was blieb mir sonst auch übrig? Hab ein paar Tage mächtig dran rumgekaut. Bin aber irgendwie drüber weggekommen, so wie's einem geht, wenn man ein Bein verliert. Bei Kälte frieren einem da manchmal noch die Zehen, bis einem wieder einfällt, daß man ja gar keine mehr hat, und das ist dann so eine Art Trost.«

»Und warum trotzdem der Gedanke an mögliche Gewalttätigkeit, Bucky, mein bockiger Bronco?« Altmeyer trat zu Rachels Sessel und nahm einen von den Drinks.

»Weil mich Kubitz gestern abend hier angerufen hat. Er sagte, jetzt sei alles okay, und er wär bereit, das Kokain zu liefern. Er will sich morgen abend mit mir treffen. Ich habe abgelehnt.«

»Warum? Vielleicht will er ja bloß nicht aus der Handelskammer fliegen.«

»Ich glaube, daß er mich umlegen will. Diesmal möchte er nicht, daß wir uns im Beverly Hill Center treffen. Ich soll erst bei DuPars in der Ventura essen und dann die Radford runtergehen, zu Fuß zum großen Parkplatz bei CBS, und zwar mit der Aktentasche.«

»Na ja, irgendwas wird er sich vermutlich dabei gedacht haben.«

»Apropos gedacht. Ich hatte mir das folgendermaßen überlegt. Ich kreuze einfach wie gewünscht auf und ziehe eine dieser häßlichen kleinen Maschinenpistolen heraus. Mehr brauche ich gar nicht zu tun. Denn der hätte die Hosen garantiert gestrichen voll.«

»Möglich.« Rachel blickte zu Altmeyer. »Hältst du's für eine gute Idee, einem Mann wie Mr. Kubitz Angst einzujagen?«

Altmeyer trat zum Bücherregal. »Nicht, solange ihm genügend Zeit bleibt, einem die Rübe abzuknallen.« Er blickte auf sein frisches Glas. »Das hier schmeckt 'ne Spur besser. Arthur scheint zu lernen.« Er ging zur Tür zurück. »Aber wie denkst du über Bucky? Lernt er denn?«

Rachel bedachte Bucky mit einem mitfühlenden Blick. »Nein, glaube ich eigentlich nicht. Der Ärmste. Klingt ganz, als hätte er sich einen Teil aus den Fingern gesogen.«

»Also, was ist, Bucky-Buckingham? Die Wahrheit, die ganze Wahrheit und nichts als die Wahrheit? Nur so probeweise?«

»Alles andere wäre doch kindisch, Lucky Bucky«, sagte Rachel. »Wie können wir Ihnen helfen, wenn Sie uns nicht vertrauen? Sie haben doch nicht nur einfach gekauft, oder?« Sie streckte die Hand vor, legte sie ihm auf die Schulter.

Bucky sackte nach vorn, die Ellenbogen auf den Knien. »Tut mir leid. Ich konnte einfach nicht anders. Ist aber alles wahr, bis auf diese eine Sache. Ich wollte einen Teil von dem Kokain an einen anderen verkaufen und dabei meinen Schnitt machen. Aber das ändert nichts weiter. Kubitz will mich allein an einem dunklen Ort treffen, und er schuldet mir soviel, daß es sich bei den augenblicklichen Preisen mindestens fünfzigmal für ihn lohnt, mich umzubringen. Ich brauch so was wie'n Trumpf in der Hand.«

Altmeyer blickte zu Rachel. »Wie denkst du jetzt drüber?«

Rachel lächelte. »Das scheint's so ziemlich zu sein. Wenigstens wissen wir jetzt genug. Bitte, Altmeyer. Ich weiß, was du denkst. Aber laß es uns tun. Es ist unser Freund, und schau ihn dir an. So allein, so traurig und so voller Angst, daß er nicht mal mehr seine eigenen Lügen auseinanderhalten kann. Und falls man ihn umlegt? Würdest du dich da nicht schämen?«

Altmeyer stellte sein Glas auf den Schreibtisch. »Kommen Sie morgen früh um zehn zu unserem Haus, Bucky, mein Hochverehrter.«

Bucky Carmichael bewegte sich überaus vorsichtig voran. Dicht hielt er sich an der hohen Mauer, die die Sandmassen des Hügelhangs gleich einem mächtigen Damm zurückhielt, so daß sie nicht auf die Straße stürzen konnten. Carmichael schritt weiter, arbeitete sich etappenweise vor. Er vernahm ein schrilles Motorengeräusch, irgendwo hinter der Kurve und also seinem Blick entzogen. Schon blieb er stehen, nahm Zuflucht hinter Mauergestein, reckte dann spähend den Kopf vor. Sein Blick, soweit er ihm überhaupt etwas hätte zeigen können, zeigte ihm nichts. Die Straße, unmittelbar hinter der nächsten Kurve, wirkte leer. Also wagte er sich ein weiteres Stück voran, folgte der Kurve, wobei seine linke Wade Kräuter und niedriges Gesträuch streifte, und marschierte dann am Rand des Pflasters, als bewege er sich blind und eigentlich nur dem Tastsinn folgend voran. Das Motorengeräusch verstärkte sich, ein schwarzer Porsche tauchte auf und schien mit der Schnauze genau auf jene Stelle zu zielen, wo sich Buckys rechte Kniescheibe befand. Er drehte sich zur Seite, und der schwarze Porsche jagte wie ein Blitz vorüber, immer den Canyon entlang, das Tempo noch weiter beschleunigend, als er fast aus der Kurve war.

Bucky Carmichael ging weiter. Er gelangte zu halbverfallenen Stufen aus Zement, die eine verwucherte Böschung hinaufführten, bis sie am Stamm einer Zwergeiche abrupt endeten. Dies sei einmal Houdinis Grundstück gewesen, hatte Bucky Carmichael gehört, das alte Haus längst schon abgebrannt bei einem der Canyonbrände. Mochte die Wahrheit sein, mochte nicht die Wahrheit sein, Bucky seinerseits behauptete allerdings immer, er wisse, es sei die Wahrheit, weil er die entsprechenden Dokumente gesehen hätte.

Ein paar Meter weiter stand ein Sockel aus Ziegeln mit der Statue eines Schwans drauf, der die Auffahrt zum Altmeyerhaus markierte. Bucky Carmichael begann den steilen, gewundenen Weg emporzusteigen, legte zwischendurch immer wieder eine Pause ein, damit das Gezwitscher der unsichtbaren Vögel nicht allzusehr von seinem dröhnenden Herzschlag übertönt wurde. Schließlich gelangte er zu einer ziemlich ebenen Stelle, und auf dieser Strecke kam er nach und nach wieder zu Atem, während er dem Weg zwischen den Bäumen bis zum Rasen folgte.

Er wollte die grüne Fläche gerade in Richtung Eingangstür überqueren, als er plötzlich Rachels Stimme hörte: »Hallo, Bucky. Genau pünktlich, ungefähr.« Als er den Kopf drehte, sah er Rachel bei einem kreisförmigen Pool knien. Sie trug Blue Jeans und ein Sweat-Shirt, das Haar auf ihrem Hinterkopf war zu einer Art Pferdeschwanz oder Zopf gebunden. Hinter ihr saß Altmeyer auf einem Gartenstuhl an einem Metalltisch und trank aus einer bauchigen Tasse Kaffee.

»Tut mir leid. Ich hatte ganz vergessen, wie weit es von dem Schwan dort unten bis hierher zum Haus ist.«

»Gans«, sagte Rachel.

»Gans?«

Sie nickte und schaute in den seichten Teich, wo eine Anzahl von großen, gefleckten Fischen zwischen wuchernden Pflanzen hin und her glitt.

»Nehmen Sie Platz, mein guter, müder Bucky-Bock«, sagte Altmeyer. »Falls Sie einen Schlaganfall kriegen und in Rachels neuen Teich plumpsen, dann wird der Karpfen sie glatt zu Tode mampfen, ohne daß sie auch nur einen Finger rührt.«

»Eine gräßliche Todesart«, sagte Bucky und nahm neben Altmeyer am Tisch Platz. Er spähte über seine Schulter zum Fisch. »Da haben Sie aber ganz schön tief in die Tasche greifen müssen, was? Arthur hat einen, der über hundert haben soll, und der Spaß hat ihn zehntausend gekostet.«

»Die Fische hab ich billig geangelt – von einem Geschäftsfreund. Und das Loch haben wir selbst ausgehoben«, sagte Altmeyer.

Rachel stand auf. »Okay, ihr zwei, Zeit an die Arbeit zu gehen. Ich komme nach, muß mich nur noch um die Ziegen kümmern.«

»Ziegen?« fragte Bucky.

Altmeyer nickte. »Ideales Gelände für Ziegen hier oben.«

»Ja, aber was machen Sie denn mit denen?«

»Ich bring ihnen Programmieren bei. Kommen Sie, gehn wir zum Haus. Mein Kaffee ist alle, und ich hab Ihnen noch nicht mal welchen anbieten können.«

Bucky folgte ihm wortlos. Als sie am Swimmingpool vorbeikamen, fragte er: »Was fressen die – was für Futter gibt sie ihnen?«

»Ziegen.«

Sie traten durch den Seiteneingang ins Haus und gelangten in eine große, weiße Küche, wo Bucky an so einer Art Hackklotztisch Platz nahm, während Altmeyer aus einer Espressomaschine Kaffee für ihn holte und dampfende Milch dazu.

Bucky schlürfte seinen Kaffee und versuchte eine passende Frage zu formulieren: Was es denn eigentlich mit den Ziegen auf sich habe. Von irgendwo draußen kamen nasale Laute, und es klang wie *na-ah-ah,* als Rachel bei den Tieren auftauchte und offenbar irgend etwas mit ihnen tat.

Altmeyer kehrte zum Tisch zurück und stellte ein Telefon vor Bukky hin. »Rufen Sie Kubitz an und sagen Sie ihm, es passe Ihnen nun doch heute abend. Vergewissern Sie sich, daß es sich um denselben Ort handelt. Sie werden sich den ganzen Tag über an 'ner Stelle aufhalten, wo er Sie nicht erreichen kann. Sie müssen's also jetzt wissen – ganz präzise.«

Bucky fragte: »Aber wie sieht der Plan aus?«

»Das hängt von dem ab, was er sagt. Rufen Sie ihn an.«

Bucky wählte die Nummer und hörte eine Stimme, so tief und gleichzeitig flach, daß er sofort wußte, es konnte nur Kubitz sein. Sie war ohne Akzent, ohne Klangfarbe. »Ja.«

»Hier ist Bucky. Ich habe zwar abgesagt, aber ginge es noch, heute abend?«

»Sicher. Am selben Ort. Um elf.«

»Ich werde da sein.« Bucky legte langsam auf, die Leitung war bereits am anderen Ende tot, und er hörte, wie sein Herz wieder wild hämmerte, und bemerkte, daß er heftig durch den Mund atmete. Er fühlte es nur zu deutlich: Dies war falsch. Es ging einfach alles zu schnell. Hätte er Kubitz vielleicht ein paar Wochen sich selbst überlassen, so wäre über die Geschichte sicher etwas Gras gewachsen und alles hätte sich schon wieder irgendwie eingerenkt. Aber vielleicht war es selbst jetzt noch nicht zu spät. Er konnte Kubitz noch mal anrufen, ihm sagen, er hätte sich's anders überlegt. Doch je länger er grübelte, desto hastiger verrannen die Sekunden, bis es – ja, bis es dafür irgendwie zu spät war.

»Ausgezeichnet«, sagte Altmeyer. »Sie können aufhören, sich Sorgen zu machen.« Er neigte den Kopf ein Stück zur Seite, lauschte. »Rachels Ziegen sind abgefüttert.«

Bucky starrte ihn an. Ein Gefühl der Panik stieg in ihm auf. Es konzentrierte sich genau auf die Mitte seiner Stirn, bewirkte dort ein Hämmern, ein Dröhnen. Bucky Carmichael betrachtete Altmeyers hageres, sonnengebräuntes Gesicht mit den fremdartigen Mandelaugen, die so ohne Ausdruck schienen, bis auf die unverkennbare Wachsamkeit. Plötzlich kam es Bucky vor, daß dieser Mann hier das eigentliche Problem war: Altmeyer. Wer, zum Teufel, war er denn eigentlich? Er behauptete, Importeur zu sein, aber was besagte das schon? All die Fragen, die Bucky bislang unterlassen hatte, sie schienen urplötzlich von Wichtigkeit. Man konnte nicht einmal sagen, wie alt er war, und ob er und Rachel verheiratet waren, und wo sie her kamen, und . . .

»Okay«, sagte Altmeyer. »Ich glaub, wir gehn besser nach unten. Nehmen Sie Ihren Kaffee mit.«

Bucky empfand ein Gefühl, das dem der Übelkeit verdammt nahe kam. Während er Altmeyer aus der Küche folgte, spürte er eine Art Entsetzen darüber, daß sie das Telefon dort zurückließen. Er hätte Kubitz anrufen sollen, jetzt gleich, auf der Stelle. Was sollte nun heute abend werden? Konnte er sich irgendwie drücken?

Altmeyer öffnete eine Tür und stieg die Treppe hinab zum Keller. Bucky folgte ihm ein paar Schritt, blieb dann jedoch stehen. Seine Beine wurden schwach. Altmeyer war bereits unten angelangt und rief: »Kommen Sie doch, Bucky. Rachel wird auch gleich hier sein.«

Das Gefühl der Panik nahm überhand. »Warten Sie«, sagte Bucky und lauschte wie betäubt auf seine eigene Stimme. »Ich habe Angst.«

Altmeyer kehrte zum Fuß der Treppe zurück und spähte zu ihm empor aus seinen fremdartigen, leeren Augen, die so wachsam wirkten und irgendwie starr. »Natürlich haben Sie Angst. Sie sind ein intelligenter Mann. Kommen Sie.« Er entschwand im trüberleuchteten Kellerraum.

Bucky stand steif da, mit der einen Hand das Treppengeländer umklammernd. Dann bemerkte er plötzlich, daß er in der anderen Hand die Kaffeetasse hielt, sehr ruhig, ohne auch nur einen Tropfen zu verschütten. Er starrte kurz darauf, trank einen Schluck, stieg dann die Treppe hinunter in den kühlen, klammen Keller.

Altmeyer wartete ein kurzes Stück entfernt, auf einen hohen Holztisch gestützt, der den Zugang zu einem engen Flur versperrte. Auf dem Tisch sah Bucky mehrere Paar Kopfhörer, die jedoch mit nichts verbunden waren.

Bucky fragte: »Was ist das?«

»Ein Schießstand.«

Die Kaffeetasse in Buckys Hand zitterte leicht.»Wozu haben Sie die Ziegen?«

»Rachel mag sie. Es sind saubere, liebevolle und hübsche Tiere.« Altmeyers Stimme klang ruhig, und die wachsamen Augen wirkten müde.

Aus irgendeinem ihm selbst unbegreiflichen Grund fragte Bucky: »Okay, und was jetzt?« Er hörte, wie Rachel die Holztreppe herunterkam; ihre Schritte klangen viel leichter als Buckys oder auch Altmeyers Schritte.

»Wie fühlen wir uns denn, Bucky-Buckingham?« rief sie.

»Prächtig«, log Bucky.

Altmeyer sagte: »Wir müssen Ihnen erst einmal Ihre Rolle in diesem Spielchen klarmachen. Was Sie da ausgetüftelt hatten, war ja gar nicht so übel, nur 'n bißchen zu ehrgeizig für Sie, auch waren ein paar Fehlerchen drin.«

Rachel stand jetzt hinter den Männern. Fast fröhlich sagte sie: »Hätte Sie aber bloß Ihr Leben gekostet.«

Altmeyer langte über den Tisch hinweg und zog eine kurze, ziemlich schwere Flinte herbei, eine Schrotflinte, wie es schien. Fünfmal bewegte er sie blitzschnell hin und her.»Dies Ding ist schon etwas realistischer. Es ist eine Remington Elfhundert, genau wie die Polizei sie verwendet. Sie ist zuverlässig, schnell und einfach. Haben Sie jemals so 'ne Flinte abgefeuert?«

»Einmal«, erwiderte Bucky vorsichtig,»aber die sah anders aus.«

»Gut. So was vergißt man nicht. Haben Sie irgendwas getroffen?«

»Hab mich nicht sehr geschickt angestellt.«

»Kein Problem. Deshalb sind wir ja hier, um Ihnen ein bißchen Übung zu geben. Der Hauptpunkt ist der, Sie dürfen sich nicht einbilden, ich brauch bloß draufloszuballern, und der Streueffekt besorgt schon den Rest. Das ist ein Irrtum. Doch Flinten dieser Art haben ihre Vorteile.«

»Welche?«

»Wenn Kubitz ein Profi ist, dann macht ihm so was genausoviel Angst wie eine Bombe aus 'nem Flugzeug. Sollten Sie das Ding wider Erwarten tatsächlich gebrauchen müssen, so werden Sie vielleicht auch was treffen. Die Munition, mit der Sie ballern, ist, nennen wir's mal so, supergrober Schrot, und wenn davon was einschlägt, dann ist's für jede Notstation zu spät. Das sind hier nämlich zwölf Stahlgeschosse, jedes einzelne so groß wie 'ne 38er-Kugel. Auf sieben Meter pusten die ein fast faustgroßes Loch durch ihn hindurch. Nehmen Sie's.«

Bucky nahm die Flinte entgegen. Sie fühlte sich schwer in seiner Hand, fremdartig und kalt.

Altmeyer reichte Rachel ein Paar Kopfhörer und sagte zu Bucky: »Jetzt werden Sie das Ding abfeuern. Ziehen Sie's fest gegen Ihre Schulter, um den Rückstoß abzufangen. Der Lauf ist abgesägt, benutzen Sie also die Visiervorrichtung weiter vorn, sonst ballern Sie hoch in die Luft. Wir haben jede Menge Zeit. Ich möchte, daß Sie mit dem Ding richtig vertraut werden.«

Bucky krauste die Stirn. »Ich kann doch mit so einem Ding unmöglich die Straße entlangspazieren. Einfach ausgeschlossen.«

Altmeyer sagte: »Da ist vorgesorgt. Wir haben gestern nacht auf der Radford 'n Auto geparkt. In dem Wagen befindet sich so 'n Ding, auf dem Rücksitz unter einer dreckigen Decke – geladen. Wir haben den ganzen Tag, um uns über den Rest zu unterhalten.«

»Ich kann's nicht«, wiederholte Bucky.

Rachel legte ihm den Arm auf die Schulter. »Altmeyer und ich haben alles genau durchgesprochen, und es gibt keinen anderen Ausweg. Die Chancen stehen so etwa zehn zu eins, daß Kubitz mit der Lieferung rüberkommen wird und überhaupt nichts weiter passiert. Sollte er jedoch wirklich umlegen wollen, so wird er damit keinen Erfolg haben. Schließlich werden wir da sein.« Sie lächelte.

Altmeyer nahm die Flinte und drückte fünf Patronen in den Schlitz an der Seite. »Entsichern, spannen, feuern. Und wenn Sie Fehler machen wollen, dann besser jetzt.«

Bucky wartete. Er spähte zu der erleuchteten Vitrine inmitten all der verheißungsvollen Köstlichkeiten; Kirschkäsekuchen, Trokkenobst mit Schokoladenüberzug. An der Kasse summte und brummte und stotterte es, und er bewegte sich weiter voran, an weiteren Vitrinen entlang, ignorierte sie jedoch und sah nur die pastetenweißen Finger der Dame an der Kasse, die den Geldschein aufklaubten. Als diese Hand sich ein zweitesmal vorstreckte, hätte er sie am liebsten berührt.

Hier drin könnte man ewig bleiben, dachte Bucky; einfach so beobachten, wie das täglich wechselt, die Pasteten, das Gebäck. Man saß und futterte unaufhörlich in sich hinein, und wenn eine der rundlichen, gemütlichen Ladys am Tisch vorbeikam, ließ man sich frischen Kaffee geben. Was gehörte schon dazu? Ab und zu gab man ihnen ein bißchen Geld. Weiter brauchte es nichts, um sie glücklich zu machen. Na ja, ihre Köstlichkeiten verschmähen durfte man natürlich nicht, verstand sich ja von selbst.

Er atmete tief durch und fühlte wieder die Beengung. Altmeyers kugelsichere Weste war zu klein. Das Ding war dünn und leicht, doch er hatte das Gefühl, so stramm von einem Seil umwickelt zu sein, daß er kaum Luft bekam.

Bucky ging den Ventura Boulevard hinunter in Richtung Kreuzung. Wo ließ sich bloß eine kugelsichere Weste auftreiben, bei wem konnte er eine ausleihen, die paßte? Als er den Übergang erreichte, warf er einen Blick auf seine Uhr. Noch vier Minuten bis elf. Kubitz hielt ihn vermutlich bereits unter Beobachtung, aus einem Auto in der Plaza oder weiter ein Stück abwärts.

Das Verkehrslicht wechselte, und die Autos schoben sich dicht gegen den rechten Rand des Übergangs, krochen sogar ein paar Zentimeter über die Linie hinweg, um ihm klarzumachen, daß einzig die Farbe des Lichts sie gestoppt habe und er für sie nichts weiter war als etwas, das man schlicht ignorierte.

Als Bucky auf den Bordstein trat, hörte er, wie die Motoren hinter ihm aufheulten wie Formel-1-Wagen. Er ging ein paar Schritte, vorbei an der milchweißen Fassade eines Bürogebäudes, und für eine Sekunde sah er, wie sein eigener Schatten flüchtig dahinwischend, von den Scheinwerfern eines wendenden Autos gegen die Mauer projiziert wurde. Nach der Mauer kam eine Strecke Eisenzaun, mit scharfen Spitzen bewehrt, und dahinter ein paar flache, langgestreckte Gebäude am Rand des CBS-

47

Areals. In zweien der Fenster war Licht, und er vermutete, daß da noch irgendwelche Leute spät an der Arbeit waren, vielleicht Filmcutter oder Musikkopisten, die eine Partitur beendeten. Bitte, dachte er, bloß keine Nachtwächter in Uniform.

Während er die Straße entlangging, starrte er angestrengt um sich. Vielleicht ließ sich ja ausmachen, ob sich eines der geparkten Autos auffällig von den anderen unterschied. Als er zum Horizont blickte, wurde ihm bewußt, daß er beim Gehen schwankte, wie ein Mann, der sich mit kurzen Schritten auf dem unsicheren Boden eines Schiffsdecks bewegt.

Bucky stellte sich vor, daß irgendwer, vielleicht ein Polizei-Captain, jedenfalls jemand mit Autorität, sagte:»Er schwankte die Radford hinunter, hatte eine leere Aktentasche bei sich« und dann:»Er trug eine kugelsichere Weste.«

Er kam an einer Art erleuchtetem Wachkiosk vorbei, in dem ein Parkwächter saß, ihm den Rücken zuwendend, dann folgte die lange, weiße Betonwand des Bürogebäudes. Danach die Eingänge zu den drei Aufnahmestudios. Eigentlich hatte er sich all dies doch ziemlich anders vorgestellt, dunkler, finsterer. Lauter gefährliche Gassen und tückisches Buschwerk, aus dem unversehens jemand hervorbrechen konnte. Merkwürdig, daß er vergessen hatte, wie dies tatsächlich aussah – hundertmal und mehr war er hier gewesen, doch es war halt nicht seine Gegend. Es war, als spaziere er auf dem freigeräumten Boden innerhalb einer Festung mit hohen Mauern. Wahrscheinlich gab's sogar irgendeinen altmodischen Namen dafür, aus den Tagen, bevor dies Niemandsland gewesen war.

Bucky begann sich besser zu fühlen – nachdem er am dritten Tor vorbei war und in die Schatten tauchte, dort wo die Straße den trockenen Zementkanal überquerte – war es der Los Angeles River oder der Tujunga Wash? Er warf wieder einen Blick auf seine Uhr. Ganze zwei Minuten hatte das alles gedauert, und er hatte das Auto jetzt fast erreicht.

Während er sich dem dunkelgrünen Ford-Sedan näherte, konnte er seine eigenen Schritte hören. Er verlangsamte sie und versuchte, seinen Atem unter der engen Weste zu kontrollieren. Langsam schlenderte er näher, ging ein paar Schritte dran vorbei. Aus den Augenwinkeln konnte er beobachten, daß der Verriegelungsknopf an der rechten Hintertür hochstand. Er blieb stehen. Altmeyer hatte ihm eingeschärft, sich nicht lange in der Nähe des Wagens aufzuhalten, sonst werde Kubitz irgend etwas tun, um ihn sozusagen ins Freie zu locken. Was für ein... Bucky unterbrach sich. Er war's, der in der Klemme steckte, er war's, der gottverdammten Schiß hatte, und er hörte auf, sich wegen Altmeyer dumme Fragen zu stellen. *Altmeyer, Gott liebt dich,* dachte er. *Und Bucky liebt dich auch. Daß du bloß nicht den armen, alten Bucky aus den Augen verlierst. Nicht jetzt. Bitte.*

Am Ende der Straße tauchten Autoscheinwerfer auf, und Bucky stockte der Atem. Unsicher bewegte er sich ein paar Schritte voran, während das Auto vorüberglitt. Er seufzte und wandte sich wieder in Richtung des Studios, doch dann hörte er, wie das Auto hinter ihm zurückstieß. Er tat, als merke er nichts und schlenderte weiter auf Altmeyers Ford-Sedan zu. Das Auto überholte ihn, blieb dann mit einem Ruck stehen.

Die Seitentür schwang auf, im jetzt aufleuchtenden Deckenlicht erkannte Bucky den lächelnden Kubitz. »He, Bucky!« In dem Auto saßen noch zwei Männer.

Bucky winkte. »Hallo.«

»Komm rüber«, sagte Kubitz. »Steig ein.«

Bucky fühlte, wie ihm der Schweiß ausbrach, kalter Schweiß. »Ich will nicht. Kommen Sie doch rüber.«

Kubitz sagte irgendwas, und einer der Männer lachte. Es war ein hohes, schrilles Gackern, und plötzlich stieg Wut in Bucky auf. Er sagte und versuchte, seine Stimme sorgfältig unter Kontrolle zu halten: »Lassen Sie's einfach zu Boden fallen und fahren Sie weiter. Ich habe noch anderes zu tun.«

Eine Pause trat ein. Bucky zählte bis fünf, dann ging die Deckenbeleuchtung wieder an, und Kubitz stand auf der Straße, in der Hand eine zusammengeknüllte Lederjacke. Das Auto fuhr ein paar Schritt weiter, dann leuchteten die Bremslichter wieder auf.

»Okay, Bucky. Tun wir dies in die Aktentasche.«

Bucky stellte die Tasche auf den Bürgersteig und trat ein paar Schritt zurück. Links neben sich fühlte er den Ford-Sedan stehen, doch sah er nicht hin, sondern bewegte sich nur seitwärts darauf zu. Kubitz trat zur Aktentasche, hob sie mit der freien Hand hoch und ließ sie fallen. Dann riß er die Jacke ein Stück zur Seite, und Bucky sah den Lauf einer Pistole, und sah auch ein Aufblitzen, oder bildete sich dies doch zumindest ein, denn er lag jetzt auf dem Rükken, mit leerer Lunge. Irgendein Reflex war es wohl, der ihn nach Luft schnappen ließ, der ihn versuchen ließ, sich aufzurichten. Nur blitzte es dann wieder, und ein Knall, wie ein böses Spucken, schleuderte ihn wieder auf den Rücken.

Er sah den Himmel, sah das dunkle Laub der Eukalyptusbäume ganz auf der rechten Seite, und außerdem schien es hochoben eine Menge interessanter Sterne zu geben. Sicher nicht mehr als sonst, nein, nein, so das Übliche. Jedenfalls drehte er den Kopf, um sie besser sehen zu können. Und dieses winzige Stückchen Bewegung seines eigenen Körpers ließ ihn an die Gegenwart denken. Er *konnte* sich also bewegen, und er atmete ja auch, und so verdammt weh tat da gar nichts, und, ja, richtig, er hörte das Geräusch von Schritten. Er wälzte sich auf die Seite und spähte aus schmalen Augen. Seine Aktentasche stand nach wie vor auf dem Boden, und Kubitz, wahrhaftig, Kubitz entfernte sich, marschierte davon. Irgendwie wollte es Bucky nicht recht in den Kopf, daß in all dieser Zeit nichts weiter geschehen war. Er streckte die Hand hoch zur Seite des Autos und öffnete die Tür und tastete unter der Decke auf dem Boden. Die Flinte fühlte sich in seinen Händen leicht und vertraut an. Er stand auf.

Das Auto befand sich noch auf der Straße, und die Seitentür stand offen. Während er hinüberstarrte, hörte er ein Geräusch wie ein Summen, und das Rückfenster schien in Millionen winziger, funkelnder Splitter zu zerbersten. Dann erst vernahm sein Ohr das Geräusch des Gewehrs, ein dumpfer Knall von irgendwo weit weg. Er erinnerte sich, wie Altmeyer das lange Gewehr gehalten hatte, blondes Holz mit einem Zielfernrohr von dem Format eines männlichen Unterarms, und daran, wie Altmeyer gesagt hatte: »Nur kei-

ne Sorge. Sie braucht ja bloß das Auto zu treffen. Und Rachel *kann* ein Auto treffen, jede Menge Gift drauf.«
Bucky richtete die Flinte auf Kubitz, der auf das Auto zurannte. Gerade als er die Tür öffnete, ruckte das Auto ein Stück vorwärts. Bucky feuerte, doch der Rückstoß ließ den Lauf ein Stück in die Höhe schnellen. Er lud durch, legte an und sah, daß Kubitz noch immer stillstand. Irgend etwas geschah mit dem Auto, nur konnte er nicht genau sehen, was es war. Während Bucky zielte, duckte sich Kubitz und feuerte auf irgend etwas auf der anderen Straßenseite. Diesmal konnte Bucky sehen, wie aus der Mündung von Kubitz' Pistole Funken sprühten; Zeit zum Beobachten blieb allerdings nicht. Von der anderen Straßenseite her geschah irgend etwas Ungeheures und Furchtbares. Es gab ein lautes Geräusch, das so klang wie *Wuuuuuauau,* und eine lange, dünne Flamme, wie von einem Schneidbrenner, schwenkte seitwärts, Kubitz schien rückwärts in die Luft zu schnellen, und dann zerbarsten die Seitenfenster des Autos in derselben Richtung, als sei ein wütender Wind mitten durch sie hindurchgegangen. Schließlich sah er, wie Altmeyer aus dem Buschwerk hervortrat und irgend etwas in seinen Armen hielt.
Bucky hatte den Finger am Abzug, und da war nichts, wo eben noch Kubitz gewesen war, also begann er auf das Auto zuzulaufen. Nirgends zeigte sich ein Kopf hinter den Scheiben und das Auto trieb gleichsam dahin. Während Bucky rannte, gewann es an Fahrt, und er wußte, daß er es nicht einholen konnte. Die Brust tat ihm weh, kaum daß er Luft bekam, doch er rannte und rannte, die Brust eingeengt durch die allzu knappe kugelsichere Weste. Schließlich blieb er stehen und schulterte die Flinte.
»Langsam«, sagte Altmeyer hinter ihm. »Die sind alle tot.«
Bucky zielte auf das langsam dahingleitende Auto, doch schon krachte der Wagen hinten in einen geparkten Mercedes. Wie der Schlag eines Hammers klang es, Glas klirrte, und das Auto blieb stehen. Bucky ließ die Flinte sinken. Das einzige Geräusch kam vom Motor, der ruhig vor sich hin brummte.
»Kommen Sie, Old Buck Rogers«, sagte Altmeyer. »Uns bleiben nur 'n paar Minuten.«

»Dann nichts wie los«, sagte Bucky.

»Sind Sie überhaupt nicht neugierig?« fragte Altmeyer und öffnete die Tür von Kubitz' Karosse. Dann beugte er sich vor, und Bukky sah, wie er zwischen irgendwelchen Sachen herumwühlte. Es schien ein Stück Stoff zu sein, verschiedene Papiere. Altmeyer tauchte wieder auf, und Bucky sah, daß er eine kurze, klobig wirkende Waffe trug. Aus dem Pistolengriff ragte ein langes Magazin, und eine Lederschlinge war daran befestigt. In der anderen Hand hielt er eine braune Papiertüte.

»Daheim, wieder daheim, tatarata«, machte Altmeyer und öffnete die Tür des alten Ford-Sedan. »Hauptsache, Sie haben die Flinte wieder gesichert, Mister Bucks.«

Bucky nickte und legte die Flinte auf den Boden vor dem Rücksitz, zog dann wieder die Decke darüber. Er stieg zu Altmeyer ein und blickte auf das Armaturenbrett. Als Altmeyer die Scheinwerfer einschaltete, sahen sie auf der Straße eine glitzernde Schicht aus Glassplittern und gleich in der Nähe den verkrümmten Körper Kubitz', mit zerfetztem Stoff und Fleisch und einen Strom von Blut, der von der Leiche zu einer schwarzen Lache am Bordstein zu fließen schien.

Altmeyer steuerte geschickt um die Glassplitter herum und hielt sich dann links in Richtung Valleyheart. »Nun, Bucky, was ist das für 'n Gefühl, noch am Leben zu sein?«

»Kann mich nicht erinnern.«

Sie fuhren weiter. Altmeyer bog wieder auf den Laurel Canyon zurück, überquerte den Ventura Boulevard und nahm die gewundene Straße in Richtung der Hügel. Er fuhr Buckys Auffahrt hinauf und hielt bei der Küchentür.

Bucky blickte zu Altmeyer. »Hab ganz vergessen, Ihnen zu danken, nicht?«

»Schon gut.«

»Okay. Ich muß Ihnen diese Weste zurückgeben. Morgen?«

»Keine Eile. Ich muß in ein, zwei Tagen sowieso mit Ihnen reden. Kokain hab ich in dem Auto zwar nirgends gefunden, aber dieser Beutel hier scheint voller Geld zu sein. Sieht aus, als wär's 'ne ganze Menge mehr, als Sie ihm gegeben haben.«

Bucky zuckte mit den Achseln. »Ich möchte nicht vergessen, Ihnen jetzt gleich zu danken. Wenn ich's erst später täte, würde es nicht mehr so richtig was bedeuten. Er hat mich umgebracht.« Bucky verbesserte sich. »Ich meine, er hat auf mich geschossen. Er würde mich umgebracht haben. Ich wäre jetzt tot.«

Altmeyer sagte: »Schon gut. Rachel wird inzwischen zu Hause sein, und ich möchte nicht, daß sie sich Sorgen macht.«

»Kommen Sie schon, Bucky«, sagte Rachel, »machen Sie Ihr Hemd auf. Werfen wir einen Blick auf den männlichen Torso.«

»Also gut, aber ja keine Schmähungen. Mein Einbalsamierer arbeitet billig, und ich möchte nicht, daß er Schimpf und Schande zu tragen hat.« Langsam und vorsichtig knöpfte Bucky sich das Hemd auf.

Rachel betrachtete seine Brust. »Wie hübsch Sie sich doch verfärben. Wie ein großer Pfirsich.« Behutsam berührte sie eine der beiden dunklen Purpurstellen auf der weißen Haut, und Bucky zuckte zusammen. »Nun sag bloß, Altmeyer, hat der nicht ein Mordsschwein?«

Altmeyer blickte von seiner Zeitung auf. »Aber ja, Rachel. Hab ich schon immer gesagt, daß der 'nen Riesendusel hat.« Er blickte wieder auf seine Zeitung.

»Na, hoffentlich fühle ich mich in ein paar Tagen so mordswohl. Im Augenblick habe ich das Gefühl, eine Herde Elefanten wäre über mich hinweggetrampelt.«

»Bloß Prellungen, Bucky«, sagte Altmeyer. »Wir fürchteten zuerst, Sie hätten sich ein oder zwei Rippen gebrochen, aber unter den Schwellungen kann gar nichts brechen. Ist ja alles Fett.«

»Danke«, sagte Bucky. Er überlegte einen Augenblick. »Das meine ich im Ernst.«

»Sie werden schon bald wieder mit Ihren Gespielen und Gespielinnen über die Plätze tollen«, sagte Rachel. »Und außerdem haben wir eine nette Wiedergeburtstagsüberraschung für Sie.« Sie schenkte ihm eine Tasse Kaffee ein.

Bucky ließ sich vorsichtig auf einem Stuhl am Küchentisch nieder und nahm seine Tasse in Empfang. »Wird mir guttun, danke. In den letzten Wochen war mein Bedarf an Überraschungen überreichlich gedeckt.«

»Es bleibt Ihnen keine Wahl«, sagte Rachel. »Oder siehst du das anders, Altmeyer?«

Altmeyer schüttelte den Kopf, faltete die Zeitung zusammen, legte sie beiseite. »Sie haben Kubitz ursprünglich zweihunderttausend gegeben. Gestern abend hatte er kein Kokain, das er Ihnen dafür hätte geben können, aber in seinem Auto war 'ne verteufelte Menge Geld. Wissen Sie irgendwas über ihn, das Sie uns zu erzählen vergessen haben?«

Bucky versuchte, mit den Schultern zu zucken, sperrte jedoch nur den Mund auf.

»Soll wohl nein heißen«, sagte Rachel.

»Dann müssen wir wohl annehmen, daß er entweder unterwegs war, um irgendwas zu kaufen, oder daß er gerade irgendwas verkauft hatte.«

»Messerscharf geschlossen«, sagte Bucky. »Für Wohltätigkeitszwecke hatte er den Zaster bestimmt nicht bei sich.«

»Wir haben's gestern nacht gezählt, und die Summe beläuft sich auf genau dreihundertundfünfzigtausend, sämtlich in Hundertern. Eine runde Summe von gleichen Scheinen bedeutet ausnahmslos große Transaktion«, sagte Rachel, »und niemals einen Haufen kleinerer Erlöse.«

»Was wollen Sie damit machen?«

»Darüber wollen wir reden«, sagte Altmeyer. »Wir werden es in zwei Teile teilen, Kapitalauslage und Profit. Die Kapitalauslage, das sind Ihre Zweihunderttausend. Das kriegen Sie auf Heller und Pfennig zurück. Bleiben hunderfünfzigtausend als Profit übrig. Und wir haben beschlossen, daß wir das auf vernünftiger Basis teilen.«

»Behalten Sie's. Vor vierundzwanzig Stunden war ich ein toter Mann. Sie brauchen mir überhaupt kein Geld zu geben.«

»Nein. Wir hatten uns bereit erklärt, Ihnen das Geld aus Gefälligkeit wiederzubeschaffen, das ist also geregelt«, sagte Rachel. »Ich habe für Sie alles in dieser Tüte drin.« Sie hob den Einkaufsbeutel in die Höhe. »Der Profit ist Geschäft. Es hat sich nun mal dabei so ergeben, daß wir Partner geworden sind, und nun werden wir die Partnerschaft liquidieren und . . .«

»Bitte, nennen Sie das nicht so«, sagte Bucky.

»Sie meint das doch ganz einfach so: In jeder Genossenschaft gibt es Anteile. Jeder von uns kriegt einen Anteil dafür, gestern nacht dort gewesen zu sein. Sie kriegen einen Extra-Anteil, weil Sie der Köder waren, auf den geschossen wurde. Macht insgesamt vier Teile zu je 37500. Macht für Sie 75000, für uns noch mal das gleiche.«

»Und damit sind Sie zufrieden?« fragte Bucky mit großen Augen.

»Darauf kommt's weniger an«, sagte Rachel. »Es ist fair. Altmeyer ist immer fair. Außerdem ist es ja eine Art Bonus. Wir hatten ja gar nichts weiter erwartet, außer daß Sie uns mal aushelfen, wenn irgendeins von unseren Geräten streikt. So sind wir ganz unversehens zu einer kleinen, äh, Rücklage gekommen.«

»Ist nicht fair.« Bucky stellte seine Tasse ab und schüttelte den Kopf.

»Sagen Sie das nicht«, sagte Rachel. »Altmeyer ist der Prototyp eines Kapitalisten. Wenn er der Meinung wäre, es sei fair, Sie auszunehmen bis auf den letzten Cent, so würde er das tun, ohne auch nur mit der Wimper zu zucken. Oh, hören Sie doch.« Aus einiger Entfernung kamen die klagenden Rufe der Ziegen *na-ah-ah*. »Sind sie nicht süß. Ich hatte sie ganz vergessen. Ich bin gleich wieder da.«

Bucky blickte zu Altmeyer. »Hören Sie, bitte. Ich will es nicht.«

»Doch, Sie wollen's.«

»Natürlich will ich's. Schließlich bin ich wegen dem Zaster überhaupt in die Klemme geraten. Aber das ist etwas anderes.« Er wartete, doch Altmeyer schwieg. Wieder vernahm Bucky die Rufe der Ziegen, nur klangen sie jetzt aufgeregt und schienen ganz aus der Nähe zu kommen. Er drehte den Kopf und lauschte. »Laufen die einfach so frei herum?«

»Seit wir das Gelände umzäunt haben. Manchmal kommen sie und suchen nach Rachel.«

Bucky starrte auf seine Tasse. »Ihr seid beide verrückt.« Sein Kopf ruckte zu Altmeyer herum. »Verzeihung, so meine ich das nicht. Daß ihr wirklich verrückt seid. Ich verstehe euch bloß nicht. Aber ich mag euch. Ich bin euch dankbar. Nur habe ich Angst vor euch – vor euch beiden.« Offenbar bereitete es ihm Mühe weiterzusprechen. Er starrte wieder auf seine Kaffeetasse, rieb sich dann die Augen. »Ich meine: Hält sich doch keiner Ziegen in Los Angeles. Angeblich sind Sie Geschäftsmann, in Wirklichkeit jedoch irgend so ein Krimineller. Das weiß ich, aber es ist mir einerlei. Es überrascht mich nicht mal, daß es mir einerlei ist. Konnte mir ja auch nur recht sein, daß Sie einer sind, weil ich wußte, wenn Sie mir nicht helfen können, bin ich ein toter Mann. Ich möchte Ihnen soviel von dem Geld lassen, wie nur möglich, weil ich jetzt, wo ich über Sie im Bilde bin, ganz einfach Angst habe, in etwas verwickelt zu werden. Zwar brauch ich das Geld so dringend wie nur was, und unter anderen Umständen würd ich so manche Dummheit begehen, um's zu kriegen, doch im Augenblick hab ich ganz einfach Mordsangst. Was, zum Teufel, sind Sie?« Bucky schüttelte den Kopf. »Nein, bitte, sagen Sie's mir nicht.«

Rachel trat ein. Die Küchentür blieb hinter ihr geöffnet. Eine schwarzweiße Ziege trat über die Schwelle, steckte den Kopf herein und schnüffelte mit zitternder Oberlippe. »Raus mit dir, dummes Ding. Du kannst nicht reinkommen«, sagte Rachel, doch die Ziege blieb stehen und starrte Bucky mißtrauisch an.

Altmeyer lehnte sich auf seinem Stuhl zurück. »Bucky«, sagte er ruhig, »Sie werden das Geld nehmen. Sollten Sie mehr brauchen, so hätt ich da ein Investment, das Sie interessieren könnte.«

»Hoffentlich heißt das nicht, daß ich herausfinden werde, womit – womit Sie Ihr Geld machen.«

Rachel lachte. »Bucky, das wissen Sie doch bereits. Altmeyer importiert und exportiert. Er tut's wirklich, und es ist viel zu langweilig, um sich darüber zu unterhalten. Er knobelt ganz einfach aus, was an irgendeinem Ort selten oder sehr teuer ist, und dann kauft er die Sachen an einem anderen Ort und transportiert sie zum ersten.«

»Hören Sie, ich brauche wirklich irgendeine Möglichkeit, um die-

ses Geld zu investieren. Es ist – also Sie könnten's meine Lebens-
versicherung nennen. Nur ist es . . .«

»Nur keine Sorge, Bucky. Altmeyer ist schon seit Wochen damit
beschäftigt, Möglichkeiten zu sondieren, um hierfür Kapital zusammenzukriegen. Hier geht's nicht um anrüchige Mitternachts-
treffs mit Drogendealern. Dies ist ganz einfach Busineß. Wenn Sie
investieren wollen, werden wir ganz einfach eine größere Transaktion machen.«

»Und mit was für Partnern haben wir's bei diesem Geschäft zu
tun?«

»Mit ein paar netten japanischen Geschäftsleuten. Was könnte es
Besseres geben?«

Victoria

Altmeyer und Rachel gingen auf dem Kai an der grauen Kalksteinmauer entlang, unter den altmodischen Eisenlaternen mit den Körben voll roter und gelber Kapuzinerkresse. Jenseits des Geländers schien sich das grüne Hafenwasser in seinem steinernen Becken zahm zu heben und zu senken. Auf der anderen Straßenseite reihten sich die weitläufigen, ornamentreichen Gebäude des British Columbia Provincial Parliament aneinander, sämtlich aus behauenem Stein und mit Türmchen und grünlichen Kuppeln, ein Stück abseits gelegen inmitten des weitflächigen grünen Rasens.

»Ich mag Victoria«, sagte Rachel. »So wollten die Menschen die Welt im 19. Jahrhundert haben, bloß konnten sie nicht alles schnell genug verändern.«

»Vielleicht ist das der Grund, warum's so viele alte Leute gibt.« Altmeyer steckte sich eine neue Zigarette an und blickte zu den hohen Mansardendächern des Empress Hotel. »Manche von denen logieren dort sicher schon seit vor dem Ersten Weltkrieg.«

Rachel blieb stehen. »Okay, Herr Spaßvogel. Jetzt mal heraus mit dem, was ich wissen muß. Wird ganz und gar nicht so leicht werden, wie wir's Bucky erzählt haben, stimmt's?«

Altmeyer ließ etwas bläulichen Rauch durch die Nasenlöcher entweichen und sah ihm nach, wie er über das Wasser entschwebte. »Nichts Besonderes. Wir können etwas kriegen, was die haben wollen. Wenn der Preis stimmt, schließen wir ab. Danach geht's, so oder so, ab in Richtung Heimat. Ist in diesem Stadium nicht gefährlich.«

»Wozu brauchen wir dann die Kanonen? Meine Handtasche ist so schwer, als wär 'ne Bowlingkugel drin.«

»Es handelt sich um Muster.«

»Raus mit der Sprache. Was kommt auf mich zu? Wer sind diese japanischen Geschäftsleute? Was muß ich sagen?«

Altmeyer lächelte. »Okay. Ich werd dir sagen, was ich weiß. Es werden vier sein, und einer soll englisch sprechen. Er nennt sich Nagata, aber das ist vermutlich nicht sein richtiger Name. Vielleicht ist er auch nicht der einzige, der englisch spricht. Wir werden's wissen, wenn er uns nie mit den andern allein läßt.«

»Na, sehr aufschlußreich. Das einzige, was ich mitgekriegt habe, ist, daß wir uns nicht miteinander unterhalten können.«

»Ich fürchte, es ist mehr als bloß das«, sagte Altmeyer. »Es gibt die verschiedensten Methoden, Länder für Geschäftszwecke aufzuteilen. In manchen Fällen gebraucht man in der Öffentlichkeit nur die rechte Hand, in anderen gebraucht man beide. Was allerdings die Japaner betrifft, so interessiern die sich weniger für Hände. Es gibt Länder, wo man nicht rülpsen darf, und es gibt andere, wo man rülpsen muß. Die Japaner, mal so ausgedrückt, sind Nicht-Rülpser.«

»Verstehe. Du arbeitest dich so langsam zu dem Punkt vor, wo du mir sagen kannst, daß Japaner keine Geschäfte machen, wenn Frauen anwesend sind.«

»Nein. Japan ist eins der Länder, wo Frauen arbeiten. Tatsache ist, daß wir bei dieser Sache die ganze Zeit über auf der Hut sein müssen. Versuch, soviel herauszufinden, wie du kannst.«

»Wie meinst du das?«

Altmeyer lächelte. »In einem No-Spiel gibt es einen Acht-Mann-Chor. Weißt du, wie man wissen kann, wer der Führer ist?«

Rachel schüttelte den Kopf.

»Er ist der zweite von rechts in der hintersten Reihe.«

Sie schlenderten in die riesige Hotelhalle, und ihre Schuhabsätze pochten auf den Marmorboden, und das Geräusch kam von hoch oben aus dem geschnitzten Gebälk wieder. Sie näherten sich dem Bereich der Rezeption, ein massives Gebilde aus dunklem, poliertem Holz, in das komplette Baumstämme eingearbeitet schienen; auch besaß es unverkennbar etwas von jener einmaligen Unverrückbarkeit der Steine von Stonehenge.

Ein weißhaariger Mensch befand sich dort, mit einer langen und dünnen Nase, die keine Löcher zu besitzen schien, und präsidierte hinter und über jener Barriere in einem edwardianischen Morgenmantel.

»Ich bin Mr. Altmeyer, Zimmer vierunddreißig.«

»Ja, Sir. Mr. Nagata hat darum gebeten, daß Sie ihn im Gewächshaus treffen mögen.«

»Danke«, sagte Altmeyer, und sie entfernten sich von der Rezeption.

»Da haben wir's wieder«, flüsterte Rachel.

»Da haben wir wieder was?«

»Eine weitere Merkwürdigkeit auf Altmeyers Reisen. Der hatte sich das nicht notiert.«

Beide Seiten der langgestreckten Halle waren von kleinen Läden gesäumt. Es gab Schmuckgeschäfte mit Schaufenstern oder Vitrinen mit von Eskimos geschnitzten Specksteinen, und dann kam eine ganze Reihe von Shops mit Pelzwaren *en masse*. Die Fenster waren hell erleuchtet und mit aufdringlichen japanischen Schriftzeichen übersät, in Rot oder Blau.

»Alles in japanisch. Überhaupt nichts in englisch«, sagte Rachel.

»Weil das die Kundschaft ist«, sagte Altmeyer. »Kanadier kommen nicht in ein Hotel, um Pelze zu kaufen, und Amerikaner können so was nicht mit nach Hause nehmen.«

»O nein. Robbenbabys?«

»Vermutlich. Oder was immer sonst zur Zeit gerade schutzbedürftig ist. Deshalb ist dies ein guter Treffpunkt. Es ist neutraler Boden, und es wimmelt hier von japanischen Touristen mit viel Geld, die in Gruppen, um nicht zu sagen Großverbänden, irgendwohin unterwegs sind.«

Am Ende der Halle befand sich ein breites, rundes Portal, das in die Glaskuppel des Gewächshauses führte. Das Licht wurde durch Farne und Topfpalmen und wuchernde Ranken gefiltert, die den Glasscheiben entgegenstrebten, die die Wände bildeten, und in der Luft schien der dumpfige, stickige Geruch von Humus und Verwesung zu liegen.

In einem Korbsessel neben einem Miniaturbaum mit Orangen und rosa Rosen saß in makellos grauem Anzug ein Japaner mittleren Alters. Als er Altmeyer sah, erhob er sich und machte drei Schritte vorwärts, Altmeyer die Hand entgegenstreckend, den Blick jedoch auf Rachel gerichtet. »Überaus erfreut, Ihre Bekanntschaft zu machen«, sagte er. »Man wartet.« Er verließ das Gewächshaus, schritt einen langen, engen Korridor mit zahllosen, breiten Holztüren entlang, blieb schließlich vor einer stehen und trat ohne anzuklopfen ein.

Drinnen standen, in einer Reihe, drei Japaner vor einer Art Himmelbett. Mr. Nagata sagte: »Mr. Bridges, Mr. Walker und Mr. Bone.« Die drei nickten, gingen dann zu Stühlen in verschiedenen Teilen des Raums.

Altmeyer wiederholte: »Bridges, Walker und Bone.« Sein Gesicht wirkte ausdruckslos. Dann schien er sich an etwas zu erinnern. »Gestatten Sie mir, Ihnen meine Partnerin vorzustellen. Ihr Name ist Ralph Waldo Emerson.«

Nagata sprach zu den anderen auf japanisch, während er Altmeyer und Rachel zu zwei Armstühlen geleitete, die das Fenster flankierten. Dann zog er die schweren, blauen Samtvorhänge zu.

Der Mann, der auf dem Stuhl nahe der Tür saß, sagte etwas, und Nagata nickte. »Mr. Bridges hat gefragt, ob Sie sich unseren Vorschlag überlegt haben?«

»Ja«, sagte Altmeyer. »Ich habe mehrere Möglichkeiten, einen großen Auftrag durchzuführen.« Er nahm Rachels Handtasche, die unten auf dem Boden neben ihrem Stuhl stand, und spähte hinein. »Neun Millimeter war doch Ihr präziser Wunsch, nicht wahr?«

»Ja«, sagte Mr. Nagata. »Das Munitionsproblem, verstehen Sie.«

»Ausgezeichnet«, sagte Altmeyer. Er zog eine klobige schwere automatische Pistole aus Rachels Handtasche. Die Augen der vier Männer weiteten sich vor Vergnügen, als habe er etwas Geheimnisvolles enthüllt. »Dies ist das Beste vom Besten. Es ist eine Browning P-35 Hi-Power.« Er reichte sie Nagata, der sie zuerst zu dem Mann bei der Tür trug, der sie jedoch ignorierte. Als nächster kam der Mann beim Bett an die Reihe. Dieser nahm sie in die Hand, betrachtete sie aufmerksam, testete mit geschickten Griffen und lächelte dann.

Altmeyer fuhr fort. »Der Wiederverkaufspreis in den Vereinigten Staaten beträgt rund fünfhundert Dollar.«

»Das ist uns bekannt«, sagte Nagata. »Jeder kennt diese Waffe. In Japan würde sie fünftausend bringen. Aber Sie sind nicht hier, um uns Brownings zu verkaufen. Die sind alle numeriert und gezählt und registriert. Keiner kann sich von diesen Dingern tausend Stück verschaffen, ohne daß den Behörden was auffällt. Zeigen Sie uns, was Sie uns verkaufen können.«

Altmeyer lächelte. »Sie haben recht. Ich habe mich bereit erklärt, Ihnen eine Imitation zu verkaufen. Ich will Ihnen zeigen, was für eine gute Imitation das ist.«

»Wo ist sie? Wir müssen sie sehen.«

»Haben Sie bereits.« Er deutete auf den Mann am Bett, der noch immer mit der Pistole auf das Kopfkissen zielte und dazu gedämpfte Knallgeräusche schmatzte. »Das ist sie.«

Mr. Nagata übersetzte, und alle vier Männer lachten anerkennend. Dann sagte er: »Ausgezeichnet, Mr. Altmeyer. Sie sind ein talentierter Verkäufer.«

»Ich kann eintausend Stück davon liefern, alle mit der Browning-Trademark und falschen Nummern. Kosten achtzehnhundert pro Stück, bei Lieferung nach Japan in weniger als dreißig Tagen.«

Rachel und Altmeyer gingen über den Teppich des stillen Korridors zu ihrem Zimmer und schlossen die Tür hinter sich zu.

»Sehr gut«, sagte Altmeyer. »Ich sollte die Lieferung ohne irgendwelche Schwierigkeiten in ein paar Wochen erledigen können, und vierzehn Tage danach haben wir unser Geld. Hat ja auch lange genug gedauert.«

Rachel setzte sich neben ihn aufs Bett. »Das bedeutet dann ja wohl, daß wir wenigstens für eine Zeitlang nicht versuchen müssen, wie die Irren von überallher Geld zusammenzukratzen.«

»Mehr als nur das, will ich doch hoffen. Es hat 'ne Menge Umsicht dazugehört, 'ne gewaltige Investition und 'ne Riesenmenge Geduld, aber von nun an wird's 'n Kinderspiel. Was natürlich nicht heißt, daß das ewig so bleiben wird. Aber bevor die Idee verschlissen ist, wird große Nachfrage nach uns herrschen.«

»Ballermänner an Mr. Bones und an Mr. Unterhändler verkaufen?«

»Teufel, nein! Wenn's hiermit klappt, werden wir nach einiger Zeit wieder von Interesse für sie sein, aber die Japaner sind nur eine von vielen Möglichkeiten. Ich hab etwas, das sonst niemand hat. Ich hab 'ne akzeptable Fälschung eines der verkäuflichsten Schießartikel auf der ganzen Welt, und kann das Zeug vor allem billig kriegen. Außerdem brauch ich mir keine Sorgen zu machen, wer der Sache auf die Spur kommt, weil die so mühelos zu finden ist – direkt bei der Browning Company in Arnold, Missouri. Bloß: Wenn die Schnüffler dort auftauchen, werden sie keinerlei Unterlagen über Seriennummern oder irgendwelche verlorengegangene Ballermänner finden.«

»Wie hast du das bloß alles so hingekriegt?«

»Ich bin Partner in 'ner Waffenfabrik. Nun, eigentlich kein Partner. Du könntest sagen, ich bin der alleinige Inhaber – der Nachtschicht.«

Los Angeles

Altmeyer manövrierte den Lieferwagen rückwärts an die Lade-rampe heran und stellte den Motor ab, doch für Rachel war das ein kaum hörbarer Unterschied. Der auf das Metalldach trommelnde Regen klang immer lauter. Sie starrte durch die Windschutzschei-be, aber es war kaum etwas zu erkennen. Herabflutendes Regen-wasser verzerrte die Sicht. »Was für eine scheußliche Nacht, um sich hier rumzutreiben.«

Altmeyer steckte sich eine Zigarette an. Beim flackernden Flam-menschein sah Rachel, daß er angestrengt spähte. Seine Augen huschten von Seite zu Seite, wie auf der Suche nach etwas Beson-derem. »Diese Nacht ist dafür sogar ideal. Bloß das Herumschlei-chen kann einen gewaltig nerven.«

»Hoffentlich haben es die Ziegen in ihrem Stall wärmer als wir.«

Er zuckte nur kurz die Schultern, sah sie nicht an. »Denen geht's prächtig. Durchregnen kann's bei denen ja nicht – besonders nicht durchs Fell.«

»Und ihr Daddy wird inzwischen reich.«

»Ich bin nicht ihr Daddy.«

Rachel schwieg einen Augenblick. »Aber reich wirst du doch wer-den, oder?« Sie wartete die Antwort nicht ab. »Sag mir doch, daß du ein ganz normaler Durchschnittstyp aus der Importeurbranche warst, der plötzlich eine tolle Chance sah, kräftig Extraprofit zu machen. Hattest du irgendwelchen Ärger – drohenden Bankrott oder so?«

»Hab ich dir so was gesagt?« Altmeyer wirkte verblüfft.

»Nein. Manchmal wünschte ich, du würdest mir mehr sagen.« Sie schwieg, lachte dann. »Weißt du – wenigstens soviel, wie die Zie-gen ihren Freunden anvertrauen können.«

»Ich werd mir was einfallen lassen.« Seine Augen glitten über ihr

Gesicht. »Vielleicht war ich erblicher Herrscher in irgend'nem kleinen und fernen Land, das von den Kommunisten Anfang der fünfziger Jahre vereinnahmt wurde. Stark ist meine Erinnerung daran allerdings nicht, weil ich damals noch 'n Kind war. Immerhin war ich für mein damaliges Alter 'n außergewöhnliches Kind *in puncto* Intelligenz, und bevor mich mein Kindermädchen ins Fluchtflugzeug setzte, nähte ich den Nationalschatz in meine siebzehn Teddies ein.«

»Helles Köpfchen.«

»Na, und ob! Genau das meinte seinerzeit auch das *Look*-Magazin.« Rachel seufzte. »Das mit dem Kindermädchen wird den Ziegen gefallen, aber den Rest werden sie dir bestimmt nicht aus der Hand fressen.«

Durch das wasserüberströmte Fenster sah sie einen Mann durch den Regen trotten. Er ging vornübergebeugt, mit hochgeschlagenem Jackettkragen. »Hier kommt der Mann mit den Teddies.«

Altmeyer blickte an ihr vorbei. »Das ist er. War mal in guten alten Zeiten der Innenminister.« Altmeyer sprang aus dem Lieferwagen und eilte zur Laderampe, wo er sich, eine Aktentasche in der Hand, unter ein vorspringendes Schutzdach stellte.

Rachel nahm Altmeyers Zigarettenpäckchen vom Armaturenbrett, zog eine heraus, wollte sie anstecken; überlegte sich's dann und legte sie wieder zurück. Durch den strömenden Regen starrte sie zur schmutzig-roten Ziegelmauer der kleinen Fabrik.

Der Mann kletterte auf die Laderampe, und Altmeyer sagte: »Hallo, Sterne. Kann's losgehn?«

»Von mir aus, ja. Und was ist mit Ihnen?« Mit gerunzelter Stirn betrachtete er den Lieferwagen. »Die Dinger wiegen pro Stück rund 'n Kilo. Mann, das wär ja mindestens 'ne Tonne oder so.«

»Ist 'n Spezialwagen mit extrastarker Federung.«

Sie traten zu einer Metalltür. Sterne öffnete sie mit einem an seinem Gürtel befestigten Schlüssel und drückte dann einen Wandschalter. Eine Reihe von Deckenlampen zeichnete matte Lichtkreise auf den Zementfußboden. Irgendwo stand ein Gabelstapler mit einer Holzkiste voller Stoffballen, und dahinter sah Altmeyer glänzende Maschinen und Holzkästen voller Metallteile.

Altmeyer sagte: »Wollen Sie das Geld zählen, bevor wir uns ans Laden machen?«

»Nein«, sagte Sterne. »Nein, danke.« Er nahm die Aktentasche und stellte sie neben einer Werkbank auf den Boden. »Hab jetzt keine Zeit, hundertfünfzigtausend zu zählen. Dafür bleibt mir noch der Rest meines Lebens.«

»Wär mir lieber, wenn Sie das schneller erledigen könnten«, sagte Altmeyer. »Ich hätt nämlich so schnell wie möglich noch 'ne Lieferung.«

Sterne warf einen Blick auf die Aktentasche. »Ist momentan nicht drin. Erst mal muß bei der Inventur alles glatt gehen. Das braucht seine Zeit, bis man so viele Teile unauffällig beiseite schafft. Ich hab das Ganze als defekt deklariert. Es dauert Monate, bis man die Teile für tausend Stück oder so zusammen hat. Da müssen wir mindestens zehnmal soviel herstellen, um genügend Ausschuß geltend zu machen und die Nachtschicht ins Spiel zu bringen. Ich meine, so was ist bei uns an sich doch nicht üblich.«

»Aber mal angenommen, die Preise steigen. Was wär mit, sagen wir mal, zwo-fünfzig für die nächste Lieferung?« Altmeyer lehnte sich gegen den Gabelstapler.

Sterne starrte ins Dunkel der Fabrik. Seine Lippen bewegten sich lautlos, als addierten sie Summen. »Nun ja, wir könntn behaupten, 'n paarmal wär uns zu wenig geliefert worden. Außerdem könntn wir sagen, es wärn noch mehr defekt als früher und 'n paar Sachen wärn bei uns zu Bruch gegangen. Bei den Teilen, die wir selber herstelln, ist das kein Problem. Allerdings sitzen mir die Inspektorn den ganzen Tag im Genick. 'n Kinderspiel ist's nicht.«

»Na, dann nichts wie ran.«

Als Altmeyer schließlich wieder in den Lieferwagen stieg, hatte er eins der stoffballenartigen Gebilde bei sich. Es war eine Art zugeschnürter Sack, eine Hülle. Er löste das Band, langte hinein und holte aus dem Dutzend gleichartiger Pappkartons einen hervor. Sorgfältig entfernte er das Klebeband, dann öffnete er den Karton und betrachtete die darin liegende Pistole. In der Dunkelheit hielt

71

er sie sich dicht vors Gesicht, dann senkte er sie in Richtung auf seine Knie. Rachel hörte eine Reihe von Geräuschen: mehrmaliges rasches Klicken, das Hin- und Herschieben von geöltem Metall. Dann sah sie, wie er die Pistole wieder ins Papier wickelte.

»Irgendwas nicht in Ordnung?«

»Nichts Ernsthaftes. Hatte nur gerade so 'n häßlichen Gedanken. Sterne wollte das Geld nicht zählen.«

»Ist aber auch 'ne ganze Menge zu addieren.«

»Nun, die übrige Arbeit war ihm jedenfalls nicht zuviel. Das Exemplar, das ich prüfte, sah perfekt aus. Ich werde zur Sicherheit 'nen gründlichen Schießtest machen müssen, aber es sieht so aus, als hätte er gute Ware geliefert.«

»Weshalb machst du dir dann Sorgen?«

Altmeyer ließ den Motor an und fuhr in Richtung Tor. »Ron Sterne entspricht so ziemlich genau dem Typ, von dem du vorhin gesprochen hast. Er ist 'n Geschäftsmann, der in diesem Jahr auf 'nen ganz schnellen Profit aus ist, oder der Angst hat, nicht rechtzeitig genug für die Steuer beisammen zu haben. Diese Pistolen-Fabrik hat er von seinem Großvater geerbt. War total veraltet. Die warn auf Sachen spezialisiert, also du glaubst es nicht. Spezialanfertigungen von Sechsschüssern für bescheuerte Sammler, auch Flinten mit einem Haufen Ornamente, viel zu kostbar, um sie etwa auf die Jagd mitzunehmen, na, und dann so ganz verrückte Raritäten, für die kaum noch Munition zu kriegen war. Als Sterne den Laden übernahm, überlegte er erst mal, wie komm ich mit diesem Schuppen klar. Das erste, was er unternahm, war 'n Hechter in Richtung Massenmarkt, mit 'n paar Variationen über alte Favoriten, du verstehst schon – etwa 'ne 38er Police Special und 'n paar Automatics. Aber dann wurde ihm gerade noch rechtzeitig klar, daß er schlicht pleite sein würde, bevor er mit dem Zeug überhaupt in Produktion gehn konnte.«

»Und so hast du ihn also korrumpiert«, sagte Rachel. »Kein Wunder, daß er zu deprimiert ist, um sein Sündengeld zu zählen. Um's ganz ehrlich zu sagen – deine Teddybär-Geschichte hat mir besser gefallen.«

Altmeyer gluckste leise. »Mir auch. Wenn man wen korrumpieren will, besteht das Hauptproblem in dem, was Bucky ›Pflege‹ nennt. Du mußt dir was einfallen lassen, um sie auch dann noch korrupt zu halten, wenn sie meinen, sie hätten den Hals voll. Sonst spielen sie nämlich nicht mehr mit.«

Rachel beobachtete ihn schweigend, während er durch den Regen fuhr. An der Kreuzung pflügten die Räder durch eine tiefe Wasserlache. »Hast du keine Angst, es könnte sich um irgendeine Falle handeln? Daß er's den Bullen gesteckt hat?«

Altmeyer schüttelte den Kopf. »Der hat sich nicht mit der Polente in Verbindung gesetzt. Dann hätt er in einem fort gegrinst und den lieben Jungen gespielt. Davon konnte keine Rede sein. Der hat sich nicht die Zeit genommen, die Kohle zu zählen, weil er zu nervös war. Da diese Brownings so gut wie die Originale zu sein scheinen, ist das – und nicht etwa ich – der Grund für seine Nervosität. Irgendwie glaub ich, kommt ihm das paradox vor.«

Rachel seufzte. »Vielleicht fällt's ihm schwer, *seinen* Ziegen ins ehrliche Gesicht zu blicken.«

»Wer Waffen herstellt, fürchte ich, kennt so 'n Problem nicht. Nein, ich glaube, daß er das instinktive Gefühl hat, irgendwas wird schiefgehen. Es ist, als spürte er, unter Beobachtung zu stehn.«

»Und was tun wir?«

»Sterne ist eigentlich noch 'n ziemlich Gestriger. Aber gerade solche Leute haben für Veränderungen oft ein besonders feines Gespür. Vielleicht sah Sterne, daß bei seiner Fabrik 'n paarmal ein bestimmtes Auto parkte.«

»Vielleicht ist er einfach heute morgen mit dem falschen Fuß zuerst aufgestanden.«

»Na, das ließ sich ja ertragen. Sein Verdauungssystem wird schon nicht so sehr in Mitleidenschaft gezogen sein, daß er in höchster Not plötzlich vor unserer Tür aufkreuzt.« Altmeyer steckte sich eine neue Zigarette an, und während er in die Auffahrt zur Schnellstraße einbog, hielt er Rachel sein Päckchen hin.

»Nein, danke.«

»Willst du damit aufhörn?«

»Weiß ich noch nicht.«

Ensenada

»Ist ja wohl unvermeidlich«, sagte Bucky. »Ich meine, über die Grenze zu fahren mit einer Unmasse von Pistolen unter der Fußmatte. Bloß...« Er schien zu zögern. »... also irgendwie kommt's mir schon verrückt vor, mit einem Lieferwagen voller Ballermänner ausgerechnet an der am schärfsten bewachten Grenze der westlichen Hemisphäre aufzukreuzen. Drück ich mich klar genug aus?«

Altmeyer zuckte mit den Achseln. »Nett, Sie mit von der Partie zu haben. Sehn Sie das Schild? Tijuana heißt Sie willkommen.«

Bucky ruckte auf seinem Sitz und blickte die lange Reihe der Autos entlang, die langsam auf die Zollhäuschen zukrochen. Vom kalkig-hellen Straßenbelag stiegen Hitzewellen hoch, und in der wabernden Luft schienen die Fahrzeuge zu schwanken. Ein Kleinlaster mit einem Wohnwagenanhänger ruckte ein paar Handbreit voran, und die Lichtreflexe vom hinteren Fenster blendeten Bukky wie ein aufzuckender Blitz. Er schloß die Augen, und wie in Zeitlupe explodierte ein kleines, rotes Objekt zu blaugrün Wolkigem. »Ich wünschte, Rachel wär hier. Lieber noch wär ich bei ihr. Nicht beleidigt sein, Altmeyer, aber Sie sind kein normaler Mensch.«

»Muß sich ja jemand in Reserve halten, der uns im Fall des Falles rausholt, gegen Kaution oder so«, sagte Altmeyer und streckte die Hand nach seinen Zigaretten. »Sie würden jede Menge Bockmist machen, Rachel nicht.« Er lächelte. »Sie ist auch keine normale Person.«

Altmeyer ließ den Lieferwagen ein, zwei Meter voranrollen und steckte sich seine Zigarette an. »Schöner Tag heute, nicht? Dabei ist so 'n kleiner Regen auch nicht zu verachten. Reinigt die Luft und macht einem Sehnsucht auf 'n Wochenende in Mexiko. Heute scheint ja so ziemlich alles auf Achse zu sein.« Sein Blick glitt über die unzähligen Wagen, die sich den Zollhäuschen näherten. »'n idealer Tag zum Schmuggeln.«

»Um Gottes willen«, sagte Bucky, »Man könnte Sie hören.« Er blickte zum Fahrer am Steuer in der Nebenreihe, der sich rückwärts zu bewegen schien, als Altmeyer aufs Gaspedal trat.

Als Bucky sein Gesicht wieder Altmeyer zuwandte, war da plötzlich ein dunkelhaariger Mann in einer Art Uniform, und dieser Mann musterte ihn. »Guten Morgen«, rief der Mann durch den Verkehrslärm hindurch. »Irgendwas zu verzollen heute?«

»Nein«, sagte Altmeyer. »Sind nur so übers Wochenende hier unten.«

Der Mann nickte und sah zu Bucky. »Und Sie, Sir?«

»Genau dasselbe«, sagte Bucky. »Wir gehören zusammen.«

Aber der Mann hörte längst nicht mehr hin. Er trat ein Stück zurück und winkte sie weiter, blickte bereits zum nächsten Wagen in der Reihe.

Altmeyer bog in eine gewundene Straße ein, markiert von einem Schild und einer großen 1. Nach einigen hundert Metern verlief sie schnurgerade und verbreiterte sich zu einem unterteilten Highway. »Ausgezeichnet, Bucky. Nur noch knappe anderthalb Stunden bis Ensenada.«

»Und dann?«

»Die übliche Touristenprozedur: Rachel im Hotel treffen, sich einen Drink genehmigen, freundschaftlicher Plausch, vielleicht 'n bißchen Geplansche im Pool, dann Dinner, dann...«

Buckys Blick wanderte durch das rechte Fenster über die blaue Weite des Ozeans. »Ein gemeinsamer Drink?« sagte er. »Ein bißchen Geplausche und Geplansche?«

Altmeyer fuhr durch eine leere Straße mit hier und da abgestellten Lastern. Zu beiden Seiten zogen sich hohe Metallzäune und dahinter Gebäude aus Blech und Zement dahin. Nach etlichen unmarkierten Einfahrten fand sich ein verbeultes, rautenförmiges Schild, auf dem in verblichenen Buchstaben stand: PELIGRO. CAMINO EN REPARICIÓN.

»Dort ist er«, sagte Altmeyer.

Auf der Laderampe hinter einem der Gebäude saß ein junger Mann in einem leuchtendweißen T-Shirt, qualmende Zigarette im Mund, die Füße pendelten hin und her. Als Altmeyer näher heranfuhr, zog der Mann seine Beine hoch, überkreuz.

Altmeyer stieg aus und sprach mit dem Mann, kam dann zurück.

»Er ist startklar. Die Baumwolle ist schon seit gestern morgen hier, man wird sie heute noch spät auf den Weg bringen. Machen wir uns ans Ausladen.« Er zog den Teppich zurück, hob dann das Sperrholzbrett vom Boden hoch. Darunter lagen die Pistolen, noch immer eingewickelt und säuberlich ausgebreitet neben dem Stapel Stoffsäcke.

Bucky und Rachel sammelten die Pistolen zusammen, wobei sie im vorderen Teil des Lieferwagens begannen und sich langsam nach hinten vorarbeiteten. Dann trug Altmeyer jeweils eine Ladung ins Gebäude. Innerhalb von wenigen Minuten war der Lieferwagen leer, und Bucky half Altmeyer das Sperrholzbrett und den Teppich wieder an Ort und Stelle zu bringen.

Im Gebäude gab es sehr viel freien Raum. Außerdem waren dort, soweit Bucky erkennen konnte, elektrische Winden und Ketten und Flaschenzüge. Auf Schmalspurgleisen konnten lorenartige Wagen in alle Richtungen rollen. An der entfernteren Wand, in drei Stapel geteilt, standen hunderte kastenförmige Gebilde mit abgerundeten Kanten, straff von Sackleinen umspannt und von Metallbändern umgürtet.

Altmeyer und der Mann machten sich bereits an einer Werkbank zu schaffen. Sie verstauten Säcke voll Pistolen in Plastikmaterial mit Luftblasen drin und packten die Bündel dann in Kartons.

»Was ist das?« fragte Bucky.

Rachel trat vor. »Hier, nehmen Sie so 'ne Kiste. Die Baumwolle ist zwar stramm gestopft, aber natürlich ist die längst nicht so schwer wie Stahl, also müssen wir das ausgleichen. Fünfzig Pistolen wiegen rund hundert Pfund. Hundert Pfund zusammengepreßte Baumwolle nehmen rund zwölfeinhalb Kubikfuß ein. Sie verstehen die Idee. Wir haben zwanzig Kisten mit den entsprechenden Ausmaßen.«

79

»Ja, ja, verstehe. Und diese Dinger kommen in die Baumwollballen rein?«

»Richtig«, sagte Altmeyer. »Vor zwei Tagen wurde in Mazatlán ein Schiff beladen. Jeder Ballen ist von den Zolleuten amtlich gewogen und gemessen und für einwandfrei befunden worden. Die Papierchen und die Siegel und was sonst noch sind tadellos, es gibt also keine langen Umstände, wenn die den Bestimmungshafen erreichen. Das Schiff wird hier heut nacht kurz anlegen, um eine Ladung Thunfisch an Bord zu nehmen. Bis die hier festmachen, werden zwanzig Baumwollballen verschwunden sein. Aber wenn sie dann den Thunfisch verladen, verladen sie auch zwanzig Baumwollballen, und der Seefrachtbrief wird mit der Stückzahl genau übereinstimmen.«

»Muß das denn sein? Und was kostet das alles?«

»Man kauft fünfzigtausend Pfund Baumwolle, und zur Zeit beläuft sich der Preis auf 70 Cents pro Pfund.«

»Machen Sie sich wegen Altmeyer keine Sorgen«, sagte Rachel. »Der findet auch noch für die Baumwolle Abnehmer.« Sie schob eine Kiste auf ihn zu. »Los, Bucky. Hübsch fleißig stopfen.«

Der Swimmingpool war ein Mosaik aus kleinen Keramik-Kacheln, alle von Hand hergestellt und mit dem Zeichen des Playa del Mar Hotel geschmückt. Der abgeschrägte Boden hatte das Blau von Lapislazuli, und die Seitenwände waren korallenrot und weiß. Wer auch immer sich dergleichen hatte einfallen lassen, so schien es Rachel, mußte wohl weniger an ein Schwimmbecken als an eine Riesenbadewanne gedacht haben.

Der Kellner stand wartend. Aus der inneren Brusttasche seines scharlachroten Jacketts zauberte er einen Notizblock hervor. »Für mich eine Margarita«, sagte Bucky. »Ach was, für uns alle Margaritas. Bringen Sie doch gleich eine ganze Karaffe oder so, als Auftakt.«

»Für mich ein Glas Orangensaft«, sagte Rachel zu dem Kellner.

Bucky drehte sich zu ihr herum, sein mächtiger Bauch wölbte sich seitlich vor. Er schob seine Sonnenbrille hoch und musterte sie aus schmalen Augen. »Das kann doch nicht Ihr Ernst sein.«

Rachel lächelte. »Durchaus. Mir ist nun mal nach Orangensaft. Ich kann auch mit Orangensaft feiern.«

Der Kellner machte eine halbe Verbeugung und entschwand.

Rachel blickte mit halbgeschlossenen Augen zum Garten auf der anderen Seite des Swimmingpools. Sie fühlte sich ein wenig schläfrig, jetzt und hier im Sonnenschein, und der Blick über das Wasser zu den flammenden Fuchsien, den dunklen Zypressen und zu den roten Bougainvillearanken vertiefte dieses Gefühl noch. Während sie so auf ihrem Liegestuhl lag, schienen fern zwischen ihren Füßen und zwischen ihren Knien und Schenkeln, ja selbst über der sanften Rundung ihres Bauches Pflanzen und Blumen zu wuchern, verwischte Farben und Formen, die ihre von der Nachmittagssonne durchwärmte Haut erhitzten.

Ihre Augen wanderten nach links zu Bucky und Altmeyer, die voneinander so verschieden waren, als gehörten sie unterschiedlichen Rassen an. Altmeyer schien nur aus Kanten und Ecken zu bestehen, und die Muskeln in seinen Armen und Beinen waren jetzt, genau wie sonst auch, gleichsam in ständig angespannter Bewegung – als sei er im Begriff, etwas Unerwartetes zu tun.

Rachels Blick richtete sich wieder auf den eigenen Körper. Sie empfand sich (wieder dieser eigentümliche Gedanke, ganz ähnlich wie zuvor) als ein besonderes Wesen in einem besonderen Augenblick seiner Existenz. So manches war im Begriff sich zu ändern. Welcher Art diese Veränderungen sein würden, wußte sie nicht genau, doch hätte sie eine ganze Liste zusammenstellen können, wäre sie nur nicht so schläfrig gewesen. Mehr und mehr schienen alle Dinge ihre Schärfe zu verlieren. Ähnlich wie die Blumen wirkte auch die weiße Fassade des Hotels verschwommen, und der Sonnenschein war so weit weg wie eine Erinnerung oder ein Traum.

»Altmeyer«, fragte sie ruhig. »Liebst du mich?«

»Sicher.«

»Ich meine, tust du's wirklich?«

Er blickte zu ihr. »So allein auf dem Tanzparkett ist mir das irgendwie peinlich, und außerdem hab ich's gern, wenn da jemand ist, der über meine Witze lacht.«

Rachel erhob sich und trat zum Pool. Altmeyer beobachtete sie von seinem Liegestuhl aus. »Wohin?«

»Ich möchte mich zum Dinner umziehen. Hoffentlich gelingt es mir, attraktiv genug auszusehen, daß du Lust hast, hinterher mit mir zu tanzen.«

Bucky lag noch immer auf dem Rücken, mit geschlossenen Augen, und sprach zum Himmel: »Sie hat ihren Orangensaft vergessen. Interessant.«

Der Tisch, an dem sie saßen, stand unmittelbar bei einem großen Fenster. Weit erstreckte sich der Strand, nun von der Dunkelheit umhüllt. Im Glas des Fensters spiegelten sich die Flammen der Kerzen und die funkelnden Weingläser. Rachel beobachtete im Fenster die unscharfen Umrisse von drei Kellnern, die aus der Dunkelheit herbeizuschweben schienen. Sie drehte den Kopf.

»Es ist der sogenannte Crimper«, sagte Altmeyer. »Als wir die Bänder spannten, benutzten wir dazu 'n Ding, das so aussah wie 'ne große Zange, erinnern Sie sich?«

»Und ob! Mir kam's vor wie eins dieser Dinger zum Zahnziehen«, sagte Bucky. »Aber das ist wohl so die Tendenz bei allem, womit Sie mich in Berührung bringen – daß ich das Gefühl habe, es könnte verdammt weh tun.« Er sah zu, wie die drei Kellner mit übertriebener Präzision Gefäße mit Speisen auf den Tisch stellten. »Das hier ausgenommen. So was ist schon eher mein Fall.«

Die Kellner verschwanden, und Bucky fragte: »Also was ist mit diesen Crimpers, oder wie Sie die Dinger nennen?«

»Ich hatte die so präpariert, daß sie auf dem Metall kleine Dellen hinterlassen.«

»Schön, schön. Aber das sind für mich alles so schweißtreibende Angelegenheiten, und ich würde jetzt den geruchsfreien Bereich des Profits vorziehen. Ich meine, zur Abwechslung war das ja alles ganz reizend, inklusive Sonnenbad am Pool, aber ich bin ganz ehrlich mehr der Mogul-Typ. Wir Moguls ziehen geistige Aktivitäten vor, Zählen zum Beispiel.«

Altmeyer nickte in Richtung Fenster. »Sehen Sie das? Genau zur Zeit.«

Bucky und Rachel spähten durch die Scheibe. Weit draußen auf See machten sie die dahingleitenden Lichter eines Schiffes aus.
»Sie meinen den Kahn dort?« fragte Bucky. »Der war doch schon vor einer Weile da.«
»Nein, die andern Lichter, weiter rechts. Das ist das Boot mit dem Thunfisch als vorgesehene Ladung. In ein oder zwei Stunden sind die unterwegs samt Thunfisch und fünfzig Baumwollballen. In zwölf Tagen werden sie Yokohama erreichen.«
»Und dann?«
»Dann noch so ein, zwei Tage, und Sie können mit Ihrer Zählerei beginnen. So in vierzehn Tagen können Sie zu Ihrem Faultier-Dasein zurückkehren.«
»Was kann es Schöneres geben?« fragte Bucky.
Rachel starrte zu den winzigen Lichtern draußen auf dem Ozean. Zwei Schiffe waren es, deren Position sich während der letzten Minuten kaum merklich verändert hatte, doch schienen sie einander jetzt deutlich näher zu sein. Während Rachel noch hinausschaute, war es, als tauchten die Lichter des zweiten Schiffs jetzt in die Spiegelung einer Kerzenflamme ein.

Zwischen Bucky und Altmeyer schritt Rachel auf dem gepflasterten Weg durch den Garten auf den Bungalow zu. Hinter ihnen flackerte das gelbliche Licht der schmiedeeisernen Lampe über dem Eingang zum Hauptgebäude des Hotels. Die blecherne Musik der Mariachi-Kapelle schien sich kaum merklich zu wandeln und ging über in das ruhige, regelmäßige Plätschern der Wellen am Strand.
»Spielen die das nun schon das vierte oder das fünfte Mal?« fragte Rachel.
»Da bin ich überfragt«, sagte Bucky. »Für mich klingt das immer genau gleich, aber das ist noch kein Beweis.«
»Hier ist unser Bungalow«, sagte Rachel. »Wollen Sie nicht auf einen letzten Drink hereinkommen? Es gibt da so etwas wie eine Bar. Zwar kleiner als der Fernseher, wird's aber schon tun.«
»Nein, danke«, sagte Bucky. »Sonst finde ich später kaum noch den Weg zur Casa Bucky. Wir sehen uns um acht.«

»Gute Nacht«, sagte Altmeyer und beugte sich vor, um den Schlüssel ins Schloß zu stecken.

Während Buckys unsichere Schritte verklangen, knipste Altmeyer das Licht an. Rachel schloß die Tür, streifte ihre Schuhe ab und ging auf das Bett zu, doch Altmeyer sagte: »Horch mal.«

Rachel stand still und wartete. Nach einigen Sekunden hörte auch sie es. Über ihrem Kopf war ein leises, gleitendes Geräusch, dann wieder Stille.

Altmeyer, noch bei der Tür, starrte zur Holzdecke, als versuche er, sie mit seinen Augen zu durchdringen.

Rachel flüsterte: »Vielleicht hat sich ein Ast bewegt.«

Altmeyer schüttelte den Kopf, den Blick nach wie vor auf Decke und Gebälk geheftet, als das Geräusch abermals erklang. Altmeyer trat zwei Schritt näher, die Stirn jetzt gefurcht.

»Vielleicht ein Tier«, sagte Rachel.

Altmeyer bewegte sich wieder rückwärts, auf die Tür zu. »Ein großes«, sagte er, öffnete sacht die Tür und schlüpfte hinaus.

Wieder vernahm Rachel das Geräusch. Diesmal klang es weicher, schien von weiter her zu kommen, dann war's wieder still. Sie versuchte, es sich genau zurückzurufen, in jeder Einzelheit. Es war ein Mann, kein Zweifel, doch was wollte der hier? Er hatte sich langsam über das Dach bewegt, Schritt für Schritt. Dann jedoch hatte er plötzlich etwas anderes getan. Aber was nur? Sie starrte zu der Stelle über sich, von der das Geräusch gekommen war, und plötzlich wußte sie's. Er lag langausgestreckt auf dem Dach, dicht beim Giebel. Sein Kopf mußte sich genau dort befinden, wo der Mittelbalken oberhalb des Bettes war.

Die Pistole. Wo war sie? Altmeyer hatte doch immer irgendwo eine Pistole. Sie sah sein Jackett auf der Kommode, hob es hoch, doch da war nichts als Stoff. Sie ließ die Jacke fallen, durchwühlte den Koffer, schleuderte Kleidung auf den Fußboden. Sekunden vergingen, mehr und immer mehr, und in ihrer Einbildung konnte sie den Mann jetzt sehen. Er lag flach auf dem schrägen Dach, und vielleicht starrte er auf Altmeyer hinunter. Vielleicht hatte er ein Gewehr mit Zielgerät, vielleicht zielte er jetzt auf Altmeyer, und Altmeyer war – verdammt. Wo war Altmeyers Pistole?

Irgend etwas mußte sie unternehmen. Sie packte die schwere hölzerne Haarbürste unten in Altmeyers Koffer. Dann rannte sie zum Bett, stellte sich mitten auf die Matratze, in den Knien wippend, um das Gleichgewicht zu halten – und schleuderte die Bürste mit aller Wucht gegen jene Stelle an der Decke, wo sich wohl der Kopf des Mannes befand. Die Bürste knallte gegen das Holz mit einem Geräusch wie ein Schuß und schwirrte dann wild durch die Luft. Rachel, von der Wucht ihres Wurfs mitgerissen, hatte Mühe, nicht die Balance zu verlieren.

Von oben kam Gepolter, ein sonderbares Rumpeln. Es war, als rutsche der Mann die Dachschräge hinab. Rachel erinnerte sich an den schweren Glasaschenbecher auf dem Tisch bei der Tür, und sie sprang vom Bett, genau in diese Richtung.

Altmeyer stand mit dem Rücken an der Mauer am Ende des Gebäudes. Seine Überlegung war einfach. Falls der Mann gehört hatte, wie die Tür geöffnet wurde, würde er annehmen, daß Altmeyer zu jener Seite ging, wo die vorstehenden Dachbalken oben ihm eine Art Schutz boten und seine Silhouette inmitten des Gebüschs nur schwer auszumachen war. Der Mann würde darauf warten, daß Altmeyer weit genug vom Haus zurücktrat, um das Dach besser sehen zu können.

Plötzlich war da so etwas wie ein scharfer Knall und ein polterndes Geräusch von der Dachfläche auf der Rückseite des Bungalows. Altmeyer eilte zur Ecke des Gebäudes, während sein Hirn Fakten speicherte, über die er noch später nachdenken konnte. Da sich im Bungalow keine Pistole befand, konnte Rachel nicht durch die Decke gefeuert haben. Und überhaupt konnte es sich nicht um einen Schuß handeln, denn von außen war das Geräusch nicht gekommen. Doch der Mann rutschte das Dach herunter, als hätte er seinen Halt an den Schindeln verloren.

Altmeyer spähte um die Ecke und sah am Dachrand einen baumelnden Fuß, die Zehen erdwärts gerichtet. Dann erschien der zweite Fuß. Altmeyer sprang vorwärts, direkt zu der Stelle unterhalb der Füße. Er konzentrierte sich auf das Timing, kalkulierte präzise, wann der Mann am wehrlosesten sein würde: flach auf dem Bauch immer tiefer rutschend, außerstande, den Kopf zu drehen, um nach unten zu blicken, und die Beine so tief schon baumelnd, daß er sie nicht mehr zurückziehen konnte. Noch während Altmeyer auf die Stelle zustürzte und schon die Finger krümmte zum Griff um die Fußgelenke, sah er, daß er zu spät kommen würde. Die Beine des Mannes baumelten bereits über den Dachrand, sein Körper war an den Hüften eingeknickt, und Altmeyer war noch vier Schritt entfernt. Selbst ein kraftvoller Hechtsprung bot jetzt keine Lösung.

Als Altmeyer die Stelle erreichte, rutschte der Oberkörper des Mannes über den Dachrand. Und während der Mann in ganzer Länge in der Luft hing, kaum fähig, sich länger zu halten als höchstens ein paar Sekunden, blickte er kurz in die Tiefe, zu der Stelle seines mutmaßlichen Aufpralls.

Altmeyer sah, wie er gleichsam ins Blickfeld des anderen geriet, und dann fiel der Körper auch schon, prallte auf den sich noch wie im Sprung bewegenden Altmeyer, der mit einer Schulter und einem Unterarm die gröbste Wucht des Aufpralls abfing. Der eigene Schwung trug ihn weiter, er schleppte den Mann gleichsam ein paar Schritte mit, der wie erschlafft schien, als seine Füße den Boden berührten, und dann krachten beide Männer hin.

Altmeyer nutzte die Wucht seines Körpers, um sich sofort von dem Mann zu lösen, rollte ein Stück weiter, wirbelte herum und hockte tiefgebeugt, bereit zum nächsten Sprung. Der Mann lag noch auf dem Rücken, und bevor Altmeyer ihn angreifen konnte, wälzte er sich rasch zur Seite. Die Idee war gut, nur war sie in ihrer Ausführung falsch. Flink bewegte er sich von Altmeyer fort, statt auf ihn zu, und seine Hand zuckte zu seinem Gürtel. Dann war er auf den Knien.

Der Mann hatte den linken Unterarm ein Stück gehoben, um einen Hieb abzuwehren, und die rechte Hand hinter seinem Schenkel, als versuche er sich abzustützen, um nicht umzukippen.

Altmeyer brauchte das Messer gar nicht erst zu sehen. Er stürzte auf den Knienden zu, wich dann plötzlich nach rechts aus und rannte vorbei. Während der Mann auf die Stelle zuschnellte, wo

Altmeyer jetzt eigentlich hätte sein sollen, gab er sich die entscheidende Blöße: Er mußte beide Hände gebrauchen, um das Gleichgewicht zu bewahren. Altmeyers Fußtritt traf ihn genau an der Schläfe und schleuderte den ganzen Körper rückwärts. Dann hatte Altmeyer den rechten Unterarm des Mannes fest im Griff, und mit aller Wucht ließ er ihn auf sein Knie krachen.

Doch zu Altmeyers Enttäuschung brach der muskulöse Arm des Mannes nicht. Aber das Messer lag jetzt auf dem Boden. Es war aus einem einzigen Stück aus flachem Stahl, zweischneidig, etwa fünfzehn Zentimeter lang, und endete in einem Griff mit vier Löchern darin.

Als Altmeyer das Messer aufhob, packte seine Hand gleichzeitig ein paar Büschel Gras. Einen Augenblick später bemerkte er, daß sich dergleichen auch auf der vorderen Hemdseite des Toten fand, und Altmeyer wurde bewußt, woher die Grashalme stammten und daß sich der kahle Metallgriff des Messers ziemlich warm angefühlt hatte.

Altmeyer drehte den Schlüssel im Schloß und öffnete die Tür im selben Augenblick, als Rachel ihre Aktionen damit krönte, daß sie eine kleine, metallene, kerzenförmige Tischlampe gegen die Decke schleuderte. Es krachte, Sockel und Schaft plumpsten aufs Bett, durch das Kabel noch immer miteinander verbunden. Der Fußboden war mit Schuhen, Kleidungsstücken und Glassplittern übersät.

Als Rachel Altmeyer sah, atmete sie tief, stieß dann einen langgezogenen Seufzer aus und ließ sich mit schlaffen Schultern aufs Bett fallen.

»Altmeyer, wo hast du deine Kanone versteckt?«

»Ich habe eine im Lieferwagen«, sagte er. »Tut mir leid, daß ich sie nicht mitgebracht habe. Du hättest sie so schön gegen die Decke schleudern können.«

Rachel betrachtete ihn. »Bist du okay?«

»Mehr oder weniger, dank deiner Aktion. Als du Krach machtest, kriegte er's mit der Angst. Er hat wohl geglaubt, daß du durchs Dach auf ihn geschossen hast.«

»Gut. Dann haben wir ihn also verscheucht. Sieht hier zwar

schlimm aus, aber gestohlen scheint er nichts zu haben. Wir brauchen bloß aufzuräumen, und . . .«

Es klopfte an die Tür. Altmeyer öffnete einen Spalt, streckte dann die Hand hindurch und zog Bucky am Arm herein.

Bucky redete wie aufgedreht. »Also das glaubt mir einfach keiner. Ich höre da draußen vor meinem Bungalow ein Geräusch, also geh ich raus, um mal nachzusehen.« Er hielt eine Taschenlampe in die Höhe. »Sie werden mir nicht glauben, was ich da gefunden habe.«

»Ich weiß«, sagte Altmeyer. »War das so laut?«

Buckys Augen schienen aus ihren Höhlen zu quellen. »Sie haben das getan? Herrjesus, Altmeyer.« Er sah sich im chaotisch wirkenden Zimmer um und lehnte sich schlaff gegen die Tür. Wie in unbewußter Geste knipste er die Taschenlampe an und ließ den Strahl über das ganze Durcheinander gleiten, über die Glassplitter, über das Bett. »Hat er Sie bestohlen?«

»Wir haben ihn verscheucht«, sagte Rachel.

Bucky blickte zu Altmeyer. »Sie haben ihn verscheucht? Na, davon ist er inzwischen kuriert. Weiß sie's denn noch nicht?«

Altmeyer sagte: »Rachel, ich hatte noch keine Gelegenheit, dir's zu sagen, aber wir haben ein Problem.«

»O nein!«

»Ich glaubte, ich könnte ihn abfangen, um ihn mir vorzuknöpfen und 'n bißchen auszuquetschen, aber damit war's leider nichts. Er hatte nämlich 'n Messer am Gürtel. Als er vom Dach fiel, erwischte ich ihn zwar ziemlich hart, doch nicht hart genug, um ihn vergessen zu lassen, wo er sein Messer hatte.«

»Es war Notwehr«, sagte Rachel. »Ist doch nicht deine Schuld.«

»Augenblick«, sagte Bucky. »Dieser Kerl ist mit einem Messer das Dach hinauf, um Sie zu berauben?«

»Klingt sonderbar, ich weiß, aber was sonst?« sagte Rachel.

»Irgendwas anderes«, sagte Altmeyer. »Hätte er uns berauben wollen, wäre er im Zimmer gewesen. Ich glaub, wir sehen uns am besten mal genauer um.« Er machte einen Schritt auf die Tür zu. »Kommen Sie mit, Bucky. Rachel, behalte du uns durch das Fenster im Auge. Solltest du sehen, daß wir verhaftet werden, so ruf die Rezeption an und sag, sie sollen die Polizei verständigen.«

»Was?« fragte Bucky verblüfft.

»Denken Sie nicht weiter drüber nach«, sagte Rachel. »Ich bin die einzige, die es verstehen muß. Falls sie kommen, wird dieses Chaos hier ganz nützlich sein. Ein Mexikaner mit einem Messer hat eingebrochen.«

»Er sieht nicht wie 'n Mexikaner aus«, sagte Altmeyer. »Du sprichst nur von einem Mann in der Dunkelheit.«

Bucky öffnete die Tür. »Sieht eher wie ein Wikinger aus. Groß und blond mit Kastenkinn und Stumpfnase.«

Altmeyer drängte an ihm vorbei und ging den dunklen Weg entlang. Er blickte zum Dachgebälk des Bungalows.

Bucky flüsterte: »Wo wollen Sie hin? Der liegt doch hier drüben.«

»Zu dem kommen wir gleich. Ich möchte sehn, was er auf dem Dach wollte. Er muß 'ne Möglichkeit gefunden haben, leicht hinaufzugelangen.« Altmeyer ging weiter, bis er zu einem Spalier kam, an dem buschige Pflanzen mit weißen Blüten emporkletterten, bis sie sich oben auf dem Dach zu einem kleinen Dickicht breiteten. Er rüttelte am Spalier und kletterte dann aufs Dach.

Das ›Ding‹ war nicht einmal richtiggehend verborgen. Man hatte es einfach in einen Rucksack gesteckt und die Tragriemen dann über die Giebelspitze gehängt, so daß es nicht die Schräge hinunterrutschen konnte. Altmeyer öffnete den Rucksack vorsichtig und sah hinein, um sich zu vergewissern, dann überprüfte er sämtliche Dachschindeln ringsum, um sicherzugehen, daß es dort nirgends einen gefährlichen ›Stolperdraht‹ gab. Nun erst löste er die Tragriemen sachte vom Giebelgebälk und kletterte samt Rucksack wieder das Spalier hinunter.

Bevor seine Füße die Erde berührten, reichte er den Rucksack Bucky.

»Was ist das?« fragte Bucky leise.

»Nicht auf den Boden legen. Es ist 'ne Bombe.« Er löste sich aus dem Spalier, nahm den Rucksack wieder an sich, und sie kehrten in den Bungalow zurück.

Rachel lächelte müde. »Für mich? Frauen lieben Geschenke.«
Bucky blieb bei der Tür stehen. »Diesmal hätte er's lieber draußen behalten sollen.«

»Was ist denn drin?«

»'n bißchen dies, 'n bißchen das«, sagte Altmeyer, behutsam in den Rucksack greifend, öffnete ihn weiter und schien etwas sehr aufmerksam zu betrachten. »Da, das ist gut genug für jetzt.« Er richtete sich auf, warf einen Blick auf seine Armbanduhr. »Das Ding hätte uns sowieso erst in zwei Stunden in die Luft gejagt.«

Rachel trat dicht an den Rucksack heran. Sie beugte sich vor und sah hinein, ohne jedoch irgend etwas zu berühren. »Du hast tatsächlich eine Bombe reingebracht, um sie in unserem Bungalow zu entschärfen?! Wie lieb von dir, mich daran zu beteiligen.« Sie beugte sich weiter vor, um genauer sehen zu können. »Und was ist in den Gläsern? Sieht aus wie Steinsalz.«

Altmeyer zuckte die Achseln. »Könnte alles mögliche sein, ist aber wahrscheinlich Ammoniumnitrat. Schmeiß damit nicht in der Gegend rum, solang wir beide fort sind.«

»Will versuchen, mir's zu merken.«

Altmeyer kniete neben der Leiche und ließ seine Hände über die Seiten gleiten, beklopfte sacht Hosenbeine, Brustkorb und Bauch, rollte den Toten dann herum. Eine Brieftasche fand sich nirgends. Dann sagte er leise: »Bleiben Sie hier«, und kehrte zum Bungalow zurück.

Bucky stand in der Dunkelheit neben dem Toten und hörte nur das Geräusch der Wellen, die unterhalb des Gartens gegen den breiten Strand rollten. Selbst die Musik vom Hotel war zu weit entfernt, als daß er sie hier hätte vernehmen können. Er trat zwischen die Bäume am Fußweg und wartete.

Altmeyer tauchte wieder auf, den Rucksack auf dem Rücken.

»Sind Sie verrückt?« zischte Bucky.

»Hätt ich das Ding im Zimmer lassen sollen oder vielleicht mit nach Hause nehmen?« fragte Altmeyer. »Kommen Sie. Sie können ihn bei den Beinen packen. Wenn er Ihnen zu schwer wird, dann sagen Sie mir's, und wir legen 'ne Pause ein. Daß Sie ihn ja nicht einfach fallen lassen – 'n plötzlicher Ruck mit diesem Ding auf meinem Rücken würde meine Lebensfreude nicht gerade steigern.«

Sie hoben die Leiche hoch und trugen sie hinunter zum Strand. Buckys Füße schienen bei jedem Schritt tief in den Sand zu sinken und dann nach hinten wegzurutschen. Je mehr er sich anstrengte, desto langsamer ging er voran. Schließlich sagte er: »Legen wir ihn einen Augenblick hin. Meine Arme wollen nicht mehr.«

Sie legten die Leiche auf den Sand, und Bucky rang nach Luft.

Altmeyer sagte: »Ruhn Sie sich 'n paar Minuten aus, ich tu mich hier 'n bißchen um. Und legen Sie sich neben ihn. Falls euch irgendwer sieht – ihr seid zwei Besoffene, die sich die Sterne begukken und Geschichten erzählen. Wenn Sie stehen, er aber liegt, sieht das irgendwie verdächtig aus.« Er setzte den Rucksack auf dem Sand ab.

Bucky ließ sich auf dem Boden nieder, seine Beine fühlten sich wunderbar leicht. »Wo gehen Sie hin?«

»Unten beim Hauptgebäude habe ich gesehen, daß sie Boote vermieten.« Er setzte sich in Bewegung, weiter den Strand hinunter.

Bucky raffte sich hoch und stolperte zwei Schritt hinter ihm her. »Warten Sie. Ich komme mit.«

Altmeyer gluckste. »Der kann Ihnen wirklich nichts mehr tun.« Er ging zurück und legte den Rucksack wie ein Kissen unter den Kopf des Toten. Dann wandte er sich in Richtung Hotel.

»Hoffentlich geht's einigermaßen glatt«, sagte Altmeyer. »Das einzige Werkzeug, das ich habe, ist das Messer dieses Verrückten und der Crimper – die Zange für die Baumwollballen.«

Altmeyer schritt voran, und Bucky folgte wortlos. Während sie dem Hotel näher kamen, hielt Altmeyer sich im Schatten einer höhergelegenen Betonkonstruktion, die das Gefälle zum Strand hin ausglich. Aus weißen Stuckmauern glotzten hellerleuchtete Fenster in Richtung Ozean. Vor kaum einer Stunde waren sie auf der anderen Seite der Mauern gewesen, ging es Bucky durch den Kopf. Er versuchte sich zu erinnern, wieviel vom Strand er hatte sehen können. Da war der dunkle Ozean gewesen und ein Stück gerader, heller Brandung, aber wirklich wahrgenommen hatte er kaum etwas. Er hatte ans Essen gedacht und an all das Geld, das sie kriegen würden, wenn das Schiff Yokohama erreichte: Dann würde es sich auszahlen, dann endlich waren alle Mühe und Gefahren vorbei.

Altmeyer stand bereits bei einer Reihe kleiner Boote, die unterhalb der Mauer auf den Sand gezogen worden waren. Bucky sah eine schwere Kette mit einem Vorhängeschloß. Verbunden war das Ganze mit einem in den Beton eingelassenen Metallring. Altmeyer betrachtete die Sicherheitsvorrichtung genau. Seine Hände strichen über die Kette, die jeweils am Bug eines jeden Bootes durch einen zweiten Ring lief.

Bucky stand hinter ihm, nervös, fast fiebrig vor Ungeduld. Hinter den Reihen der geschlossenen Fenster über ihnen spielte die Mariachi-Kapelle immer noch dieselbe monotone Melodie. Die Musik klang gedämpft, wie aus der Ferne. Altmeyer lag jetzt in einem der Boote auf dem Rücken und spähte angestrengt, während er sich ganz nach vorn schob unter eine Art winziges Vorderdeck. Dann holte er die Ballenzange hervor. Bucky sah, wie sich Altmeyers Körper straffte, dann wieder entspannte. Das geschah mehrere Male. Dann richtete Altmeyer sich auf, setzte sich auf ein Dollbord, hielt etwas in der Hand – eine Schraubenmutter, wie Bucky vermutete. Er steckte sie in die Tasche. Nun schwang er sich vorsichtig in das benachbarte Boot, wo er die Prozedur wiederholte. Diesmal ging's schneller. Altmeyer erhob sich, ging zum Bug des ersten Boots und zog langsam den langen Ringbolzen aus dem Vorderteil, wobei er sorgfältig jedes verräterische Geräusch vermied. Jetzt war das Boot, genau wie gewünscht, aus der Kettenhalterung befreit.

Altmeyer flüsterte Bucky zu: »Okay, die Ruder sind unter den Sitzen. Schieben Sie das Boot dort an der Mauer entlang, bevor Sie sich in Richtung Wasser halten – damit Sie von den Fenstern aus nicht zu sehen sind.«

Bucky schob das Boot ein paar Meter, hinter sich Altmeyer mit dem anderen Boot. Als sie das Ende der Mauer erreichten, setzte

Bucky sich keuchend aufs Heck. Auch Altmeyer blieb stehen, beugte sich zu ihm.

»Das kurze Stück bis zum Wasser halten Sie bitte schön noch durch«, flüsterte er. »Sind ja nur noch 'n paar Meter.«

»Ich wünschte, Sie hätten die Aluminiumboote genommen«, sagte Bucky. »Das Ding ist schwer wie Beton.«

»Aluminium tut's nicht für unsere Zwecke«, sagte Altmeyer. »Los, weiter!«

Bucky schob das Boot weiter, und das einzige, was er wahrzunehmen schien, war das Knirschen des Kiels im Sand. Das Geräusch erinnerte ihn an irgend etwas, doch wußte er nicht genau was. Er schloß die Augen, und die volle Erinnerung stellte sich ein, das gleiche Geräusch wie damals, als er als Kind seinen Schlitten durch den Schnee geschoben hatte. Seine Hände lagen auf den Schultern seines Bruders Walter, und er beugte sich beim Schieben ein wenig vor. Halt, nein, er begann zu träumen. Hastig öffnete er die Augen und sah, daß ein Stück vor dem Boot etwas lag, flach auf dem Boden. Abrupt hörte er auf zu schieben, trat zur Seite.

»Moment«, sagte Bucky. »Das ist er!«

Altmeyer kam. Er trat zur Leiche, nahm den Rucksack an sich, packte den Toten bei den Armen und schleifte ihn zum Boot. »Helfen Sie mit.« Gemeinsam beförderten sie die Leiche ins Innere des Bootes und standen dann einen Augenblick bewegungslos. Zum erstenmal fiel Bucky auf, daß auch Altmeyer keuchte, mit müde hängenden Schultern.

Bucky sagte: »Ich finde Aluminiumboote nach wie vor besser.«

Altmeyer schüttelte den Kopf. »Kommen Sie. Es ist fast schon halb zwei. Ich nehme das Passagierschiff, Sie nehmen das andere. Rudern Sie direkt auf See hinaus. Behalten Sie die Lichter vom Hotel im Auge und passen Sie auf, daß Sie mir nicht mehr als drei Meter voraus sind. Falls wir uns dort draußen aus den Augen verlieren, sitzen wir böse in der Tinte.«

Bucky schob sein Boot bis zum Rand der Brandung und dann mitten hinein in eine Welle, die das Boot hochhob aus dem Sand, während Bucky sich über das Heck ins Innere wälzte. Das zurückflutende Wasser sog das Boot mit sich mit, und Bucky kroch, mit den Knien gegen unsichtbare Hindernisse stoßend, auf den mittleren Sitz zu. Seine Hände tasteten, fanden ein Ruder, paßten es in die Ruderdolle ein; doch die nächste Welle hätte es ihm ums Haar aus der Hand gerissen. Beim nächsten Versuch war er geschickter. Bevor er das zweite Ruder in die Dolle einpaßte, legte er das Ruderblatt des ersten längsseits auf die Bootswand.

Als er beide Ruder eingepaßt hatte, trieb er quer zur Brandung, und die nächste Welle sprühte über ihn hinweg. Kalte Gischt schien in seine Lungen zu dringen, so daß er kaum noch Atem bekam. Aber dann hatte er beide Ruder fest in den Händen, lenkte das Boot in Richtung See, so daß die nächste Welle, ohne Schaden anzurichten, auf den Bug des Bootes traf. Nach weiteren drei Schlägen hatte er sich aus der Brandung befreit und war nun im ruhigen Wasser mit seiner breiten, trägen Dünung.

Jetzt erst konnte Bucky sich genauer orientieren. Er blickte sich um und stellte beruhigt fest, daß Altmeyer, nur ein kurzes Stück entfernt, auf gleicher Höhe mit ihm ruderte, scheinbar ohne jede Anstrengung.

Eine Zeitlang ruderten beide Männer mit gleichmäßigen Bewegungen. Schließlich warf Bucky einen Blick auf seine Uhr. Es war zwei. Er drehte den Kopf und sah, daß Altmeyer keinen Augenblick in seinen ruhigen, methodischen Bewegungen innehielt. Bucky ruderte hastiger, um nicht zurückzufallen.

Als Bucky das nächste Mal einen Blick auf die Uhr warf, tat er es, weil er die Lichter des Hotels kaum noch ausmachen konnte. In der ringsum herrschenden Dunkelheit wirkte das Leuchtzifferblatt so hell wie noch nie. Auch die Luft schien irgendwie anders zu sein. Bucky zitterte vor Kälte, und es ging ein kräftiger Wind, der vom Land jenseits des Hotels zu kommen schien, jedoch nichts von der Wärme bewohnter Orte mit sich trug. Es war ein rauher, fast feindseliger Wind – ein Wind, der in finsteren Nächten finsteres Gewölk über den Himmel treibt.

Er sagte: »Altmeyer«, doch seine Stimme war so leise, daß er sie selbst kaum hörte. »Altmeyer!« rief er und hob die Ruderblätter aus dem Wasser.

Altmeyer lenkte sein Boot näher heran, und beider Ruder berührten sich fast im synchronen Rhythmus. »Na?« fragte Altmeyer. »Alles in Ordnung?«

»Es ist fast schon halb drei, und ich kann kaum noch die Lichter an der Küste sehen. Ist es denn hier nicht tief genug?«

»Sicher«, sagte Altmeyer. »Ich hatte so ziemlich den gleichen Gedanken. Geben Sie mir eine Minute, und ich kümmre mich um unsern Freund.« Er bewegte sich in seinem Boot nach achtern, machte sich an irgend etwas zu schaffen und rief dann: »Okay, kommen Sie längsseits, damit ich in Ihr Boot kann.«

Altmeyer kletterte neben Bucky und nahm das Ruder auf der Steuerbordseite. »Sehn wir zu, daß wir noch rechtzeitig zurückkommen, um uns 'n bißchen langzumachen«, sagte er.

Bucky ruderte ein paar Minuten, fragte dann: »Werden sie ihn nicht finden?«

»Nein. Spüren Sie den Wind? Der schiebt ihn die nächsten ein, zwei Stunden weiter hinaus auf See.«

»Und dann?«

»Teufel, die Idee haben Sie mir eingegeben. Sie haben gesagt, er sähe aus wie 'n Wikinger. Um halb fünf, wenn niemand den Rauch sehen kann und er weit draußen auf See ist, wird seine Feuerbombe losgehen und ihm 'n Wikingerbegräbnis bescheren. Wer er auch war, er kriegt 'ne erstklassige Fahrt ins Jenseits.«

Sie ruderten im Rhythmus gleichmäßiger, synchroner Schläge. Der Küstenwind schien jetzt leise zu pfeifen, während er herabströmte aus den Bergen und dann hinweg über das Wasser der Bucht.

»Wird heute heiß werden«, sagte Altmeyer. »Der Wind kommt direkt aus der Wüste, auch wenn er sich im Augenblick nicht so anfühlt.«

Bucky ruderte eine Weile wortlos, dann sagte er: »Diese ganze Geschichte ist einfach schrecklich. Es ist wie früher, als ich klein war. Die anderen Kinder machten irgendwas, also machte ich mit. Zum Beispiel wenn's drum ging, in einem Geschäft was zu klauen. Sobald ich drin war, wußte ich nicht, wie ich hineingekommen war. Ich hatte das Gefühl, ich müßte mich übergeben, und wünschte, ich hätte nicht versprochen, mitzumachen. Seit Sie auf meiner Party waren, habe ich das gleiche Gefühl. Und es wird immer schlimmer. Ich bin für so was nicht gebaut.«

In der Dunkelheit hörte er Altmeyers Glucksen. »So was passiert äußerst selten, wenn man aufpaßt. Meistens ist's wie jedes andere Geschäft.«

»Ich habe Angst. Sie haben niemals Angst. Ich weiß nicht warum, aber ist ja auch egal. Unsereiner hat Angst, und Sie haben keine Angst. Vielleicht bin ich der einzige Unsereiner.«

Altmeyer sagte: »Die Erklärung ist ganz einfach. Irgendwann kriegt man's über, Angst zu haben. Man will einfach nicht mehr. Die ersten Male betet man dauernd zum lieben Gott: ›Wenn ich diesmal heil rauskomme, versprech ich, mich in Zukunft aus allem rauszuhalten. Bitte, bloß dieses eine Mal‹.«

»Genauso ist mir jetzt zumute.«

»Sicher. Die Sache ist bloß, nach den ersten paarmal fängt's an, sich blöd anzuhören. Man weiß doch, daß man die Hosen gestrichen voll hat. Nicht später, wenn's vorbei ist und man zu Haus im Bett liegt, sondern während man's sagt, klingt die eigne Stimme, als ob sie gar nicht zu einem gehört.«

Plötzlich hörte Bucky, wie sich die Wellen am Strand brachen. Über die Schulter blickte er zum Hotel. Jetzt waren es nicht mehr nur ein paar Lichter in der Ferne, sondern dunkle, weitläufige Umrisse oberhalb der Brandung. Bucky und Altmeyer ruderten kräftiger, um das Boot vor den Wellen zu halten, bis der Kiel den Sand pflügte; dann schwangen sie sich beide eilig hinaus und zogen das Boot den Strand hinauf. Schweigend beförderten sie es zurück an seinen Platz zwischen den anderen. Altmeyer paßte den Ringbolzen wieder in den Bug des Bootes und befestigte die Mutter, während Bucky sorgfältig die Ruder unter die Sitze schob.

Jetzt folgten sie dem Gewirr der Spuren, die sie zuvor hinterlassen hatten. Tief gruben sie ihre Füße ein, ließen sie nachschleifen, kreuz und quer über die Furchen von den Bootskielen. Zuerst bewegten sie sich langsam und methodisch, doch als sie sich dem Rand des Wassers näherten, begannen sie zu trotten und den Sand zu Häufchen zu kicken. Bucky rannte im Zickzack über die Fährte, stolperte dann und rollte ein oder zwei Meter; schob den kühlen Sand an der Oberfläche beiseite, um die Wärme darunter zu fühlen; und, noch tiefer, den feuchten, festeren Untergrund, wie ein Fundament.

Einen Augenblick lag er still, spürte an Schultern und Rücken die übermüdeten, schmerzenden Muskeln. Altmeyer bewegte sich an ihm vorbei, und Bucky setzte sich auf, stützte sich hoch, folgte ihm dann. Der Wind war hier wärmer und weicher und trug den Geruch von Pflanzen mit. Dicht hinter Altmeyer überquerte Bucky den Rasen in Richtung Bungalow und wischte sich den Sand von den Kleidern.

Altmeyer sagte leise: »Kommen Sie einen Augenblick mit herein«, und ließ die Tür aufschwingen.

Rachel saß auf dem Bett, noch immer fürs Dinner gekleidet, mit sehr geradem Rücken und gekreuzten Armen. Das Zimmer war nur schwach beleuchtet, doch Bucky konnte sehen, daß wieder tadellose Ordnung herrschte – und daß die Koffer gepackt waren.

Rachel fragte: »Okay?«

Altmeyer sagte: »Fein.« Er blickte auf seine Uhr und ging ins Badezimmer. »Old Bucky hat prächtig durchgehalten.«

Rachel trat zum Sideboard und goß für Bucky einen Drink in ein Glas, es schien Scotch zu sein. »Trinken Sie, Old Buckingham. Sie sind ja bis auf die Haut durchnäßt. Dies wird Ihnen guttun.«

Bucky nahm das Glas mit beiden Händen und trank einen Schluck. Wohltuend warm lief es durch seine Kehle in seinen Magen hinab.

Rachel war bereits dabei, weitere zwei Gläser zu füllen. Bucky blickte zum Bett. Die Bettdecke lag glatt und straff. Sie hatte sich nicht einmal hingelegt, dachte er. Das einzige Anzeichen dafür, daß hier überhaupt jemand im Zimmer gewesen war, schien das achtlos hingeworfene Kissen zu sein, dort neben der Stelle, wo Rachel gesessen hatte. Er sah genauer hin und entdeckte, unmittelbar unter dem Kissen, den schwarzen geriffelten Griff einer Pistole, vom selben Typ, den sie heute verfrachtet hatten. Sah irgendwie zu groß aus für Rachels Hand.

Bucky sagte: »Ihr kennt das beide nicht mehr, wie?«

»Was?« fragte Rachel.

»Angst.«

»Oh«, sagte sie, »so etwas überwindet man nie. Selbst Altmeyer hat Angst. Was man überwinden kann, ist die Verblüffung darüber. Viel ist das nicht. Im Grunde ist's gar nichts, außer daß es einem einen kleinen Vorteil verschafft. Wer verblüfft ist, muß sich davon immer erst erholen, und so eine Schrecksekunde kann entscheidend sein.«

»Ist das alles?« Bucky trank vom Scotch.

Rachel nickte. »Wenn Altmeyer kommt, will er ordentlich gedrückt und gestreichelt werden, weil's vorbei ist und er noch am Leben ist und ich noch am Leben bin. Das ist, wenn man so will, das, was er davon hat, und auch, was ich davon habe. Wenn's vorbei ist, kommt für uns die Zeit der gemeinsamen Angst.«

Altmeyer öffnete die Tür und trat ins Zimmer. In einen Bademantel gehüllt, bewegte er sich langsam und rollte ein paarmal die rechte Schulter, wie um einem möglichen Gefühl der Steifheit nachzuspüren. Dann nahm er das Glas, das Rachel auf dem Sideboard gelassen hatte, und prostete beiden schweigend zu, bevor er trank.

Altmeyer stand am hinteren Ende des Lieferwagens und beobachtete, wie der Zollbeamte seinen Blick über den flachen, leeren Boden gleiten ließ und dann kurz nickte. »Haben Sie irgendwas Verzollbares im Koffer?«

»Heute nicht.«

»Okay«, sagte der Zollbeamte und winkte knapp mit der Hand, was zweierlei bedeutete: Schließen Sie die hintere Tür und fahren Sie los. Dann wandte sich der Uniformierte dem nächsten Fahrzeug zu.

Altmeyer kletterte wieder auf den Fahrersitz und ließ den Motor an. Bald befanden sie sich in dem Verkehrsstrom, der von der Grenze zum Highway strebte. »Tut mir ehrlich leid, Bucky«, sagte Altmeyer. »So anstrengend ist unser Geschäft für gewöhnlich nicht.«

»Ich kann kaum meine Arme heben. Und im Ganzen habe ich's auf zwölf Minuten Schlaf gebracht.«

Wortlos fuhr Altmeyer über Eisenbahngleise hinweg und an weißgetünchten Läden vorbei, dann ging's um eine Ecke mit einem Schnellstraßenschild. »Wenn ich wieder zurück bin, werden wir alle das Schlimmste vergessen.«

»Ich habe mir immer so sehr 'ne Geschichte gewünscht, die ich meinen Enkeln *nicht* erzählen möchte«, sagte Bucky. Nach einem Augenblick fügte er hinzu: »Zurück von wo?«

»Japan«, erwiderte Altmeyer. »Das Schiff braucht bis Yokohama mindestens elf Tage. Also hab ich 'n paar Ruhetage und trotzdem 'ne genügend lange Frist, um mich an den Zeitunterschied zu gewöhnen, bevor ich irgendwie in Aktion treten muß.«

»Können das denn Ihre Leute nicht erledigen?«

»Leute?« Altmeyer grinste. »Ich hab keine Leute. Wofür halten Sie mich denn – Robin Hood?«

»Sie hatten Leute in Ensenada, Leute auf dem Schiff. In Japan haben Sie keine?«

Rachel seufzte. »Altmeyer hat keine Angestellten oder so. Er bezahlt sie je nach Auftrag. Diese Leute sind nicht seine Untergebenen, sondern freie Unternehmer.«

Altmeyer sagte: »Der Mann in Ensenada ist der Besitzer des Lagerhauses, oder sein Bruder ist es. Der Kapitän des Schiffs hat nichts dagegen, sich 'n paar Extradollar zu verdienen, wenn er Fracht an Bord nimmt, die nicht so ganz mit der offiziellen Liste übereinstimmt. Und wenn er anlegt, wird er trotzdem die aufgeführten fünfzig Baumwollballen haben.«

Bucky versuchte, mit den Achseln zu zucken, und er zuckte auch – weil die Gelenke so verteufelt schmerzten. »Vermutlich eine ausgezeichnete Methode, um die Unkosten niedrig zu halten.«

»Warum müssen wir überhaupt nach Japan?« fragte Rachel plötzlich. »Im ursprünglichen Plan war das doch gar nicht vorgesehen.«

Altmeyer wandte den Blick nicht von der Straße, doch seine Stimme hatte einen entschuldigenden Klang. »Tut mir leid, Baby, aber diesmal flieg ich allein. Das war zwar nicht der ursprüngliche Plan, doch ich würde sagen, daß wir uns der Lage anpassen und das Beste aus der neuen Situation machen müssen.«

»Ich komme mit«, sagte Rachel. »Das weißt du genau, und es wäre also unsinnig, viel Zeit mit Streitereien zu vergeuden.«

»Nein.«

»Dann wäre ja alles klar. Wir buchen eine Suite im Imperial Hotel, direkt oberhalb des Kaiserpalastes.«

»Klingt sehr charmant«, sagte Bucky. »Läßt Sie beide so – ›jugendlich‹, sagt man wohl – wirken. Aber wovon reden Sie überhaupt?«

»Wir erleben bloß den echten Altmeyer, das Self-Made-Baby. Wenn er in dieser Stimmung ist, wird sogar seine Stimme heller, haben Sie's bemerkt?«

»Nein«, sagte Altmeyer deutlich.

»Unterbrich mich nicht.« Rachel blickte zu Bucky. »Er wird meine Hilfe brauchen, also wird er sie annehmen müssen. Aber das möchte er nicht, solange er nicht davon überzeugt ist, daß ich ja nicht darum gebeten hat, sondern ich sie ihm aufgedrängt habe. Außerdem wird er sich eine Zeitlang damit vergnügen, mir in allen Einzelheiten auszumalen, was alles passieren kann.«

»Was kann denn passieren?«

Altmeyer sagte: »Da bin ich mir gar nicht sicher, um die Wahrheit zu sagen. Dieser Kerl von gestern nacht war ja kein Einbrecher. Der versuchte nur, uns auf die einfachste Weise aus dem Weg zu schaffen, ohne dabei irgendein Risiko einzugehn.«

»Ich habe von Ihrem Busineß zwar keine Ahnung, aber Sie müssen sich im Lauf der Jahre viele Feinde geschaffen haben. Jeder hat Konkurrenten, nicht selten sogar welche, von denen er gar nichts ahnt.«

Altmeyer schüttelte den Kopf. »Das oberste Gebot in diesem Gewerbe lautet: Mach dir keine Feinde! Ein Konkurrent hätte zu 'nem anderen Zeitpunkt zugeschlagen, wenn wir im Besitz von Geld oder Waffen wären. Wenn er sich in diesem Geschäft auskennt, wüßte er früher oder später, daß wir entweder Kohle oder Ware haben. Außerdem ist uns niemand hierher gefolgt. Dafür hatte ich mit Sicherheit gesorgt.«

»Klingt mir nicht schlüssig«, sagte Bucky. »Offensichtlich haben sie uns ja gefunden, ob Sie die nun gesehen haben oder nicht.«

»Nein, Bucky«, erklärte Rachel. »Was er sagen will, ist, daß irgendwer im voraus wußte, wohin wir wollten, und daß die über diesen Deal im Bilde waren. Er hat recht.«

»Wieso?«

»Weil die wußten, wo wir waren, und weil sie auch schon ihre Pläne für uns hatten. Aber gefolgt sein können sie uns nicht – sie können uns nicht einmal gesehen haben.«

»Woher wollen Sie das wissen?«

»Weil die nicht versucht haben, Sie umzulegen«, sagte Altmeyer.

»Oh.« Bucky starrte durch das Fenster hinaus. Minutenlang schwieg er. Schließlich sagte er: »Verstehe. Die wollen sich's ersparen, uns bezahlen zu müssen.«

»Es handelt sich um fast zwei Millionen Dollar«, sagte Rachel.

»Vermutlich lohnt es sich doch, mal rüberzufliegen und anzufragen.«

Los Angeles

»Die durchleuchten alles von der Seite, so etwa«, sagte Altmeyer und bewegte seine Handkante ein imaginäres Laufband entlang. »Das Zeug kommt auf 'nem Gepäckwagen vom Flugzeug, und wenn's dann durchläuft, überprüfen sie's. Manche Sachen kann man so arrangieren, daß sie für den Apparat 'ne unverdächtige Silhouette abgeben, aber wenn man Pech hat, nehmen sie einem den ganzen Koffer auseinander und suchen nach Drogen oder andrer Schmuggelware. Und auf dem Narita halten sie die Metalldetektoren ständig in Bewegung.«

»Sie haben's also aufgegeben«, sagte Bucky. »Eine kluge Entscheidung.« Er tändelte mit seinem leeren Glas. »Was mich persönlich betrifft, denke ich immer: Vorsicht ist die Mutter der Porzellankiste.«

»Altmeyer ist da anders«, sagte Rachel. »Er ist einfach zu stur.«

»Das habe ich befürchtet.«

»Ist doch auch ganz einfach«, fuhr Altmeyer fort. »Es gibt nichts, was nicht versucht worden wäre. Also sucht man sich 'ne möglichst unauffällige Methode aus, und vielleicht haben die dann zuviel mit solchen Leuten zu tun, die weniger geschickt vorgehen.«

»Sie fangen an, weich zu werden«, rief Rachel und blickte auf den Topf auf der Kochplatte.

»Gut. Wenn das ganze Zeug so richtig brodelt, dann schalte auf 'ne schwächere Stufe. Aber heiß bleiben muß es.«

Bucky grinste. »Sie stecken voller Überraschungen. Ich hätte gedacht, Rachel sei die Meisterköchin. Was ist es denn?«

»Bleigewichte nach Fischerart.« Altmeyer schlürfte seinen Kaffee, während er näher herantrat und in den Topf blickte. »So in zirka einer Minute werden sie fertig sein.«

»Ich kann warten«, sagte Bucky. »Ich bin gerade auf Diät.«

»Sie können mir helfen«, sagte Altmeyer. »Es geht darum, 'n bißchen von der Flüssigkeit in die Dose zu schütten und die dann so herumzudrehen, daß sich über die gesamte Innenfläche ein sehr dünner, gleichmäßiger Film bildet – danach wird der Rest des Bleis in den Topf zurückgegossen.«

»Ohne daß auch nur ein Tropfen den Boden verkleckert«, fügte Rachel hinzu.

»Ohne daß was verkleckert wird und ohne daß man sich verbrennt«, fuhr Altmeyer fort. »Hat man das geschafft, so stellt man das Ding verkehrt herum auf den Geschirrtrockner, damit's beim Trocknen auch wirklich keine unebenen Stellen oder irgendwelche Tropfenbildung gibt.«

Bucky stand auf und trat zu Altmeyer. »Was genau tun wir?«

»Wir binden uns Schürzen um und ziehn uns Handschuhe an, so geht's erst mal los«, sagte Rachel. »Denn hier wird nicht geklekkert und nicht geklotzt.«

»Es ist wirklich ziemlich einfach«, sagte Altmeyer. »Wir beschichten die Dosen von innen mit 'm bißchen Blei, damit die Apparate auf dem Flughafen nicht durch sie hindurchgucken können. Japan ist für so was ungemein geeignet, weil so ziemlich jeder zweite amerikanische Tourist Lebensmittel für heimwehkranke Freunde mitbringen wird. Im vorigen Jahr zu Neujahr konnten die Warenhäuser in Tokio für 'n Sechser-Pack von Campbell's Suppe dreißig Dollar verlangen.«

Bucky hielt seine behandschuhten Hände in die Luft, während Rachel ihm auf dem Rücken eine rosa Schürze zusammenband. »Woher wißt ihr solche Sachen?«

»Was für eine alberne Frage, Old Bucky«, sagte Rachel. »Wir sind Importeure. Momentan wäre in Tokio eine Seite Rindfleisch 'n nettes Geschenk. Alles, was die nicht in Mengen produzieren, gibt 'n gutes Geschenk ab.«

Altmeyer goß aus einem Schöpfer geschmolzenes Blei in eine glänzende 15-Unzen-Dose, drehte sie rasch zwischen seinen Handschuhen, schüttete die überschüssige Menge zurück. »Das hab ich mir vor 'n paar Jahren einfallen lassen, als auf dem bolivanischen Waffenmarkt plötzlich große Nachfrage herrschte. Die

Konservenmaschine hab ich in Seattle gekauft. Nichts Besonderes. Alle Unternehmen, die Sportfischer auf Lachsfang mitnehmen, haben welche, damit die Kunden die Fische nach Hause schicken können. Wenn die Bilder entwickelt sind, ist das so ziemlich alles, was man tun kann.«

»Was haben Sie nach Bolivien geschickt?«

»Munition. Ich paßte in jede Dose zehn Unzen mit Patronen vom Kaliber 7,62 mm hinein, sechs Konserven pro Kiste. Wo eine Revolution im Gang ist, kommt alles durch, was nach Lebensmitteln aussieht. Bevor der Absatz stockte, betrug der Preis für eine einzige Kiste . . .«

»Wieso stockte der Absatz denn?«

Altmeyer rührte in dem Topf voll Blei, sprach weiter: »Das ist wie in jeder anderen Branche. Wenn sich die Großen entschließen, in Aktion zu treten, muß der kleine Geschäftsmann Leine ziehn. Damals entschied sich die US-Regierung für dieselbe Seite, für die auch ich mich entschieden hatte, und 'ne Woche später gab's jede Menge Munition.«

Bucky nahm eine Dose und blickte vorsichtig auf das im Topf brodelnde Blei. »Wenn wir hiermit fertig sind, was kommt dann rein?«

»Drei kleine, von mir ausgewählte Pistolen. Sie heißen ›Auto Nine‹, weil sie Magazine mit acht Patronen haben und eine neunte im Patronenlager. Sie wiegen nur acht und eine Viertel Unze und lassen sich in wenige Teile zerlegen, die man bequem in einer Dose unterbringen kann.«

»Verstehe. Heiße Konserven, kann ich nur sagen. Aber Sie haben doch mindestens drei Dutzend Dosen hier.«

»Vier sind für Schalldämpfer und Extra-Magazine. Wobei mir einfällt – die brauchen 22er Long-Rifle-Munition, falls Sie Ihre mal verwenden müssen, vergessen Sie nicht, was das bedeutet. Sie müssen aus nächster Distanz schießen und irgendwas Wichtiges treffen. Trifft so 'n Geschoß die richtige Stelle, kann's 'ne Menge Schaden anrichten, aber erwarten Sie nicht, daß Sie 'nen heranstürmenden Sumo-Ringer damit auf der Stelle stoppen können, sofern Sie nicht 'n paar Löcher in seiner Stirn sehen. Im Zweifelsfall – weiterfeuern!«

»Klingt ja sehr verheißungsvoll. Als ich das letzte Mal in Japan war, standen meine Chancen, von einem Sumo-Ringer angegriffen zu werden, ausgesprochen schlecht – nicht viel besser, als mitten in New York City von einer durchgehenden Büffelherde überrannt zu werden. Allerdings fand ich, daß sich mit einem solchen Mangel durchaus leben ließ. Wofür sind die übrigen Dosen?«

»Zur möglichen Irreführung von Schnüfflern, damit sich unsere Erfolgschancen erhöhen«, sagte Altmeyer. »Falls sich irgendwer einfallen läßt, so 'ne Dose zu öffnen, findet er dann was, das ihm die gute Laune nicht so leicht verdirbt.«

»Zum Beispiel?«

»Ochsenschwanzsuppe, Eintopf, so in der Art«, sagte Rachel.

Tokio

Als sie durch die automatische Tür auf den Gehsteig vor dem Airline-Terminal traten, stellte Bucky seinen Koffer auf den Boden und hob die Hand. »Taxi!«

»Nicht das dort«, sagte Rachel, als das schwarze Auto beschleunigte und an ihnen vorüberfuhr. »Wir wollen ein gelbes.«

»Weshalb?«

»Die fahren nur zu den Bahnhöfen.« Sie blickte zur Anfahrt, wo Dutzende von Autos und Bussen herummanövrierten, um möglichst dicht an den Gehsteig zu gelangen. »Das dort«, sagte sie, und Altmeyer setzte sich sofort in Bewegung. Sie blickte zu Bukky. »Während der Rush-hour ist es ziemlich schwierig.«

Ein Japaner sah das Taxi und hielt zwei Finger hoch. Der Fahrer hielt auf ihn zu, verlangsamte das Tempo. Altmeyer trat hinter den Wartenden, und zwar so, daß er von ihm nicht gesehen werden konnte. Dann hielt er drei Finger hoch. Das Taxi rollte an dem Japaner vorbei und hielt mit einem Ruck bei Altmeyer, während gleichzeitig die hintere Tür automatisch aufschwang.

Altmeyer reichte dem Fahrer eine Karte mit ein paar Wörtern in japanischer Schrift. Der Fahrer nickte und gab sie ihm zurück.

Rachel sagte: »Man muß rücksichtslos sein – Altmeyers einzige Originaltugend.«

»Dann fahren wir jetzt also zum Bahnhof?«

»Das Imperial Hotel befindet sich etwa zwei Häuserblöcke hinter dem Tokio-Bahnhof, für uns nah genug. Beim dreifachen Tachometerpreis wird er auf die beiden Blöcke wohl nicht weiter achten, zumal nach einer Fahrt von einer Stunde oder mehr.«

»Und dann?« fragte Bucky.

Rachel warf einen Blick auf ihre Uhr. »Es ist hier jetzt fünf Uhr am Montagnachmittag, das heißt Sonntag um Mitternacht in Los

Angeles. Ihnen bleibt nur die Wahl zu schlafen oder zu essen. Den Tag als solchen kann man sich nicht aussuchen.«

»Was ist mit Ihnen, Altmeyer?« fragte Bucky. »Irgendwo habe ich gelesen, daß einem die Zeitumstellung keine große Mühe macht, wenn man sich nur zwingt, so lange wach zu bleiben, bis die Einheimischen zu Bett gehen. Das hieße ja wohl, daß wir mindestens fünf Stunden lang was futtern müßten, um dem Kulturschock tapfer zu widerstehen.«

Altmeyer beobachtete den dichten Verkehr ringsum. »Ich glaub, wir machen's uns erst mal im Hotel bequem und öffnen ein paar Suppendosen. Mit etwas im Bauch fühl ich mich auch gleich ganz anders.«

Bucky blickte zu Rachel. »Hat er eine Reiseroute oder navigiert er nur so auf gut Glück herum, wie 'n Hai, der darauf wartet, daß sich im Wasser was bewegt?«

Altmeyer sprach, ohne seinen Blick vom Fenster zu lösen: »Es ist jetzt fünf Uhr dreizehn. Gegen sechs Uhr fünfundvierzig werden wir in unseren Hotelzimmern sein. Bis sieben Uhr brauche ich, um die Dosen zu öffnen und ihnen die wehrhaften Wonnen zu entnehmen. Sie werden um genau acht Uhr in unserem Zimmer erscheinen, und zwar in einem dunklen Anzug, wie er sich für die besseren Restaurants in der Umgebung schickt. Man nennt sie *ryoriya*. Nach dem Dinner kehren wir zum Hotel zurück und schlafen bis neun Uhr morgens. Um halb zehn schließen Sie sich uns wieder an, diesmal zum gemeinsamen Frühstück im Hotel. Danach geht's nach Yokohama, um die einlaufenden Schiffe zu sehen. Der Shonan Express fährt alle halbe Stunde vom Tokio-Bahnhof ab und braucht nur eine halbe Stunde bis Yokohama.«

»Erstaunlich«, sagte Bucky. »So was von weitsichtiger Vorausschau. Wie lange werden wir in Yokohama bleiben?«

»Kommt drauf an. Das Schiff, das wir beobachten wollen, ist erst übermorgen fällig. Wär aber sicher 'n hübscher Anblick, wenn's morgen vor Sonnenuntergang in den Hafen einlaufen sollte. In Yokohama kann man das beobachten, ohne daß einem die Sonne in die Augen sticht.«

»Woher wissen Sie diese Sachen?«

Rachel seufzte. »Ich fürchte, da hat sich was im Wasser bewegt.«

»Sie sollten es eigentlich wissen«, sagte Altmeyer. »Oder haben Sie den Gentleman vergessen, mit dem wir vor 'n paar Nächten eine Bootsfahrt machten?«

Altmeyer blieb stehen und wölbte die Hände, um die Flamme seines Feuerzeugs vor dem Wind zu schützen, der zwischen den Lagerhäusern umherwirbelte, hinausjagte zum Hafen, wo er auf den flachen Wellen absonderliche Muster zeichnete. Altmeyer blickte an der Feuerzeugflamme vorbei zu einer Gruppe Japaner in grünen Overalls, die auf der nächsten Pier unten an einem dunkelblauen Fracht-Container saßen. »Das wären zwölf«, sagte er und warf beim Weitergehen einen Blick auf seine Uhr.

»Und ein Dutzend genügt?«

Altmeyer zuckte die Achseln. »Vielleicht nicht genug, um 'n ganzes Schiff zu löschen, aber genug, um mich davon zu überzeugen, daß noch vor morgen eins eintreffen wird. Nur sollte das an diesem Pier sein, nicht an dem dort.«

»Es stimmt also«, sagte Rachel, die neben ihm ging und sich vorsichtig über den verfallenen Beton des Piers bewegte.

Altmeyer schnippte seine Zigarette ins Wasser, holte dann aus der Hemdtasche das Päckchen hervor und betrachtete es.

»Was tust du da?« fragte Rachel.

»Mir die Marke merken.« *Geobugson, Fine Korean Cigarettes.* Er warf das volle Päckchen ins Wasser.

Schweigend gingen sie den Hafendamm entlang, in Richtung der fernen, sich über das Wasser erhebenden Hügel. Die Hände in den Taschen, blickte Altmeyer unverwandt geradeaus.

Bucky murmelte Rachel zu: »Hoffentlich hat er nicht die Absicht, dort hinaufzusteigen, um Naturbetrachtungen anzustellen, bevor er sich besinnt und nach Hause zurückkehrt.«

Altmeyer hörte, was er sagte. Unwillkürlich beschleunigte er seine Schritte, als er sprach. »Wir haben da 'n kleines Problem. Die schickten diesen Kerl – Leif den Glücklosen – nach Mexiko hinter uns her. Inzwischen müssen sie jedoch wissen, daß er nicht zurückkommen wird, im Gegensatz zu uns. Könnte also sein, daß das im Augenblick die allerdümmste Idee wäre, nach Hause zurückzukehren, meine ich.«

»Was tun wir also?« fragte Bucky. Er blickte zu Rachel.

Altmeyer ging weiter. »Wenn ich nur wüßte, was die eigentlich vorhaben. Ich versteh nicht, wieso die uns nicht einfach bezahlt haben. Die machen doch sowieso 'nen Riesenprofit.«

»Ich kenne Studiogewaltige, die morden würden, um ihre Unkosten um zwei Millionen zu senken«, sagte Bucky. »Spesen und so, das ist wirkliches Geld, und Profite haben die Eigenart, erst dann sichtbar zu werden, wenn schon der Nachfolger am Schreibtisch sitzt.«

»Das ist nicht das gleiche«, sagte Altmeyer. »Diese Leute wissen von der einen Sache, die ich liefern kann, aber sie wissen nichts von dem, was ich vielleicht nicht liefern könnte. Sie lassen sich also die Chance entgehen, möglicherweise zehnmal mehr Profit zu machen.«

»Vielleicht können die Sie einfach nicht leiden.«

»Es muß irgendwie was mit den Pistolen zu tun haben«, sagte Altmeyer. »Wahrscheinlich haben sie damit was Besonderes vor, wovon ich nichts erfahren soll. Das Geld allein kann's nicht sein. Um denen auf die Schliche zu kommen, gibt's wohl nur eins: Wir müssen herausfinden, was die mit den Pistolen machen. Kein sehr verlockender Gedanke.«

Bucky sagte: »Wir könnten ja hier aufkreuzen, wenn die beim Löschen sind. Nicht, daß ich das vorschlagen möchte. Ich schlage sogar das genaue Gegenteil vor. Aber eine Möglichkeit wär's.«

»Zu riskant«, sagte Altmeyer. »Der Frachtcontainer soll zwar versiegelt und sicher sein, doch bis ein japanischer Inspektor ihn abgehakt hat, halten wir uns davon besser fern.«

Rachel lächelte. »Danke schön.«

»Gern geschehn.«

»Nicht dafür, daß du dich so vernünftig zeigst, sondern weil mir da eine Idee kommt. Die Behörden – das hätte ich ja fast vergessen. Die sind unser Druckmittel. Spuckt hübsch brav das Geld aus, oder wir singen. Ist's nicht genau das, was die Bande befürchtet?

114

Ist doch eine bessere Idee, als ins Lagerhaus reinzuplatzen und die Schauerleute zu bedrohen.«

»Wär sowieso Zeitvergeudung. Weil uns von denen vermutlich keiner verstehen würde.«

»Was ist mit einem anonymen Hinweis an die Polizei?«

»Ein anonymer Tip? Ist so 'ne Sache für sich, weil wir dafür 'nen Dolmetscher brauchen würden. Außerdem genügt's nicht, denen zu drohen, damit sie mit dem Geld rausrücken. Das würde die bloß wilder darauf machen, uns endgültig aus dem Weg zu schaffen.«

»Ich habe befürchtet, daß du das sagen würdest«, sagte Rachel. »Wenn du mehr Zeit hättest, würdest du dir mehr Gründe ausdenken. Aber du hast nicht mehr Zeit.«

»Habe ich nicht?«

»Nein, hast du nicht. Schau mal nach dort unten.«

Altmeyer blieb stehen und blickte die lange, abschüssige Straße hinab, vorbei an den Lagerhäusern und Schuppen zum dunkelnden, schieferblauen Wasser. Er sah zwei Schlepper, die einen kleinen Frachter mit schwarzem Rumpf langsam zum Pier manövrierten.

»Keine Eile«, sagte Altmeyer. »Das wird mehrere Stunden dauern, bis die die Frachtcontainer mit dem Kran vom Deck herunterhaben. Die Leute, mit denen wir reden wollen, werden auf die Zollinspektion genausowenig begierig sein wie wir.«

»Ich bin müde«, sagte Rachel. »Ich brauche einen Platz, wo ich mich hinsetzen kann.«

»Müde?« Altmeyer lachte. »An so was glaub ich nicht. Man ist niemals müde. Nicht einmal Bucky ist müde, obwohl er doch so ziemlich sämtliche Schwächen verkörpert.«

Rachel ignorierte ihn. »Außerdem will ich ein Dinner haben. Und zwar ein sehr gutes und sehr teures, und ich werde mir dabei auch eine Menge Zeit lassen.«

»Dann sollten wir weiter das Ufer hinauf. Dort war mal das Ausländerviertel, und vermutlich ist es noch immer die günstigste Gegend, um ein Restaurant für Amerikaner zu finden.« Altmeyer trat auf die Straße und winkte einem Taxi, das die lange Steigung heraufgefahren kam.

Während Rachel ihm folgte, sagte sie: »Es muß ein Restaurant sein, wo ich ein Steak von einem jener Stiere haben kann, die man mit scharfem Futter großzieht und jeden Tag massiert. Mir egal, ob das Biest aus Kobe oder aus Kansas kommt, Hauptsache, das Steak ist groß.«

Als das Taxi hielt und die Tür aufschwang, trat Altmeyer beiseite, um Rachel den Vortritt zu lassen. Während sie einstieg, beugte er sich zu ihr, und seine Lippen streiften über ihre Wange. »Du steckst voller Überraschungen.«

»Nicht, wenn du die Augen offenhältst.«

Als sie das Restaurant oben auf dem hohen Ufer verließen, um zum wartenden Taxi zu gehen, blieb Altmeyer einen Moment stehen und blickte hinunter zum Hafen, den Kopf ein wenig schräg, als versuche er, die Lichter dort unten über die beiden gestutzten Büsche hinweg anzuvisieren.

Bucky und Rachel saßen bereits im Fond des Wagens, als er mit raschen Schritten die Straße überquerte und sich nach vorn neben den Fahrer setzte. Mit ausgestrecktem Finger wies er hinunter zum Hafen, lächelnd und nickend.

»Hübscher Anblick von hier oben«, sagte Bucky. »Eine Menge Lichter auf dem Wasser.« Dann fügte er hinzu: »Was aber nicht bedeutet, daß ich Lust aufs Rudern hätte.«

»Die haben's bewegt«, sagte Altmeyer.

»Was bewegt?« fragte Rachel.

»Das Schiff.« Altmeyers Finger trommelten leicht auf seinen Knien, als warte er voll Ungeduld, daß sie endlich zum unteren Teil des Hügels gelangten. »Während wir gegessen haben, ist das Schiff zum nächsten Pier geschleppt worden.«

»Bist du sicher?«

Altmeyer nickte nur wortlos.

Als das Taxi unten am Hang anlangte und dann der ersten Kreuzung entgegenholperte, schwenkte Altmeyer die Hand und deutete auf das hellerleuchtete Fenster einer Bar im nächsten Häuserblock, wo sich eine Menge Männer in Anzügen zu versammeln schien.

Der Fahrer hielt und sagte irgend etwas auf japanisch, doch Altmeyer nickte und lächelte in einer Art bewußt dümmlichen Nichtverstehens, bis der Mann aufgab. Altmeyer reichte ihm ein paar Scheine und sagte: »Weiß schon, Kumpel. Keine Ausländer zugelassen, Privatclub und so weiter.« Als er ausstieg, sagte er: »Frohes Eiersuchen.«

Nachdem das Taxi um die Ecke gekurvt war und sich außer Sicht befand, führte Altmeyer die beiden anderen in Richtung Hafen, schnell schreitend, und schneller noch, als er einen Blick auf seine Armbanduhr warf. Rachel fühlte seine flache Hand zwischen ihren Schulterblättern, spürte den sachten, doch festen Druck.

Als sie um die nächste Ecke bogen, sahen sie das kurze, schwarze Schiff vertäut an jenem Pier, wo sie am Nachmittag gestanden hatten. Die Betonplattform war überflutet vom grellgelben Licht der Natriumdampflampen an den Giebeln des niedrigen, hangarartigen Gebäudes auf dem Pier. Bereits drei Schichten von Containern, jeweils drei Glieder tief, stapelten sich übereinander, und darüber baumelte am Kabel ein weiterer Container.

»Was jetzt?« fragte Bucky. »Können Sie die Container mit der Baumwolle drin erkennen?«

»Die enthalten alle Baumwolle«, sagte Altmeyer. »Der Frachtraum mit seinen Kühlabteilungen ist voll mit Fischen. Was wir suchen, wird vermutlich nicht hier sein. Seht euch mal die Schauerleute an.«

Rachel sagte: »Das sind nicht die, die vorher hier waren. Die anderen trugen grüne Overalls.«

»Was wir suchen, wird sich auf dem nächsten Pier befinden. Das hätte ich mir vorher denken müssen.« Sie gingen den Uferstreifen entlang und hielten sich außerhalb des grellen Lichts.

Als sie noch rund hundert Meter von der Hinterseite des Lagerhauses entfernt waren, das den nächsten Pier beherrschte, blieb Altmeyer stehen und zog die beiden anderen in den Schatten einer riesigen Stahlkabelrolle zwischen großen, leeren Kisten. Altmeyer flüsterte: »Seht ihr das Auto?«

Bucky spähte die Straße entlang; an der Rückseite des Lagerhauses stand ein schwarzes Auto. Er nickte.

Altmeyer sagte ruhig: »Das muß einer von Nagatas Bossen sein, Bridges, Walker oder Bone.«

Bucky blickte zu Rachel. »Soll das ein Witz sein?«

»So nennen sie sich«, sagte Rachel. »Nagata ist nur ihr Dolmetscher.«

Altmeyer sprach hastig. »Das Auto kann nie 'ne Tonne Metall befördern, also wird drinnen wohl 'n Laster sein – für die Pistolen. Rachel, den Laster übernimmst du. Wenn er hier vorbeikommt, notier dir, was immer du erkennen kannst: die Nummer auf dem Nummernschild, alles, was sich lesen läßt – aber bleib unsichtbar.«

»Okay.«

»Bucky, Sie sind mir für das Gelände rings um das Auto verantwortlich, auch für die Tür des Lagerhauses. Gehört der erste Kopf, der dort auftaucht, 'nem anderen als mir, so jagen Sie eine Kugel hinein, kommen zurück zu Rachel und versuchen dann, den Bahnhof zu erreichen. Der letzte Zug nach Tokio fährt um Null Uhr dreißig. Sollten Sie ihn verpassen oder überhaupt nicht zum Bahnhof gelangen, so halten Sie sich versteckt. Die werden nicht lange nach Ihnen suchen, weil sie sich's nicht leisten können, mit den Pistolen hier herumzuhängen.« Ohne eine Antwort abzuwarten, verschwand Altmeyer in der Dunkelheit.

Bucky flüsterte: »Warten Sie«, doch Altmeyer war bereits zu weit entfernt. Bucky sagte: »Ich hasse so was. Es ist ein lausiger Plan, und ich weiß nicht mal, worum's geht, außer daß ich auf Menschen schießen soll.«

»Still«, flüsterte Rachel. »Gehen wir.«

»Aber er hat doch gesagt, daß Sie hier bleiben sollen.«

»Das mit dem ›hier‹ hat er nicht so eng gemeint. Kommen Sie.«

Sie folgten der Richtung, die Altmeyer eingeschlagen hatte. Leise bewegten sie sich auf das Lagerhaus zu. Plötzlich drang aus einer rasch geöffneten Tür ein Schwall Licht hervor, und in der Tür wurde die Silhouette eines Mannes sichtbar. Dann herrschte wieder Dunkelheit.

Altmeyer schloß sacht die Tür, schlüpfte seitlich hinter eine Reihe
von Sperrholzkisten auf Holzgestellen, blieb stehen und lauschte.
Er hörte Stimmen im Lagerhaus, japanische Stimmen, gar kein
Zweifel. Sie sprachen unheimlich schnell – waren sie zornig, beun-
ruhigt? Er wartete ein, zwei Minuten. Der Ton der Stimmen
schien sich nicht zu ändern, und die Sprechenden waren nach wie
vor ein Stück von ihm entfernt. Aus dem Hintergrund erklang ein
anderes Geräusch, wie ein kleiner Motor. Ein Gabelstapler, der
die Kisten transportieren sollte?
Er zögerte, sich von der Tür zu entfernen. Doch falls sie einen
Gabelstapler hatten, durfte er nicht warten, bis das Ding unversehens auftauchte. Langsam arbeitete er sich eine Reihe von Kisten
entlang, wobei er seine Füße auf den Holzgestellen hielt, damit sie
darunter nicht zu sehen waren.
Am Ende der Reihe blieb er stehen. Altmeyer vernahm das hohle,
metallische Knallen einer Tür. Sofort tauchte vor seinem inneren
Auge statt des Gabelstaplers ein kleiner Laster auf. Eine zweite
Tür knallte, dann ein schabendes Geräusch, als werde ein Bolzen
oder Riegel an Ort und Stelle geschoben. Jetzt, das wußte Altmeyer, durfte er sich nicht mehr aufs Spekulieren verlassen. Er mußte
mit eigenen Augen sehen.
Als er durch den Spalt zwischen den letzten beiden Kisten spähte,
konnte er gerade sehen, wie eine breite, automatische Garagentür
hochschwang, während gleichzeitig drei Männer in grünen Overalls auf einen Laster kletterten und eine Schiebetür hinter sich
schlossen. Aus der Dunkelheit draußen löste sich ein weiteres
Paar Füße, näherte sich dem Laster. Dann erkannte Altmeyer vor
dem Lagerhaus einen Mann, der mit einer Hand winkte. Der Laster setzte sich in Bewegung und fuhr hinaus in die Nacht. Altmeyer kniff die Augen zusammen, um den Laster deutlicher erkennen
zu können, doch er sah nur eine Ladeklappe aus Wellblech und
eine schwarze Stoßstange. Dann war das Fahrzeug verschwunden.
Gegen eine der Kisten gelehnt, wartete er. Da beide Türen des
Führerhauses zugeknallt worden waren, vermutete er, daß sich
jetzt mindestens sechs Männer im Laster befanden.
Altmeyer lauschte. Die automatische Tür des Lagerhauses schloß

sich brummend, dann erklangen wieder Stimmen, die näherzukommen schienen. Jetzt konnte er Schritte hören, die von zwei oder drei Männern stammten, in Arbeitsstiefeln vermutlich, leise, gedämpfte Schritte. Und noch weitere Schritte, von einem anderen Mann, der bestimmt Straßenschuhe trug. Die Ledersohlen klangen lauter, schärfer. Alle Männer bewegten sich jetzt zu jener Seite hinüber, die dem Hafen am nächsten lag. Diese Gelegenheit, Altmeyer wußte es, mußte er nutzen, um sich weiter umzusehen. Die Kerle kehrten ihm ja den Rücken zu. So schlüpfte er wieder zum Ende der Kistenreihe und schob, dicht über dem Fußboden, seinen Kopf weit genug vor, um mit dem linken Auge genügend sehen zu können.

Sofort zog er den Kopf wieder zurück. Die Männer gingen auf einen Frachtcontainer zu, der, wie Altmeyer deutlich hatte erkennen können, offen war. Er zog seine kleine Pistole hervor, prüfte das Magazin und schraubte den Schalldämpfer auf den Lauf. Unterhalb der breiten Seitenwand des Containers war der Fußboden übersät mit Fetzen brauner Sackleinwand, glänzenden Metallbändern und Häufchen heller, weißer Baumwolle. Mit geschlossenen Augen rief er sich das Bild zurück, das er vor Sekunden in sich aufgenommen hatte. Fünf Gestalten hatten sich auf den Container zubewegt. Pistolen waren nicht zu sehen gewesen. Nun, wer körperliche Arbeit zu verrichten hatte, würde das kaum mit einer zwei Pfund schweren Pistole am oder im Gürtel tun. Einer von ihnen trug allerdings einen Straßenanzug und packte zweifellos nicht mit an. Ihn galt es, im Auge zu behalten. Altmeyer konnte die Männer wieder sprechen hören. Langsam richtete er sich auf. Die kleine Pistole in die Achselhöhle geklemmt, so daß sie unter dem Jackett nicht zu sehen war, trat er vom Gestell auf den Boden.

Altmeyer machte genau sieben Schritte, bevor einem der Männer in Grün, gleichsam aus den Augenwinkeln, die fremde Gestalt aufzufallen schien. Der Mann stand vorgebeugt, beide Arme voller Baumwolle, und sein Kopf ruckte kaum mehr als ein, zwei Zentimeter seitwärts. Er richtete sich auf und tat, als hätte er nichts wahrgenommen; doch starrte er angespannt zu einem seiner Kollegen, als erwarte er, daß dieser etwas bemerke. Der zweite Mann schien die Unruhe des ersten zu spüren, er blickte auf und sah Altmeyer. Er sagte etwas, und dann drehten sich alle um.

»Guten Abend, Mr. Nagata«, rief Altmeyer und bewegte sich weiter auf die Männer zu. Er mußte unbedingt näher an sie heran. Aus einer Entfernung von mehr als fünf Meter mochte eine 22er Kugel keinen großen Schaden anrichten, während eine 9mm-Browning ihn erledigen würde. »Ich hatte gehofft, daß Sie's sein würden, damit wir uns miteinander unterhalten können.«

»Altmeyer.« Nagata sprach lauter als gewöhnlich, jedoch ohne sichtliche Verblüffung.

»Ich wollt nur mal vorbeischaun, und sehen, ob Sie auch alles termingemäß erhalten haben. Aber es ist ja wohl einen Tag zu früh eingetroffen, wie?«

»Und wo ist Ihre Mitarbeiterin, Miß Ralph Waldo Emerson?« fragte Nagata. Altmeyer lauschte auf die Stimme. Vielleicht, denn plötzlich klang sie überlaut, verriet sich eben darin nun doch Nagatas Verblüffung. Vielleicht auch war er es ganz einfach gewohnt, in großen, leeren Lagerhäusern Befehle zu erteilen. Vielleicht.

Altmeyer ließ sich mit einem Ruck aufs Knie fallen und rollte sich zur Seite, während gleichzeitig hinter ihm der Schuß dröhnte.

Er zog die Pistole unter seiner Achselhöhle hervor und feuerte auf die einzige Gestalt, die er jetzt sehen konnte, einen Mann in einem grauen Anzug. Die kleine Automatic machte ein rauhes Geräusch, wie ein Spucken, und der Mann sackte zusammen. Noch zweimal feuerte Altmeyer in den Körper, während er aufsprang und rannte. So schnell er nur konnte, stürzte er auf die fünf Männer zu. Er wußte, daß hierin seine einzige Chance bestand. Als einer der Männer in seinen Overall langte, schoß Altmeyer ihm in die Brust. Ein zweiter versuchte, hinter dem Container in Deckung zu gehen, doch Altmeyer war unmittelbar hinter ihm, und der Schalldämpfer berührte fast das Genick, als Altmeyer schoß. Der Mann schlug hin, und schon tauchte am anderen Ende des Containers ein weiterer Mann auf, der gerade die Pistole hob, als Altmeyer abermals feuerte.

Altmeyer rannte auf ihn zu und, dicht bei dem Mann jetzt, schoß er ihm in den Kopf. Dann blieb er an der Ecke des Containers stehen und wechselte das Magazin seiner Pistole aus. Er versuchte, möglichst ruhig zu atmen, schien jedoch nur um so lauter zu keuchen. In seinen Ohren war es wie ein hohles Hallen, und er strengte sich an, um irgendwelche Geräusche zu vernehmen. Er sah den schlaffen Körper zu seinen Füßen und stieß mit dem Schuh gegen die Pistole des Toten. Die Pistole – irgendwie wollte sich da manches nicht zusammenreimen, und er nahm sich vor, der Sache später auf den Grund zu gehen.

Dann hörte er, wie die Tür auf der anderen Seite des Lagerhauses aufschwang, und fünf- oder sechsmal knallte es leise, eher ein rauhes Spucken, dann kam ein Rufen und dann Stille.

Bucky saß auf dem Boden hinter dem Kofferraum des schwarzen Autos und schob ein neues Magazin in die Pistole; doch das Gewicht des alten verriet ihm, daß es noch nicht leer war. Dann erinnerte er sich, daß er den Abzug nur drei- oder viermal bewegt hatte, als sich die Tür öffnete. Er war so verdattert gewesen. Die Schüsse schienen unheimlich laut zu knallen, und die kleine Pistole spie orangefarbene Funken, die für einen Augenblick die glänzende Oberfläche des Autos beleuchteten und die beiden Männer mitten in der Bewegung zu bannen schienen – ähnlich wie das Blitzlicht eines Fotografen bewegte Objekte erstarrt auf einen Film wirft.

Er raffte sich hoch, halb gegen das Auto gestützt. Dann fiel ihm ein, daß er noch immer das Magazin in der Hand hielt, und steckte es in seine Tasche.

Als er sich umdrehte, tauchte eine dunkle Gestalt neben ihm auf, und Rachel flüsterte: »Oh, Gott, beeilen Sie sich! Das hätte Altmeyer sein sollen und nicht diese Bande.«

Sie lief auf die offene Tür zu, und Bucky folgte. Als er um das Auto bog, sah er, daß einer der Liegenden, ein Mann in einem dunklen Anzug, die Tür mit seinem Körper aufgesperrt hielt. Es war, als hätte er versucht, das Lagerhaus kriechend zu verlassen und sei mitten in der Bewegung erstarrt.

Rachel schob die Tür ein Stück weiter auf und ging an dem erschlafften Körper vorbei, als habe sie ihn überhaupt nicht wahrgenommen. Bucky jedoch zögerte, starrte auf den liegenden Mann. Die Gestalt war wie eine Barriere, über die er nicht hinwegtreten konnte. Bucky hatte das Gefühl, vorgereckte Hände würden plötzlich sein Fußgelenk packen, falls er es versuchte. Unhörbar entließ er die in seiner Lunge gestaute Luft, und mit ein, zwei Seitwärtsschritten gelangte er schließlich doch ins helle Lagerhaus, wobei seine Blicke von ganz links nach ganz rechts huschten im verzweifelten Versuch, alles auf einmal zu sehen.

Da waren große Holzkisten, und helle Lampen hingen an langen Schnüren vom Dachgebälk. Unter der einen Lampe, der allernächsten, schien eine winzige graue Rauchsäule emporzukräuseln, doch stand da niemand.

Bucky schlüpfte nach links hinter eine Reihe von Kisten, doch da gab es nicht genügend Platz für ihn. Er bewegte sich nach rechts und sah einen Mann in einem grauen Anzug, der dort auf dem Boden lag. Im Reflex hob Bucky seine Pistole und zielte auf den Mann, doch während sein Arm hochschwang, sah er, daß der Mann auf dem Rücken in einer Blutlache lag.

Buckys Augen durchstreiften rasch den Raum, während er dastand, mit schußbereiter Pistole und gebeugten Knien, eine Haltung, die er instinktiv einnahm, bereit herumzuwirbeln und davonzurennen. Er sah noch mehr Leichen, Körper in grünen Overalls, die wie mit verdrehten Gelenken dalagen, als seien sie achtlos dorthin geschleudert worden.

In ihrer Nähe stand ein großer, blauer Container, einer von denen, wie er sie auf dem anderen Pier gesehen hatte. Bucky trat ein paar Schritt näher, wobei er sich an der Wand entlangschob, und dann sah er Rachel. Sie bewegte sich parallel zu ihm an der gegenüberliegenden Wand, hinter einer langen Reihe von Kästen. Natürlich, dachte er, sie ist klein, für sie ist da Platz. Er arbeitete sich rascher voran, um gleichsam zu ihr aufzuschließen, und vermied jedes Geräusch.

In diesem Augenblick hörte er die Stimme. Sie erklang hinter dem blauen Container und schien mit jedem Wort lauter zu werden. »Siebzehn. Achtzehn. Neunzehn. Zwanzig. Verdammt.«

Rachel rannte über die freie Bodenfläche. »Altmeyer! Bist du okay? Antworte!«

Die Stimme sagte: »Jaah. Alles klar«, und Altmeyer tauchte am Ende des Containers auf, mit ausgebreiteten Armen, und drückte Rachel kurz an sich.

Was die beiden miteiander sprachen, konnte Bucky nicht verstehen. Er wollte auf sie zugehen, doch dann wurde ihm bewußt, daß ihn etwas störte, drehte sich schnell um, ging zur Tür zurück und beugte sich vor, um den Mann im dunklen Anzug bei den Beinen zu packen, schleifte ihn nach innen und schloß die Tür.

Dann ging er zum Container zurück, wo Altmeyer zu Rachel sagte: »Siehst du? Sämtliche Ballen, die wir mit dem Crimper markiert haben, sind noch hier. Die haben sich nicht mal die Mühe gemacht, ein oder zwei zu öffnen, um zu prüfen, ob wir sie auch nicht betrogen haben.«

Bucky sagte: »Mein Gott, was für eine Szene! Was ist passiert?« Er blickte auf die Leiche eines Mannes, aus dessen Hinterkopf noch Blut quoll.

»Sie meinen die hier?« sagte Altmeyer. »Ein irres Durcheinander. Der dort drüben ballerte einfach auf mich los. Alles weitere folgte ganz automatisch.«

»So wird's wohl sein«, sagte Bucky ohne Überzeugung. Er blickte sich um. »Machen wir, daß wir von hier fortkommen.«

»Wir haben noch Zeit«, sagte Altmeyer. »Alles, was die für heute abend vor hatten, scheint erledigt zu sein, und wir müssen uns jetzt hier umsehen, oder wir werden niemals draus schlau werden.«

Altmeyer deutete auf die Baumwolle und das Sackleinen auf dem Boden. »Seht ihr? Die haben den Container hier reingebracht, 'n paar Baumwollballen geöffnet und sind dann mit 'nem Laster von hier fortgefahren. Aber für die, in die wir die Pistolen gepackt hatten, haben sie sich nicht die Bohne interessiert.«

»Fein«, sagte Bucky. »Ich interessiere mich auch nicht dafür. Machen wir, daß wir nach Hause kommen.«

Rachel ignorierte ihn und trat zum Container. »Was glaubst du, war es? Drogen?«

»Möglich, doch ich hab meine Zweifel«, sagte Altmeyer und

blickte zu den Ballen im offenen Container. »So was ist sicher 'ne gute Transportidee, doch Japan ist kein so 'n guter Markt wie die Vereinigten Staaten.«

Bucky hielt sich dicht bei den beiden anderen. »Wovon sprecht ihr zwei eigentlich?«

Rachel drehte den Kopf und sah ihn an. In ihren Augen waren Müdigkeit und Zorn. »Die haben uns benutzt. Sie fanden einen kleinen Fisch, der davon lebt, daß er ins Netz rein und wieder raus schwimmen kann; und sie haben sich vergewissert, daß er's an der richtigen Stelle und zur richtigen Zeit tat, damit ein ›Big Fish‹ hinter ihm her schwimmen konnte.«

»Okay. Ich glaube, ich verstehe, worauf Sie hinauswollen«, sagte Bucky. »Die haben die Pistolen von Ihnen gekauft, weil sie etwas anderes einschmuggeln wollten. Sie wußten, daß Sie offenbar eine gute Möglichkeit kannten, also haben die einfach abgewartet und ihr Zeug zu Ihrem Zeug gepackt.«

Rachel seufzte. »Genau so sieht's aus. Es waren fünfzig Ballen, darunter die zwanzig mit den Pistolen drin. Mag sein, daß sie auch die Pistolen wollten, aber längst nicht so sehr wie das Zeug, was sie in diesen drei Ballen hatten.«

»Aber es müßte ja mehr wert sein als die zwei Millionen, die sie für die Pistolen bezahlten«, sagte Bucky.

»Vielleicht sehr viel mehr. Auch wenn sie nicht die Absicht hatten, uns zu bezahlen, das andere war ihnen wichtiger als die Pistolen.«

Altmeyer blickte auf die Baumwolle, die am Boden lag, und prüfte die Sackleinwandfetzen und die Stahlbänder.

Bucky fuhr fort: »Und es war in 3000-Pfund-Ballen abgepackt, so daß es eine Menge gewogen haben könnte.«

»Richtig«, sagte Rachel. »Falls sie so 'n Ding für ihre Zwecke verwenden konnten, haben sie das wahrscheinlich auch getan. Wenn sie so gepackt haben, wie wir die Pistolen packten, konnten es zweihundert Pfund sein, aber auch zehnmal soviel.«

Bucky ließ seinen Blick durch das Lagerhaus gleiten. »Was für ein Gemetzel«, sagte er. »Sieht aus wie im Krieg. Unwillkürlich wünschte ich...«

Plötzlich sah er, daß Altmeyer auf dem Boden saß, und zwar gegenüber der Stelle, wo sich die Baumwolle häufte. Neben ihm stand ein Werkzeugkasten. Ringsum lagen die Spezialwerkzeuge, mit denen die Männer die Stahlbänder aufgeschnitten hatten, sowie drei Messer zum Öffnen der Ballen. Jetzt nahm er irgend etwas aus einer größeren Kiste auf dem Boden.

Altmeyer sprach leise, es klang kaum lauter als ein Flüstern. »Verdammt, oh, verdammt.« Er hielt das Ding jetzt auf seinem Schoß, ein kleines, metallenes Rechteck mit Knöpfen, Skalen und einem langen Kabel. Wie selbstvergessen wiegte er seinen Oberkörper vor und zurück, unmerklich nur, während er auf das rechteckige gelbe Ding starrte.

»Was ist das?« rief Rachel. »Ein Cassettenrecorder?«

Als Altmeyer die Augen zu ihr erhob, schien nur das Weiße in ihnen sichtbar zu sein. Sie wirkten weit und leer, als betrachteten sie etwas aus allernächster Nähe. »Es ist ein Geigerzähler.«

Bucky spürte einen Druck auf den Ohren, hörte ein Geräusch wie von rollenden Murmeln, die dann rasselnd in einen Topf fielen. Er schluckte und öffnete den Mund sehr weit, doch das Geräusch schien nur noch lauter zu werden. Sein Blick lag auf Altmeyer, der seinerseits zu Rachel starrte. Die beiden schienen lange bewegungslos zu verharren. Für einen kurzen Augenblick glaubte er, der Abstand zwischen beiden habe sich verringert, aber dann wurde ihm bewußt, daß er ein paar Schritt zurückgetreten war. Er drehte sich unwillkürlich um, damit er nicht das Gleichgewicht verlor, und wurde sich plötzlich bewußt, daß er ziellos in der weiten Leere des Lagerhauses umherwanderte. Als er an der Tür vorbeikam, sah er, fast wie zum erstenmal, den Mann im dunklen Anzug, der mit dem Gesicht nach unten am Boden lag. Bucky stand über der leblosen Gestalt und starrte darauf.

Er versuchte, seine Gefühle unter Kontrolle zu bekommen, versuchte, sie gleichsam in Gedanken zu verwandeln. Doch das einzige, was er empfand, war ein Impuls, den Körper herumzuwälzen und das Gesicht zu betrachten. Gleichzeitig erinnerte er sich wieder, daß er zweimal auf den Kopf geschossen hatte, so daß, falls er dem Impuls nachgab und einen Blick auf das Gesicht warf, ein Schrecken bliebe, den er wohl nie wieder würde loswerden können. Er ging weiter, schritt mehrmals über die leere Bodenfläche hin und her. Plötzlich spürte er, vage zwar und doch unverkennbar, ein Verlangen danach, nicht mehr allein zu sein.

»Jesus«, sagte Bucky. Schwerfällig setzte er sich neben Altmeyer auf den Boden. Er blickte auf seine Pistole, als verwundere es ihn, sie in seiner Hand zu sehen. Dann legte er sie neben sich hin und rieb sich das Gesicht mit beiden Händen. »Ich kann's nicht glauben. Ich meine, könnte es sein, daß es einen *anderen* Grund gibt, einen Geigerzähler zu verwenden?«

Altmeyer blickte zu Rachel. »Fällt dir einer ein?«

»Aber das würde ja bedeuten...«

Altmeyer stand auf. »Ich möchte jetzt nicht darüber nachdenken.« Er ging auf den Toten zu, der in der Mitte des Fußbodens lag, und fuhr fort: »Wir müssen den suchen, der die Schlüssel für das Auto dort draußen hat.« Er beugte sich über die Leiche, beklopfte die Taschen und fügte hinzu: »Wenn ihr euch schon dranmacht, nehmt alles an euch, Brieftaschen, Papiere, was immer.«

Bucky kroch ein Stück vorwärts und stützte sich dann vom Boden hoch, taumelnd. Dann trat er zu dem Mann in Grün, der neben dem Baumwollhaufen lag. Bucky schwitzte, doch Anstrengung spürte er jetzt nicht, nur gelegentliche Hitzewellen, die das Rückgrat hinaufzujagen schienen, bis zum Hals und dann seitlich über das Gesicht bis zum Haaransatz.

Während er neben der Leiche niederkniete, fragte er sich unwillkürlich, warum er den Mund hielt. Hätte er Altmeyer nicht Fragen stellen sollen, ja müssen? Er beklopfte Brust und Seiten, wälzte den Toten dann herum und zog die Brieftasche hervor, steckte sie ein und trat zur nächsten Leiche. Es spielte keine Rolle, fand er. Das war auch der Grund, weshalb er keine Fragen stellte: Er *wollte* es gar nicht so genau wissen. Das war jetzt das einzige, worum es ging: Daß sie Brieftaschen und Schlüssel fanden. Ein andermal würde es um was anderes gehen. Dann fiel ihm auf, daß er keine Angst hatte. Während er die dritte Leiche durchsuchte, dachte er darüber nach. Dies ist das Allerniedrigste, dachte er, doch seinem

Gehirn fehlte die Kraft, den Gedanken präziser zu fassen. Dies ist das Allerniedrigste. Beim nächsten Toten im Overall zog er den Reißverschluß vom Hals her nur soweit auf, bis er sah, daß der Mann nicht mal ein Hemd darunter anhatte; da war nichts weiter als die haarlose Brust.

»Das ist's vermutlich«, rief Altmeyer von der Tür her.

Natürlich, dachte Bucky sofort, ist ja das Nächstliegende. Die Kerle, die in Richtung Auto gerannt waren, hatten sicher auch die Schlüssel.

»Ich fahr das Auto rein«, sagte Altmeyer. »Rachel, sieh mal, ob du die Garagentür öffnen kannst. Der Schalter wird wohl irgendwo rechts davon sein.« Dann ging er hinaus, und Bucky sah, wie Rachel auf die Garagentür zuschritt.

Er hörte, wie sich die Tür öffnete, und hörte auch den Motor des schwarzen Autos, das ins Lagerhaus manövriert wurde, doch er blickte nicht hin.

»Kommen Sie, Bucky«, rief Altmeyer. »Helfen Sie hier mit.«

Bucky ging zum Container, wo Altmeyer mit dem Werkzeugkasten stand. Altmeyer nahm eine große Metallschere und sagte: »Wir brauchen nicht weiter vorsichtig oder säuberlich vorzugehen. Wir schneiden die Dinger einfach auf, sehn zu, daß wir unsere Pistolen rauskriegen und lassen alles so liegen. Sollen die Dreckskerle hier doch saubermachen, wenn ihnen was dran liegt.«

Er knipste ein Metallband auseinander, durchschnitt dann die Stoffhülle und grub sich durch die Baumwolle, bis er auf den Kasten mit den Pistolen stieß. »Okay, Bucky. Helfen Sie mir, das Ding rauszuziehn!« Die beiden Männer zerrten den schweren Kasten aus dem Baumwollballen hervor und stellten ihn auf den Boden. Altmeyer prüfte den nächsten Ballen. Er ließ seine Finger über jene Stelle des Metallbandes gleiten, wo der Crimper – die Spezialzange – einen Abdruck hinterlassen haben mußte. Er nickte wie bestätigend und betätigte die Metallschere. Mit einem singenden Geräusch sprang das Band auseinander. Bucky wühlte sich rasch durch die Baumwolle, und die beiden Männer hoben die Kiste heraus und setzten sie zu Boden. Nachdem sie fünf Ballen geöffnet hatten, trat Altmeyer einen Schritt zurück und fragte:

»Wie läuft's denn, Rachel?«

Aus einiger Entfernung klang Rachels Stimme: »Ich find's nicht. Kannst du einen Augenblick herkommen. Bringe eine Kiste mit.«

Gemeinsam trugen Bucky und Altmeyer eine Kiste zur anderen Seite des Lagerhauses, wo Rachel wartete. Die beiden Männer stellten die Kiste ab, und Altmeyer stieg darauf, so daß er jetzt neben Rachel stand, die einen ähnlichen ›Untersatz‹ hatte. Jetzt blickten beide auf eine Art Wandverkleidung, die etwa in ihrer Augenhöhe endete. Bucky begriff überhaupt nichts mehr. Suchten die beiden nach dem Schalter für die Garagentür und konnten ihn nicht finden? Waren dort über oder hinter der Wandverkleidung irgendwelche Leitungen, Stecker, Verteilerdosen? Was sollte das alles?

Altmeyers Blick glitt die obere Kante der Wandverkleidung entlang. »Für 'n paar wird's reichen, so etwa vier oder fünf Kisten. Wir lassen sie einfach hinter die Verkleidung fallen, und die Isolierung müßte sie auf halbem Weg nach unten aufhalten. Bucky, öffnen Sie die Kiste.«

Bucky tat's, wühlte sich durch die Plastikpolsterung und reichte Altmeyer eine, noch in Tuch gehüllte, Pistole. Altmeyer streckte die Hand zum Zwischenraum zwischen Wandverkleidung und Wand, ließ die Pistole fallen und lauschte. »Ist kaum mehr als 'n halber Meter gefallen«, sagte er. »Perfekt. Wir schaffen noch 'n paar Kisten her, und du kannst anfangen.« Er sprang zu Boden, ging ein paar Schritte, schien sich dann an Bucky zu erinnern.

»Kommen Sie«, sagte Altmeyer. Als Bucky neben ihm stand, klopfte ihm Altmeyer sacht auf den Rücken und sagte: »Ich weiß, daß Sie das momentan nicht so richtig mitkriegen.«

Bucky zuckte mit den Schultern. »Spielt ja weiter keine Rolle.«

Während sie zum Container zurückgingen, beobachtete Altmeyer ihn von der Seite. »Haben Sie schon mal 'n Schock gehabt, Bucky?«

Bucky warf ihm einen Blick zu und hörte sich selber lachen. »Nicht bevor ich Sie kennengelernt habe.« Dann fügte er hinzu: »Nur keine Sorge, ich komm schon klar.«

129

Altmeyer klopfte ihm auf die Schulter. »Sicher. Wir werden alle klarkommen. Aber es wird 'ne lange Nacht werden.«

»Okay«, sagte Bucky ohne Interesse.

Als sie einander gegenüberstanden, um die nächste Kiste hochzuheben, sagte Altmeyer: »Wir werden hier nur etwa sechs oder sieben Kisten verstecken können, und drei nehmen wir im Auto mit. Und den Rest, fürchte ich, müssen wir im Hafen unterm Pier versenken.«

Sie gingen zum anderen Ende des Lagerhauses, wo Rachel die Pistolen Stück für Stück in die Lücke zwischen Wand und Wandverkleidung fallen ließ. Bucky sagte: »Spielt ja keine Rolle. Ist alles eine Katastrophe.«

Altmeyers Stimme klang ruhig und beherrscht. »Halten Sie durch. Uns bleibt nur der Rest dieser Nacht, um zu tun, was hier zu tun ist. Später werden wir wohl nie wieder Gelegenheit dazu haben. Wir tun's ja nicht, weil's so 'ne tolle Sache ist. Wir tun's, weil's im Augenblick alles ist, was wir tun können.«

»Was wird dadurch erreicht?«

»Hier«, sagte Altmeyer, und sie stellten die Kisten ab. Er riß sie auf und begann, Pistolen hervorzuzerren. »Wahrscheinlich verdammt wenig. Wir verstauen ein paar hier und ein paar dort, so daß außer uns niemand weiß, wo die Dinger sind. Das verschafft uns einen kleinen Vorteil. Die, die wir nicht verstecken können, vernichten wir – das Salzwasser wird sie innerhalb weniger Monate in kleine Rostklumpen verwandeln –, so daß Schnorrer wie die da nicht mehr so gefährlich herumballern können.«

Bucky blickte auf die am Boden liegenden Leichen. »Schnorrer.«

Altmeyer stieß die Kiste mit dem Fuß beiseite und machte sich an die nächste. »Kommt halt vor, daß man mal an solche Typen gerät. Oft bleibt einem nichts anderes übrig, als ihnen die Beute wieder abzujagen.«

Rachel wachte auf und starrte zur Zimmerdecke empor. Es schien Abend zu sein, doch womöglich leuchtete hinter dem dicken Doppelvorhang noch die Nachmittagssonne. Sie schloß wieder die Augen, und die Erinnerungsbilder kehrten zurück. Da war der weite, klare Hafen, da war die Baumwolle, riesige Haufen, die kaum noch meßbar schienen. Sie hatten sich in die Ballen gewühlt, bis die schiere Masse es unmöglich machte, den nächsten zu erreichen, und Altmeyer hatte das Auto dazu benutzt, um das Zeug beiseite zu schieben. Und dann waren da noch die toten Männer gewesen – mindestens fünf oder sechs –, die wie Marionetten dort herumlagen, einfach so hingeschleudert mit wie aus den Gelenken gezerrten Gliedern. Später, so erinnerte sie sich, hatten Altmeyer und Bucky Pistolen ins Wasser am Ende des Piers gekippt. Danach folgte eine lange Fahrt durch die Dunkelheit, bei der sie auf dem Rücksitz des Autos lag und kaum etwas anderes wahrnahm als die huschenden Lichter anderer Autos.

Vor Morgengrauen war sie zweimal wach geworden. Einmal, erinnerte sie sich, hatten Altmeyer und Bucky in einem Garten gestanden und einen kleinen Damm repariert, so daß das Wasser wieder hereinlaufen konnte, um jene Stelle zu bedecken, wo sie gegraben hatten. Und das zweite Mal? Richtig, als sie zu dritt zu Fuß zum Bahnhof von Fujisawa gegangen waren.

Jetzt war sie wieder wach. Neben ihr sog Altmeyer tief die Luft in die Lunge, und sie wartete darauf, daß er ausatmete. Nach einigen Sekunden ertönte ein lautes Schnauben, zwei Stöße, und die Luft entwich in einem langen, nichtendenwollenden Zischen.

Heute war Rachel sich fast sicher. Vielleicht war heute der Tag, es ihm zu sagen. Wenn es hier bloß Ärzte gäbe. Natürlich gab es hier Ärzte, aber sie konnte zu keinem gehen, wegen dieser mistigen Geschichte. Man würde schon bald nach ihnen suchen. Fahnden war vielleicht das treffendere Wort. Der Test brauchte seine Zeit – waren es 24 oder 48 Stunden? Aber dann würde jemand zum Lagerhaus am Pier zurückgehen müssen.

Sie drehte den Kopf, um Altmeyer anzusehen. Sie wollte sein friedliches, sorgloses Gesicht betrachten. Sie stützte sich auf einen Ellbogen hoch und blickte zu ihm hinab. Seine Stirn war gekraust, seine Kinnbacken fest zusammengebissen. Jetzt knirschte er mit den Zähnen, dann machte seine Zunge ein klickendes Geräusch.

Er würde bald aufwachen. Bereits jetzt schien sein Gehirn zu arbeiten, Probleme zu wälzen, und wenn er erwachte, würde er davon voll in Anspruch genommen sein: Würde Pläne machen und unablässig in Bewegung sein, viel zu sehr, um ihr zuzuhören. Mistkerl, du, dachte sie. Können wir nicht so sein wie andere Leute? Während sie diese Worte dachte, schien die Traurigkeit sie zu überwältigen, die sie so lange unterdrückt hatte. Es war zu spät, um wie andere Menschen zu sein. Andere Menschen konnten in einem Hotelzimmer aufwachen und wissen, welcher Tag es war und wann sie nach Hause zurückkehren würden. Dann dachte Rachel plötzlich: Ich könnte ja fort!

Sie blickte zu ihm hinab, und die Tränen kamen. Unwillkürlich verhärteten sich ihre Mundwinkel, und sie begann zu weinen. Der bloße Gedanke daran schien unerträglich. Sie fühlte die Beschämung und gleichzeitig den Zorn auf ihn, dessen Anziehungskraft auf sie so ungeheuer stark war, daß alles andere daneben verblaßte.

Es konnte geschehen, daß Rachel – wenn sie ein Auto steuerte, wenn sie einkaufte, selbst wenn sie das Abendessen kochte – sich plötzlich gleichsam aus schattenloser Vergangenheit sah. Sie erinnerte sich daran, wie sie ein kleines Mädchen gewesen war, das beobachtete, wie Erwachsene alle möglichen Dinge taten, die sie nur zu gern selbst getan hätte. Wenn sie jetzt einfache Alltagsdinge tat, so sah sie die manchmal in dem gleichen Licht, in dem das Kind Rachel sie gesehen hatte, und fühlte sich glücklich. Manchmal, nachdem sie und Altmeyer sich geliebt hatten, lehnte sie sich zurück und wünschte, das kleine Mädchen hätte damals auch Altmeyers harten, sehnigen Körper sehen können, um vielleicht etwas zu ahnen von der Zärtlichkeit und dem Gefühl der Geborgenheit – und um vielleicht zu wissen, daß es einmal auf diese Weise geliebt werden würde, und daß es nichts gab, worüber man sich beunruhigen mußte. Als sie kein Kind mehr gewesen war, sondern ein junges Mädchen, hatte sie sich vor so manchem gefürchtet, vor den College-Bällen mit den linkischen und manchmal plump zudringlichen Boys, vor den ersten Verabredungen, wenn sie beim besten Willen nicht wußte, was sie sagen sollte, um das angespannte Schweigen, um die Leere auszufüllen ... doch später, da war dann Altmeyer gewesen.

Fast ihr ganzes Leben lang hatte sie darauf gewartet, dieses Gefühl mit den Erwartungen der kleinen Rachel zu vergleichen. Dies war eines der Dinge, nach denen sich die kleine Rachel am meisten gesehnt hatte, und sie war voller Zweifel gewesen und voller Sorgen. Jetzt war sie sich dessen fast sicher, und doch fühlte sie sich noch nicht bereit, es sozusagen auch offizielle Wahrheit sein zu lassen. Wenn sie es laut aussprach, gleichsam amtlich verkündete, dann würde der Augenblick für alle Zeit wie festgebannt sein. Nein, es war nicht der Zeitpunkt dafür.

Altmeyers Augenlider bewegten sich, glitten ganz auf. Sein Gesicht trug bereits den gewohnten Ausdruck, die Augen wirkten hellwach. »Hey, Baby, hast du denn überhaupt geschlafen?«

»Mehr als es irgendein Mädchen braucht«, sagte sie. Sie beugte sich über ihn und preßte ihren Mund auf seine Lippen.

Altmeyer saß nackt am Tisch und sortierte auseinander: japanische Geldscheine und Ausweise und sonstige Papiere. »Es ist 'ne Schande, all das Geld wegschmeißen zu müssen.«

»Weshalb willst du's denn tun?« fragte Rachel. Sie hielt beim Haarbürsten inne und sah ihn an.

»Auf dem Flughafen werden die vom Zoll unser Bargeld zählen. Mehr als einhunderttausend Yen darf man nicht ausführen. Auch wissen wir nicht, ob die Seriennummern nicht auf irgendwelchen Listen vermerkt sind. Wir haben schon genug zu verstecken.«

»Ich dachte, wir wären die ganzen Pistolen los.«

»Sind wir auch. Die, die wir mitgenommen haben, sind mit den anderen auf der Farm draußen vergraben. Aber die Papiere und den Kram – Lizenzen und so – nehmen wir am besten mit. Die geben uns die besten Hinweise auf das, was hier eigentlich läuft. Könntest du, während ich mich dusche, unten im Geschenkladen 'n paar Kartenspiele für mich kaufen? Vergewissere dich, daß sie Zellophanhüllen haben.«

»Okay«, sagte Rachel. »Und dann wirst du mir hoffentlich verraten, was gespielt wird, oder?«

»Sicher«, sagte Altmeyer und betrachtete die Kanji-Zeichen auf der Geschäftskarte, die er in der Hand hielt. »Ich werde eins der Kartenspiele öffnen, dies Zeug hineintun und die Hülle mit Hilfe eines heißen Messers wieder versiegeln. Das andere Kartenspiel nehm ich in die Maschine mit, um mit dir und Bucky Gin-Rummy zu spielen. Der Junge ist 'n reines Nervenwrack, wir können ihn vermutlich ohne viel Mühe schlagen.«

»Würde es dir was ausmachen, mir zu sagen, von welcher Maschine du sprichst?«

Altmeyer blickte auf. »Du weißt, daß wir nicht nach Hause fliegen können. Die würden uns in wenigen Tagen finden. Bucky würde keine Woche durchhalten.«

»Wohin dann also?«

Altmeyers Blick senkte sich wieder auf den Dokumentenstapel, und er murmelte: »Brüssel.«

»Gibt es dafür irgendeinen besonderen Grund? Oder bist du einfach so aufgewacht mit dieser blitzartigen Erleuchtung: Brüssel muß es sein?«

Altmeyer stand auf und trat zu ihr. Er lächelte. »Tut mir leid. Ich weiß, wir hätten das miteinander besprechen sollen, aber du hast da gerade geschlafen, und 'ne große Auswahl bleibt uns sowieso nicht. Es muß 'n Ort sein, wo die Burschen vom Zoll sich die Leute nicht allzu genau ansehen – und darüber hinaus 'ne Stadt, wo ich 'n paar Leute kenne . . .«

Rachel unterbrach ihn. »Das sind so zwei Punkte, die für dich immer zusammenzugehören scheinen – oder nicht?« Sie wartete die Antwort nicht ab, sondern verließ das Zimmer und schloß die Tür hinter sich.

Ein oder zwei Sekunden lang starrte Altmeyer auf die geschlossene Tür, dann ging er zum Badezimmer. Rasch wusch er sich unter der Dusche und trat dann heraus, um in das japanische Bad zu steigen, tief hinein, während er über Rachel nachgrübelte. In ein paar Stunden würden sie sich an Bord der Sabena 747 befinden, die die Polarroute mit Ziel Zaventem-Flughafen flog. Vielleicht würde das ihre Nerven ein bißchen besänftigen.

Rachels Problem war schnell umrissen. Sie hatte es nicht gelernt, ihre Gedanken – nein, ihr Denken – zu kontrollieren. Jetzt war genau der Zeitpunkt, um sich zu überlegen, was sie unternehmen konnten, um während der nächsten paar Tage jeder Gefahr aus dem Wege zu gehen. Es war ganz und gar nicht der Zeitpunkt, noch nicht der Zeitpunkt, um über das andere Problem nachzudenken. Erst einmal heil rauskommen. Das war Faustregel Nummer eins. Bring deine Ware rein, versuch nach Möglichkeit zu kassieren, aber schieß, Teufel noch mal, in den Wind, bevor irgendeine Seite auf den Gedanken kommt, dich zu schnappen. Zeit zurückzublicken hatte man reichlich, wenn die Grenze erst mal hinter einem lag. Wer innehielt, um sich umzudrehn, mußte damit rechnen, daß er sich, wie Lots Weib, von der Halskrause bis zu den Füßen in eine Salzsäule verwandelte.

Altmeyer hielt den Atem an und ließ sich unter das Wasser gleiten. Der eigentliche Witz bestand darin, dem anderen immer um eine Nasenspitze voraus zu sein, und das schaffte man nur, wenn man sich voll auf das konzentrierte, was man mit ihm machen würde, und nicht auf das, was man von ihm hielt oder so. Als Altmeyer den Druck in seinem Brustkasten spürte, ließ er ein paar Luftblasen ab, hob dann den Kopf über die Wasseroberfläche, um frisch Atem zu holen, und öffnete die Augen.

Er kletterte aus dem in den Boden eingelassenen Bad und langte nach einem Handtuch, wütend auf sich selbst. Gerade eben, im Wasser, hatte er etwa zum zehnten Mal während der vergangenen acht Stunden das Bild vor seinem inneren Auge aufsteigen lassen. Wie in einem Film, den er irgendwann gesehen hatte, war es vor ihm wieder und wieder abgespult. In dem Film gab es einen Blitz: eine blendend aufflammende Helligkeit, die sekundenlang die gesamte Leinwand weiß erscheinen ließ, um dann einem ungeheuren geballten Glühen in der Bildmitte zu weichen. Es war, als sei irgendein runder Gegenstand ins Wasser gefallen, das nun wild aufspritzte. Einem Schaudern glich es, und dann geschah etwas, das zunächst unerklärlich schien: Statt wieder in sich zusammenzufallen, blühte dieses Gebilde erst richtig auf zu einer pilzförmigen Wolke.

Brüssel

»*C'est moi, Altmeyer. Oui.*« Er lauschte, sagte dann: »*Non. Ce n'est pas bon. J'aimerez cette fois quelque chose . . .*«
Er machte wieder eine Pause, sagte dann: »*Oui. Rue de l'Étuve, vers le Manneken-Pis. Merci.*« Altmeyer legte auf.
»Ihr Freund spricht nur französisch?« fragte Bucky.
»Nein, das war sein Bruder, Bernard. Ich treff mich mit Paul in 'ner Stunde, 'n Stück weiter straßab. Paul ist jemand, den ich nicht direkt erreichen kann.«
»Was für ein reizvoller Zug«, sagte Rachel. »Ich kann mich nicht erinnern, schon von Paul gehört zu haben.« Sie blickte zu Bucky. »Vielleicht kann man auch nicht direkt über ihn reden. Wahrscheinlich mußt du über seinen Bruder, diesen Bernard, reden und dann eine Stunde warten.«
Altmeyer schüttelte den Kopf. »Ich hab mit ihm in den letzten paar Jahren keine Geschäfte mehr gemacht. Einer der Gründe, daß er's ist, den ich jetzt sehen möchte. Er ist vielleicht in der Lage, uns zu helfen, ohne daß irgendwer auf den Trichter kommt.«
»Was ist er für dich?« fragte Rachel. »Ist er ein Freund? Vertraust du ihm?«
Altmeyer schlüpfte in sein Jackett. »Ich habe genug Vertrauen zu ihm, daß ich weiß, daß er uns 'ne Zeitlang versteckt hält. Auf so was versteht er sich ausgezeichnet, und im Augenblick ist das alles, was wir brauchen. Und er vertraut mir, daß ich ihn dafür bezahle.«
Bucky sagte: »Ich glaube nicht, daß es das war, was sie gemeint hat.«
Altmeyers Gesicht war ausdruckslos. »Ich weiß, was sie gemeint hat. Ihr zwei habt euch unterhalten.«

139

Altmeyer überquerte den Platz, während seine Augen über die Touristengruppen glitten, die das Manneken-Pis umstanden. Der pausbackige kleine Bronzebengel blickte intensiv nach unten, seinen unaufhörlichen Wasserstrahl sorgsam ins Brunnenbecken richtend, während ringsum Dutzende von Kameras klickten.

Die Stimme erklang dicht hinter Altmeyer. »Tourist, Mister Altmeyer?«

Altmeyer drehte sich um und schritt in die entgegengesetzte Richtung, während der große, dünne Mann neben ihm herging. »Der da«, sagte Altmeyer und deutete auf die Bronzefigur, »erinnert mich an einen Freund von mir. Sie werden ihn kennenlernen.«

Paul Mazarin sagte: »Vielleicht. Es ist erstaunlich warm heute, finden Sie nicht?«

»Ich möchte von der Bildfläche verschwinden. Ich – und noch zwei weitere.«

»So?«

»Tausend pro Tag, amerikanische.«

»Einverstanden.« Mazarin blickte zu Altmeyer, sah dann wieder nach vorn. »Ist auf Sie eine Belohnung ausgesetzt?«

Altmeyer lächelte. »Wäre Ihre Mühe nicht wert, alter Freund. Diese Leute haben keine Ahnung, wie man Geschäfte betreibt.«

Mazarins lange, dünne Hand berührte Altmeyers Arm und hielt ihn umschlossen, während ein verbeulter, grüner Citroen vorüberfuhr. Dann tippten Mazarins Fingerspitzen sacht auf Altmeyers Arm, und sie schlenderten über die Rue du Lombard. Altmeyer sah den gotischen Turm des Hotel de Ville auf dem Grand' Place am Ende der Straße.

Mazarin ging weiter. »Es besteht immer die Gefahr, daß sich irgendwer als Weiterverkäufer versucht, die meisten Ihrer Kunden sind Amateure.«

Altmeyer schien schweigend zuzustimmen.

»Sind die anderen in der Nähe?«

»Ganz in der Nähe. Sie sind in einem Café auf dem Grand' Place.«

»Wie kostspielig dürfen die Arrangements denn sein?«

140

»Echte Sicherheit, aber keine Superalarmstufe«, sagte Altmeyer.
»Immerhin ist nicht auszuschließen, daß sie darauf tippen, daß wir jetzt in Brüssel sind.«

»Ich muß in zwei oder drei Tagen nach Rotterdam. Wenn Sie mitkommen, unterbricht das die Fährte ein bißchen. Danach ist es dann Ihre Sache, wann Sie wieder auftauchen wollen. Sonst noch was?« Er beobachtete Altmeyer während des Gehens aus den Augenwinkeln.

»Wir treffen uns in zwei Stunden vor Notre Dame du Sablon.«

»Weshalb die Verzögerung?«

»Ich möchte noch zur Bank, bevor ich untertauche.«

Mazarin nickte mit halbgeschlossenen Augen. »Natürlich. Altmeyer läßt niemals die Details außer acht. In zwei Stunden also. Das läßt Ihnen Zeit, darüber zu entscheiden, was Sie mir über Ihre Probleme sagen wollen. Ihr Gepäck ist vermutlich noch auf dem Flughafen?«

»Ja«, sagte Altmeyer.

»Geben Sie mir die Gepäckscheine, dann habe ich inzwischen was zu tun.« Er nahm die Scheine an sich, wandte sich zum Gehen, hielt dann inne. »Ihre Koffer...«

»Nein«, sagte Altmeyer. »Da sind nur Kleider drin.«

»Gut«, sagte Mazarin. »Dann kann ich ja zur Abwechslung mal Ihnen was verkaufen.«

Bucky starrte auf den Tisch und fingerte an dem kleinen Silberlöffel neben seiner Tasse. »Ihr seid ein sonderbares Paar, Sie und Altmeyer.«

»Zusammen oder jeweils einzeln?« Rachel setzte ein kaum merkliches Lächeln auf, aber Bucky sah es nicht. Sein Kopf blieb gesenkt.

»Tut mir leid. In den letzten paar Tagen habe ich immer das Gefühl, die Luft um mich herum sei wie Sülze, egal was ich tue. Ich wollte Sie fragen, wie Sie einander kennengelernt haben, aber die eigentliche Frage, die ich stellen möchte, geht wohl weiter.«

»Wir waren beide auf einer Party. Es war eine heiße, schwüle Nacht, und die Wohnung schrecklich überfüllt, aber es gab einen kleinen Balkon, und dort gingen wir zur selben Zeit hin, um eine Zigarette zu rauchen. Ist das nicht hübsch. Und langweilig?«

»Und dann sagte er: ›Ich bin Waffenschmuggler. Komm und lebe mit mir und sei meine Geliebte.‹ Oder hat er Sie mit dem üblichen Spruch bedient: ›Ich bin Geschäftsmann. Sie wissen ja, viel zu langweilig, sich darüber zu unterhalten‹?«

Rachel lachte. »Wenn Sie's denn unbedingt wissen müssen, er war an jenem Abend der Geschäftsmann und an den folgenden Abenden auch, bis ich ihn dazu brachte, mir zu vertrauen. Wir waren sehr vorsichtig miteinander, aber wir liebten uns auf eine Weise, die sich schwer beschreiben läßt. An jenem ersten Abend hätte ich ums Haar laut gesagt: ›Hier bist du also‹.« Sie krauste die Stirn. »Gleichzeitig jedoch sah ich ihn mir ziemlich eingehend an, und irgend etwas sagte mir, daß ich einen möglichst klaren Kopf behalten müßte. Ich konnte sehen, daß seine Nase mindestens einmal gebrochen gewesen war, und das ist ein schlechtes Zeichen bei einem potentiellen Ehemann, sofern er sich das nicht gerade als Footballspieler an einer Nobeluni geholt hat.«

Bucky blickte von seiner Tasse auf. »Eine kluge Frau, offenbar. Aber er hat Sie trotzdem geködert, Stück für Stück, und hier sind Sie nun.«

Rachel schüttelte den Kopf. »Natürlich. Altmeyer besitzt nicht den Charme, um einen zu ködern. Aber er ist irgendwie – magnetisch könnte man's wohl nennen. Man weiß, daß er irgendwas tut, sich in irgendeine Richtung bewegt, und wenn er an einem vorbeikommt, scheint er nicht mal sein Tempo zu drosseln, doch er nimmt einen mit sich mit. Seither haben wir den größten Teil unserer Zeit damit verbracht, auf clevere Weise nach Afghanistan zu gelangen – ich meine, außer daß wir ineinander verliebt sind. Diese Geschichte sollte unsere letzte, wirklich allerletzte Geschäftsaktion werden. Statt dessen . . .«

»Statt dessen könnte es sein, daß es die allerletzte Aktion schlechthin wird. Vielleicht empfiehlt es sich, ein Testament zu machen – aber ob sich's noch lohnt?«

»Im Augenblick wissen wir gar nichts, und Altmeyer hat schon oft in der Klemme gesteckt.«

142

»Ich glaube, genau in der Richtung wollt ich Sie was fragen. Über ihn. Was denkt er?«

»Er hat schon so manches durchgestanden – eine ganze Menge, bevor ich ihn kennenlernte«, begann Rachel und zögerte. »Dadurch hat er gelernt, anders zu denken. Er vergeudet seine Zeit nicht damit, irgendwas auf diese oder jene Weise zu interpretieren, damit er's versteht. Er denkt vielmehr darüber nach, wie er's anpacken kann.«

»Mal angenommen, er findet, daß ihn *diese* Sache nichts weiter angeht – ich meine, daß die Kerle die Welt in die Luft sprengen –, weil ja einfach nicht das Geld dafür da ist, um sie davon abzuhalten?«

»Dann wird er einen anderen Grund finden. Allerdings wär's nicht nach seinem Geschmack, wenn irgendwer glauben würde, daß er sein Leben für irgendwelche Ideale oder so riskiert. Im Augenblick ist jemand drauf aus, seine Frau umzubringen, und das bringt ihn ziemlich in Wut.«

»Und wenn er da drüber weg ist?«

»Dann«, sagte Rachel munter, »können wir nach Hause zurückkehren und vergessen, daß es diese Leute jemals gegeben hat.«

Altmeyer fand Bucky und Rachel an ihrem Tisch im Straßencafé auf dem Grand' Place. Als er sich näherte, wollten sich beide erheben, aber Altmeyer sagte: »Wenn ihr einen Kellner seht, bestellt mir einen Espresso. Es dauert noch 'n paar Minuten.«

Rachel fragte: »Wie ist's gelaufen?«

Altmeyer setzte sich und öffnete das Kartenspiel aus dem Imperial Hotel. »Ziemlich gut. Er kann uns für 'n paar Tage in Rotterdam verstecken. Danach können wir praktisch jede gewünschte Richtung nehmen.« Altmeyer schüttete aus der Kartenhülle einen Haufen Papiere in seinen Handteller, suchte ein paar aus, tauschte sie gegen andere aus.

Nachdem der Kellner die Bestellung entgegengenommen hatte und wieder verschwunden war, zog Altmeyer ein zusammengefaltetes Stück Papier hervor und begann japanische Schriftzeichen darauf zu kopieren.

Rachel sah ihm einen Augenblick zu, sagte dann: »Sieht aus, als ob du Hilfe brauchst. Beim dritten Zeichen hast du einen der Querstriche weggelassen. Vielleicht bekommt's dadurch eine andere Bedeutung.«

»Du hast recht«, sagte Altmeyer, auf das Papier starrend. Er reichte es Rachel. »Kopiere von dieser Karte diese Zeile.« Er deutete mit dem Finger darauf. »Das müßte der Name irgendner Firma sein. Vier von den Kerlen hatten Papiere mit dieser Schriftzeichenkombination drauf. Und kopiere auch die Zeile drunter gleich mit. Das müßte 'ne Adresse oder so was sein.«

»Nein«, sagte Bucky. »Hier drüben steht was mit Zahlen oder Nummern. Das muß die Adresse sein.«

»Vielleicht. Wir werden's rausfinden. Sein Name ist es nicht. Das müßte diese Zeile in der Mitte sein. Die Namen lassen wir im Augenblick mal aus. Ich möcht nur wissen, was diese Kerle miteinander hatten.«

Rachel blickte von ihrer Arbeit auf. »Du meinst, Paul hat dir einen Dolmetscher besorgt?«

Altmeyer schüttelte den Kopf. »Wir brauchen keinen. Ungefähr 'n Kilometer weiter ist die Zentrale der Europäischen Gemeinschaft. In Brüssel wimmelt's nur so von Diplomaten und Handelsdelegationen und ausländischen Geschäftsleuten. Es sollte nicht sehr schwer sein, jemanden zu finden, der fünf oder sechs Zeilen japanisch lesen kann.«

»Okay«, sagte Rachel. »Ich bin fertig.« Sie schob das Papier und die Karte über den Tisch hinweg auf ihn zu.

Altmeyer verglich Papier und Karte miteinander. »Gut. Uns bleiben weniger als zwei Stunden, um das zu erledigen. Gebt mir mal rüber, was ihr an japanischen Yen noch übrig habt.«

Altmeyer betrat die Banque Commercial Shikoku und ließ seine Augen über die Gesichter der Angestellten an den Schalterfenstern gleiten. Alle waren Belgier. Über den polierten Marmor hinweg schritt er in Richtung auf die abgeteilten Nischen, wo die Manager und ähnliche Leute saßen. Dort blieb er stehen, legte seine japanischen Geldscheine auf den Tisch vor einem der dortigen

Schalter und zählte sie umständlich und langsam durch. Endlich erschien ein japanisches Gesicht am Schalter. Es gehörte einem jungen Mann, offenbar ein Neuling in der Branche. Er war ein wenig sorgfältiger gekleidet als die älteren Männer, trug einen frischen weißen Kragen und einen dunkelblauen Anzug, der aussah, als habe er ihn sich in einem Laden anfertigen lassen, den er sich eigentlich gar nicht leisten konnte.

Altmeyer stellte sich in Positur und sagte: »*Je voudrais changer ces yen Japonnais, s'il vous plaît.*«

»*Certainement*«, sagte der junge Mann. Auf einem Computerterminal prüfte er den Wechselkurs. Altmeyer beglückwünschte sich. Der Mann sprach mit so dickem Akzent, daß er Altmeyer möglicherweise für einen Belgier hielt.

Der junge Mann zählte die Geldscheine, häufte dann die abgezählten belgischen Francs daneben, lächelte und nickte dann beiläufig, um anzudeuten, daß die Transaktion nun abgeschlossen war.

Altmeyer nahm das belgische Geld, begann es in seine Brieftasche zu stecken, wandte sich dann scheinbar zum Gehen, hielt jedoch in der Bewegung inne und blickte zurück. »*Monsieur*«, sagte er. »*Il y a une autre chose. Peut-être, parceque vous êtes un Japonnais...*« er krauste wie entschuldigend die Stirn.

Hilfsbereit beugte sich der junge Mann vor. »*Oui?*«

»*Si vous pouvez lire ce papier pour moi...*« Er zog den Zettel heraus, den Rachel im Café kopiert hatte, und beobachtete den jungen Mann, als dieser das Papier betrachtete.

Das Lächeln des jungen Mannes schien sich zu vertiefen. »*Ce ne'est qu'un fournisseur d'équipement électronique.*«

»*Et le nom?*«

»*C'est ›Ashita.‹ C'est à dire ›demain‹.*«

»*Merci*«, sagte Altmeyer und gab den Schalter frei für eine junge Dame, die hinter ihm gewartet hatte. Während er die Bank verließ, überlegte er. Der junge Mann hatte gesagt: *fournisseur*, also Händler und nicht Hersteller. War das präzise übersetzt, oder handelte es sich nur um eine Sprachungenauigkeit aufgrund mangelnder Kenntnisse?

Altmeyer warf einen Blick auf seine Armbanduhr. Fünf Minuten hatte das Ganze gedauert. Als er weiterging, sah er, daß Bucky und Rachel ihm, ein Stück weiter straßabwärts, entgegenkamen. Selbst aus einiger Entfernung waren sie leicht auszumachen. Buckys plumper Körper schwankte von rechts nach links, die kurzen Beine arbeiteten wie Pumpenschwengel, und die Fußspitzen waren ein wenig nach außen gerichtet. Rachel, etliche Zentimeter größer, schien sich mühelos voranzubewegen, mit gestrafftem Körper und ruhigen, gleichmäßigen Schritten. Als bewegten sich beide in unterschiedlichem Tempo, so sah es wirklich aus. Altmeyer hob die Hand, und sie blieben stehen, um auf ihn zu warten.

»Habt ihr uns das Geld für Mazarin beschafft, amerikanische Dollars?« fragte Altmeyer.

»Natürlich«, erwiderte Rachel. »Schließlich nennt man Bucky hier nicht umsonst Buckmeister Carmichael. Wie ist's bei dir gelaufen?«

Altmeyer setzte sich in Bewegung. »Wir sind in unserm Zeitplan 'n ganzes Stück voraus. Wenn wir nicht trödeln, könnten wir noch die Kirche besichtigen.«

Bucky fragte Rachel: »Tut er nur geheimnisvoll, oder gibt's schlechte Neuigkeiten?«

Altmeyer antwortete: »Ich weiß nicht viel, aber was ich weiß, klingt schrecklich. Diese Typen, die Schnorrer, haben für 'ne japanische Elektronikfirma namens ›Ashita‹ gearbeitet. Zumindest hatten sie Papiere bei sich, auf denen das stand.«

Sekundenlang schwiegen alle. Als sie um die Ecke bogen, sagte Bucky ruhig: »Paßt irgendwie zusammen, nicht? Welche Regierung auf der ganzen Welt wünscht sich vermutlich am wenigsten eine Atombombe? Japan. Mithin bleibt das Feld völlig offen für privates Unternehmertum, bei womöglich beträchtlicher Konkurrenz. Die Technologie ist ungefähr vierzig Jahre alt. Eine Firma, die elektronisches Zeug herstellt, dürfte da kaum Probleme haben. Ich möchte nur wissen, was sie mit so einem Ding wollen.«

Altmeyer zuckte die Achseln. »Was wollen denn andere mit solchen Dingern? Den Leuten, verdammt noch mal, Angst einjagen.«

»Altmeyer«, sagte Rachel. »Ich glaube, es wird Zeit, daß du einen Plan machst.«

»Einen Plan, was für einen Plan?«

Bucky antwortete. »Wir vergeuden hier bloß unsere Zeit. Wir haben allen Grund zu der Annahme, daß eine große Elektronikfirma in der Lage ist, eine Bombe herzustellen. Da wir das nicht zulassen können, brauchen wir einen Plan.«

Altmeyer ließ eine Art Schnauben hören. »Wovon, zum Teufel, reden Sie? Bucky, das ist nicht Ihr Feld.«

»Nein, aber es ist Ihr Feld, und ich werde tun, was ich zu tun habe, wenn Sie mir sagen können, was das ist. Mal angenommen, wir versuchen, an den Oberboß heranzukommen – Mister Ashita persönlich?«

»Ashita ist kein Personenname. Es heißt ›morgen‹ auf japanisch.«

Sie gingen weiter, Altmeyer einen halben Schritt voraus, mitunter ausweichend, um anderen Leuten Platz zu machen. Dann verließ Altmeyer das Trottoir und deutete mit der Hand auf einen Steinbau. »Dort ist es, Notre Dame du Sablon. Seht euch's wenigstens an, wenn ihr schon mal hier seid.« Er schlängelte sich durch die Reihen älterer Männer und Frauen, die vor der Kirche durcheinanderwimmelten und Deutsch miteinander sprachen. Dann setzte er sich auf die Kirchenstufen.

Rachel folgte und stand zwei Stufen unter ihm, während Bucky ein Stück zurücktrat und die Fassade betrachtete.

»Setz dich doch«, sagte Altmeyer.

Rachel schüttelte den Kopf. »Wir haben etwas Schreckliches getan, Altmeyer.«

»Wär nicht das erste Mal.« Er sah an ihr vorbei, zu der letzten deutschen Touristin, eine beleibte Lady mit Sandalen, die bei jedem Schritt gegen ihre Fußsohlen klatschten.

»Aber diesmal . . .«, fing sie an und beugte sich ein bißchen zu ihm. Plötzlich bemerkte sie, daß jemand neben ihr stand, ein großer, dünner Mann mit einem Schnurrbart und kahlem Schädel. Er nickte ihr zu, und es war, als tippe er höflich gegen den Rand seines nicht vorhandenen Huts.

147

»Pünktlich«, sagte Altmeyer. »Rachel, diesen Herrn habe ich bereits zuvor erwähnt, Paul Mazarin.«

Mazarin wandte sich abermals Rachel zu und wiederholte sein Nicken, ohne daß sich sein Gesichtsausdruck änderte. Dann sagte er: »Wir können durch die Kirche gehn. Der Wagen wartet eine Straße weiter.«

Altmeyer stand auf und winkte Bucky, der sich ihnen sofort näherte. Mazarin betrachtete Bucky einen Augenblick und sagte dann: »Sie haben recht. Er ist das Manneken-Pis.«

Sie betraten das große, dunkle Schiff der alten Kirche, und Rachel fühlte sich zurückversetzt in die Zeit, als sie in die sechste Klasse ging und die Lehrerin die Schüler ins Untergeschoß geführt hatte, um den Heizungskeller zu besichtigen. Sie gelangten in den Hauptraum, und der Eindruck wandelte sich. Ja, hier war mehr Platz, war auch Licht, und die Deckengewölbe wirkten unheimlich hoch. Dann befanden sie sich in einer Art Alkoven, und Rachel sah eine Reihe von in die Mauern eingelassenen Tafeln, die zu entziffern sie jedoch keine Zeit hatte. Wenige Schritte später waren sie wieder draußen im Sonnenschein.

Im selben Augenblick, da sie das Trottoir erreichten, fuhr ein brauner Peugeot vor. Alles ging so reibungslos, daß man an einen reinen Zufall glauben mochte. Der Mann am Steuer schien noch nicht einmal in die Richtung der kleinen Menschengruppe zu blikken, und schon öffnete Paul Mazarin den Wagenschlag für Rachel, und Sekunden später war das Auto bereits in Bewegung.

Mazarin, vorn neben dem Fahrer, drehte sich zu den anderen um. »Ich habe beschlossen, Sie nicht in mein Appartement im Zentrum zu bringen. Für uns alle ist es zu klein, und ein oder zwei Tage auf dem Land können sehr wohl ihren Reiz haben. Tut mir leid, daß Van Leuven, neben mir, nur flämisch spricht, doch er wird sich um Sie kümmern.«

Altmeyer schwieg.

Mazarin fuhr fort. »Das heißt, falls es nichts gibt, was Sie während Ihres hiesigen Aufenthalts bezüglich dieses japanischen Geschäfts zu unternehmen gedenken.«

»Wie kommen Sie auf diese Idee?« fragte Rachel.

»Die Kennmarken an Ihrem Gepäck«, sagte Mazarin. »Sieht Ihnen eigentlich gar nicht ähnlich, so etwas zu vergessen, wenn Sie Ihr Gepäck überprüfen, Altmeyer. Ich habe das Zeug für Sie entfernt.« Er wandte sich wieder nach vorn und blickte durch die Windschutzscheibe.

Rachel flüsterte Altmeyer ins Ohr. »Auf den Kennmarken waren keine Namen von Flughäfen drauf, nur Nummern.«

Altmeyer flüsterte, noch leiser: »Die haben was in den Koffern gefunden.«

»Die haben unsere Sachen durchsucht? Wozu?«

»Gehört zur Routine. Er weiß, daß ich dasselbe getan hätte.«

Sie gelangten in die Brabanter Landschaft, zuerst durch grünes Weideland und gleich darauf in einen tiefen Wald mit hohen, uralten Bäumen. Im Wald kamen sie an etlichen kleineren Wirtshäusern vorbei und dann an einem Gebäude, das aussah wie ein französisches Chateau. Mazarin drehte sich herum und sagte zu Rachel. »Dies ist der Bois de la Cambre.«

»Er ist schön«, erwiderte sie. »Werden wir hier wohnen?«

Mazarin lachte. »Keine sehr gute Idee. Einige der besten Restaurants des Landes liegen an dieser Straße, auch die feinsten Hotels. Wäre genau die Art von Lokalität, um nach Altmeyer zu suchen.«

Rachel lächelte, doch ihre Gesichtsmuskeln wirkten eigentümlich steif und angespannt.

Es war Nacht, als Van Leuven von der Hauptstraße abbog und eine Art Feldweg einschlug, der zu einem alten Bauernhaus aus Feldsteinen führte. Im Kegel der Scheinwerfer konnte Rachel erkennen, daß das letzte Fahrzeug, das den verschlammten Weg entlanggerollt war, ein schwerer Laster gewesen sein mußte mit vier Rädern an der Hinterachse.

»Ist es das?« fragte Altmeyer.

Mazarin streckte die Arme und gähnte, als das Auto hielt. »Das ist's. Ich werde Ihnen helfen, sich zurechtzufinden, bevor ich wieder in die Stadt fahre.«

Sie stiegen aus dem Auto. Van Leuven ließ die Scheinwerfer brennen, damit der gepflasterte Weg zu den Stufen des Bauernhauses beleuchtet war. Als Rachel sich umdrehte, um zu sehen, ob der Mann mit den Koffern klarkam, bemerkte sie unter dem Stoff seines Jacketts deutlich die Umrisse einer Pistole.

Die Fußböden des Bauernhauses schienen ein Leben lang geschrubbt worden zu sein, so richtig auf Händen und Knien mit einer Wurzelbürste oder dergleichen. Nein, dachte Rachel, ein Leben, das hatte dafür wohl kaum ausgereicht, ganze Generationen von Frauen mußten sich darin abgelöst haben. Rachel versuchte, etwas zu spüren, zu wittern von den Frauen, die hier gelebt haben mußten, doch kein besonderes Gefühl stellte sich ein. Alles wirkte, jetzt jedenfalls, männlich und leer, ähnlich wie in einer Kaserne. Die Fußschritte hallten von den weißgetünchten Wänden wider, und aus den Winkeln der Räume klang ein geradezu blasenartiges Echo.

Van Leuven trug die Koffer durch einen großen Gemeinschaftsraum mit einer Art Herd und einer gut drei Meter langen Tischplatte auf Holzböcken und dann in eines der vier kleinen Schlafzimmer. Als Rachel das Schlafzimmer sah, fühlte sie sich besser. Dort stand ein Holzbett mit hohem Kopfbrett und Seitenbrettern, die ihm das Aussehen einer Wiege verliehen. Darübergebreitet lag eine dicke Daunendecke mit einer gestickten Rose in der Mitte.

Rachel folgte ihm wieder in den großen Raum, und sie sah, daß Altmeyer und Mazarin jetzt an dem langen Tisch saßen. »Sehr gemütlich«, sagte sie. »Ich würde mich gern ein wenig frisch machen und dann zu Bett gehen. Wo, bitte, gibt's hier geeignete Räumlichkeiten?«

»Es gibt zwei Badezimmer«, sagte Mazarin. »Das dort ist das bessere, ich hab's nämlich selbst eingerichtet.« Er deutete auf eine Tür neben dem Schlafzimmer. Rachel lächelte höflich und verschwand.

Altmeyer zog ein Bündel Geldscheine hervor und warf es auf den Tisch zwischen sich und Mazarin.

Die lange, dünne Hand bewegte sich langsam vorwärts und nahm das Geld, hielt es und schien es kurz zu schütteln, wie um dem Gewicht nach seinen Wert zu bemessen. Dann steckte Mazarin das

Geld ein. »Haben Sie sich inzwischen überlegt, was Sie mir sagen wollen?«

»Nicht mehr als ich Ihnen bereits gesagt habe«, erklärte Altmeyer. Er hielt inne, um sich eine Zigarette anzuzünden, blickte dann wieder zu Mazarin. »Ich möchte für 'n paar Tage unsichtbar bleiben. Das Haus hier genügt mir völlig.«

»Für so etwas würden Sie mich doch wohl kaum brauchen. Sie haben dergleichen ohne Hilfe früher getan. Was hat Ihr japanisches Geschäft mit mir zu tun?«

Altmeyer blies eine Rauchwolke in die Luft und beobachtete, wie sie in Richtung Herd oder Kamin davonschwebte. »Ich bin mir nicht sicher, wie sehr diese Leute darauf erpicht sind, mich aufzuspüren. Sie verfügen über alle nur denkbaren Möglichkeiten, und vielleicht glauben sie, es sei der Mühe wert.«

»Ich habe Sie seit Jahren nicht gesehen.«

Altmeyer musterte ihn. »Ich hatte die Verbindung mit dem Markt in diesem Teil der Welt verloren, hab 'ne Menge meiner Kontakte vernachlässigt.«

Mazarin drehte seinen Kopf ein Stück zur Seite, als sei er etwas schwerhörig. »Sie wollen Geschäfte machen?«

Altmeyer schüttelte den Kopf. »Ihre Bereiche sind Afrika und der Nahe Osten. Es könnte sein, daß Sie irgendwas gehört haben. Ich bin zu Ihnen gekommen der – der Gerüchte wegen.«

»Über Sie? Nicht so weit.«

Altmeyer sagte: »Das ist gut. Halten Sie weiter die Ohren offen. Aber ich meinte eigentlich den Markt. Ich bin besonders an neuen Figuren interessiert, vielleicht jemand, der mit erstklassigen Handwaffen handelt, sagen wir mal mit Browning-9mm-Automatics. Und womöglich noch größeren Sachen.«

»Es gibt immer neue Leute, das wissen Sie. Die bringen's auf ein, zwei Lieferungen, und dann verlieren sie womöglich die Nerven, vielleicht werden sie auch umgelegt. Vielleicht«, fügte Mazarin mit einem Lächeln hinzu, »verkaufen sie etwas an die falschen Leute, und dann müssen sie von der Bildfläche verschwinden. Was kleine Waffen von gutem Fabrikat angeht, so herrscht da ja immer ein reger Handel, doch gibt's nach wie vor nur wenige Leute, die so was in nennenswertem Umfang tun können. Wer die sind, wissen Sie genauso gut wie ich. Da hat sich nichts geändert.«

Altmeyer seufzte. »Nichts hat sich geändert. Sie haben von keinem gehört, der irgendwas Exotisches anzubieten hatte?«

»Dann und wann wird mal was verfügbar. So vor einem Jahr gab's in Paris einen Algerier, der Nervengas hatte – wieviel weiß ich nicht. Dieses Jahr sind's Landminen und Raketenabschußvorrichtungen, alles russisch, doch keiner weiß, wo sie hergekommen sind. Wenn ich einen Tip wagen sollte, so würde ich sagen, sie kamen über die Adria von Jugoslawien nach Italien. Andere meinen, sie stammten aus dem Libanon.«

Altmeyer lachte. »Keine amerikanischen Panzer in diesem Jahr? Keine Atomwaffen?«

Mazarin warf ihm einen listigen Blick zu. »Für eine bescheidene Vermittlungsprovision kann ich Ihnen einen deutschen Leopard-Panzer besorgen.« Dann fügte er hinzu: »Den Transport müßten Sie allerdings selbst übernehmen. Doch Atomwaffen – Fehlanzeige. Sollten Sie je so was beschaffen können, natürlich, einen Käufer könnte ich schon finden. Die Libyer haben monatelang ganz unglaubliche Summen geboten und schließlich aufgegeben. Davon gibt's einfach keine und wird's wohl auch niemals geben. Eine Gruppe steinreicher Südafrikaner zieht seit fünf Jahren diskret Erkundigungen ein. Potentielle Abnehmer gibt es jede Menge, bloß könnten die auch genauso gut versuchen, ein Stück vom Mond zu kriegen.«

»Könnte es sein, daß irgendeine dieser interessierten Parteien ihre Bemühungen eingestellt hat, weil sie das Gewünschte hat kriegen können?«

Mazarin gluckste leise. »Ich habe keine Explosion gehört – Sie vielleicht?«

»Noch nicht«, sagte Altmeyer. »Eines Tages wird der Preis hoch genug sein. An der Regel ändert sich doch nie was.«

Mazarin warf einen Blick auf seine Armbanduhr, krauste die Stirn. »Tut mir leid, Altmeyer, aber es wird für mich Zeit, in die Stadt zurückzufahren. In zwei Tagen bin ich wieder da, um Sie nach Rotterdam mitzunehmen. Ruhen Sie sich inzwischen aus und amüsieren Sie sich. Gehen Sie morgen hinaus ins Grüne und beobachten Sie, wie Van Leuven mit den Kühen spricht.«

»Noch was«, sagte Altmeyer, »heut nachmittag haben Sie mir doch angeboten, mir 'n paar Pistolen zu verkaufen. Haben Sie welche mitgebracht?«

Mazarin ging bereits in Richtung Tür. »Oh, hier brauchen wir keine Schießeisen.« Er blieb stehen und blickte zu Altmeyer, auf seinem Gesicht zeigte sich unterdrückte Belustigung. »Immer und überall auf der Hut, Altmeyer. Sie werden Ihren Feinden so lange entwischen, bis Sie sich eines Tages so sehr langweilen, daß Sie sich selbst erschießen.«

Rachel erwachte vom Dröhnen eines Flugzeugs hochoben in der Luft. Nach und nach verklang das Geräusch, und dann hörte sie von fern das leise Muhen der Kühe. Sie setzte sich in dem tiefen, weichen Bett auf und deckte Altmeyer sorgsam zu, bevor sie aufstand und zum Fenster trat, um den Vorhang an einem Zipfel beiseite zu ziehen und hinauszuspähen auf die Weide.

Doch als sie den Vorhang ein Stück bewegte, sah sie dahinter nichts als die weißgetünchte Wand. Sie hob ihn höher und erkannte, daß das Fenster aus einer einzigen schmalen Scheibe bestand, zwei, drei Handbreit über ihrem Kopf. Sie hörte das Muhen einer anderen Kuh und begann sich anzuziehen. Rasch schlüpfte sie in ein blaues Sweat-Shirt und Blue jeans und glitt dann, ihre bequemen Schuhe an den Füßen, in den großen, zentralen Raum. Als sie die Tür schloß, hörte sie, wie Bucky sagte: »Guten Morgen.«

»Hallo, Bauer Bucky«, sagte sie, »wie haben wir's denn?« Er saß allein am langen Tisch mit einem Teller Rührei. Sie trat zum Tisch, rückte einen Stuhl zurecht. »Sie sind aber ziemlich früh auf den Beinen für einen *Tycoon*.«

»Ich ziehe es vor, mich eher als *Macher* zu fühlen«, sagte er. »Ein Katalysator und ein Bewirker, nicht bloß so 'n krasser An-sich-Raffer, und das heißt, früher aus den Federn sein als die Konkurrenz.«

»Sie meinen, Sie konnten nicht schlafen.«

»Zuerst waren's die Vögel. Das war vor Sonnenaufgang. Später waren's die Kühe. Das einzige Fenster in meinem Zimmer ist so klein, daß kaum ein Fußball durchpaßt, und es ist in etwa zwei Metern Höhe, so daß ich nichts sehen konnte, doch habe ich das Gefühl, daß so ziemlich alle Kühe Europas genau dort vorbeiparadiert sind.«

Rachel sah sich im Raum um. »Schwer zu sagen, wie alt dieses Gebäude ist, aber als man's baute, wollte man sicher möglichst wenig Wärme hinauslassen. Ich habe die Kühe auch gehört und versucht, nach draußen zu blicken.« Sie schaute auf Buckys Teller. »Hat Ihnen Van Leuven das Frühstück gemacht?«

»Nicht direkt. Er ist ein Deuter. Als ich aufstand, deutete er auf die Eier und deutete auf die Bratpfanne. Ich teile diese mit Ihnen, und wenn Altmeyer aufsteht, können wir ja noch 'n paar machen.«

»Einverstanden«, sagte Rachel und tat einen Teil von Buckys Rührei auf einen leeren Teller. »Wo ist er jetzt?«

»Draußen bei den Kühen.« Bucky warf einen Blick auf seine Uhr. »Er ist draußen auf der Weide und melkt seit etwa vier Stunden.«

»Unmöglich«, sagte Rachel und fing an zu essen.

»Wie meinen Sie das? Der Bursche ist ein Meister der Pantomime. Wenn's in Hollywood 'nen Markt fürs Melken unsichtbarer Kühe gäbe, könnte ich ihn zum reichen Mann machen.«

Rachel griente. »Augenscheinlich gehören Kühe derzeit nicht zu Ihren Klienten. Man melkt sie nämlich nicht auf der Weide. Das macht man im Stall. Falls er sie an Ihrem Fenster vorbeigetrieben hat, versuchte er Ihnen zu sagen, wo er gewesen war, nicht wo er hinwollte.«

»Was tut man im Stall?« Altmeyer stand in der Schlafzimmertür, bereits fertig angezogen.

»Man melkt Kühe«, sagte Rachel. »Ich wollte wissen, wo Van Leuven war.«

»Oh. Gibt's noch 'n paar Eier?«

Bucky stand auf und bewegte sich in Richtung Küche. »Mehr Eier sind schon unterwegs. Ist okay. Ich bin's gewohnt, die ganze Arbeit zu erledigen und zehn Prozent vom Gewinn abzukriegen.«

154

Einige Minuten später kehrte Bucky zurück, zwei Teller in den Händen. Rachel hielt ihren Blick auf Altmeyer gerichtet. Das Kinn stützte sie dabei auf die Hände.

Altmeyer schaute auf seinen Teller, als wäre er sich nicht bewußt, daß ihn die beiden anderen jetzt beobachteten. Dann sagte er schroff: »Hör auf. Ich weiß nach wie vor nicht, was wir tun könnten, außer unsichtbar zu bleiben, bis die das Interesse an uns verlieren.«

Rachel stand auf. »Ich werde ein wenig herumspazieren. Irgendwie habe ich das Gefühl, immer nur in Hotels gewohnt zu haben, und dieses Haus hier ist für mich noch wie ein Gefängnis.«

»Darf ich mit?« fragte Bucky.

»Kommen Sie nur, Old Buckaroo. Ich werde Ihnen was über Kühe erzählen.«

Sie gingen alle durch die Küche und stellten die Teller im Spülstein ab. Altmeyer betrachtete die Tür. »Ist wirklich sonderbar gebaut, wie? 'ne Tür und nichts als diese winzigen Fenster.«

»Das ist ein uraltes Haus«, sagte Rachel. »Vielleicht ist es im Winter sehr kalt.«

Sie gingen nach draußen, und Altmeyer blieb wieder stehen. »Das mit den Kühen vorhin, wie hast du das gemeint?«

»Nichts weiter. Bucky hat gehört, wie Van Leuven heute früh Kühe auf die Wiese trieb, das ist alles.«

Sie kamen am kleinen, ungestrichenen Stall vorbei, der ein wenig schief auf seinem Steinfundament stand und sich einer Gruppe alter Bäume entgegenlehnte, die in einiger Entfernung den Feldweg säumten. Ein ziemlich breiter, schlammiger Weg führte vom Stall zu einem grünen Feld, wo fünf schwarzweißgefleckte Ochsen hinter einer unregelmäßigen steinernen Umfriedung standen und die Fremden aus friedlichen braunen Augen beäugten.

Bucky sah verwirrt aus. Er blickte zu den Tieren, drehte sich dann um, beschattete seine Augen gegen die Sonne und ließ sie über die angrenzenden Felder gleiten.

Rachel lächelte. »Haben Sie was verloren, Old Buckskin? Vielleicht ein Dutzend Rindviecher?«

Bucky sagte: »Halt mal. Das ist kein Spaß. Was ist mit den übrigen

155

passiert? Eine halbe Stunde hat's gedauert, bis die an meinem Fenster vorbeiparadiert waren. Ich hab sie doch gehört.«

Rachel schüttelte den Kopf. »Hier sind sie, und das Haus steht dort drüben. Wieso sollte er die Tiere an Ihrem Fenster vorübertreiben? Was Sie da gehört haben – also, das hat sicher der Wind von der Wiese herübergetragen.«

Bucky zuckte die Schultern und ging zum Haus. Rachel und Altmeyer folgten ihm. Nach ein paar Schritten runzelte Rachel die Stirn. »Ist dir's aufgefallen? Es sind keine Kühe da.«

»Was soll's«, sagte Altmeyer. »Sind ja auch keine Bullen da.«

»Sicher«, meinte Rachel. »Aber die könnten sich einen ausleihen. Jedenfalls wird's anderswo so gemacht. Da hält sich einer einen Bullen, und den leiht er dann reihum an die Kleinbauern aus.«

»Was stört dich also?«

»Daß es hier überhaupt keine Kühe gibt. Nicht einmal eine Färse.« Sie schwieg, sagte dann: »Begreifst du denn nicht? Bucky hat gesagt, Van Leuven sei heute in aller Frühe raus, um die Kühe zu melken. Aber das sind alles Ochsen.«

»Du vergißt, daß Mazarin kein Bauer ist. Die dienen alle nur zur Tarnung.«

»Aber Van Leuven hat Bucky heute morgen durch Zeichen zu verstehen gegeben, er habe Kühe gemolken. Und wo ist er überhaupt? Das war vor vier Stunden. Außerdem hat Bucky mehr gehört als bloß diese fünf Ochsen. Was wird hier also gespielt?«

Altmeyer trat zu Bucky, der jetzt unter einem der kleinen, hohen Fenster beim Haus kniete und den Boden betrachtete. Als er Altmeyer hörte, hob er den Kopf. »Die Geräusche der Kühe müssen durch die Steinmauern oder was verstärkt worden sein. Ich sehe hier nirgends Hufspuren.«

»Woher auch«, sagte Altmeyer. »Stehen Sie auf. Falls er uns beobachtet, stoßen wir ihn bloß mit der Nase drauf, daß wir Verdacht geschöpft haben.«

Bucky stand auf, und zu dritt gingen sie um das Haus herum in Richtung des benachbarten Feldes. »Verdacht, richtig«, sagte Bucky. »Aber was für einen Verdacht eigentlich? Ich meine, wie sieht das Problem aus? Was meinen Sie?«

156

»Dort ist es«, sagte Altmeyer. Mit dem Kopf wies er auf ein kubisches Gebilde in einer Entfernung von knapp fünfzig Metern. Sein Rauminhalt mochte dem eines kleinen Zimmers entsprechen, und sein Fundament war offenbar halb von Erde bedeckt. Auf der einen Seite sah man eine Art kleinen Trog aus Beton, eine muldenartige Vertiefung, und ein Rinnsal aus klarem Wasser lief in einen mit Steinen gesäumten Graben, der zur Weide führte. Altmeyer ging weiter.

»Was ist das, ein Tank für keimfreies Wasser?« fragte Bucky.

»Das ist ein Quellenhaus«, sagte Rachel. »Jedenfalls hat man's bei uns früher so genannt. Stammt noch aus alter Zeit. Man baute über einer Quelle ein kleines Haus und konnte so die Milch kühl halten.«

Bucky betrachtete es erneut. »Wenn's aus alter Zeit stammt, warum sieht's dann nicht alt aus? Alles andere ist aus Stein, selbst das Fundament des Stalls.«

»Weil's nicht aus alter Zeit stammt«, sagte Altmeyer. »Mag ja sein, daß es mal 'n Quellenhaus war, aber jetzt ist es was anderes. Man braucht sich's ja nur anzusehn. Beton und Hohlziegel und rundherum fast so was wie 'n Erdwall, alles in sehr praktischer Entfernung vom übrigen hier. Das ist Mazarins Magazin.«

»Sein was?«

»Der Platz, wo er sein Schießzeug und seine Munition lagert. Ich fürchte, wir sitzen wieder im Schlamassel. Hat einer von euch irgendwo 'n Auto gesehen? Mazarin hat den Peugeot genommen.«

»Nein«, sagte Rachel. »Auf dem Fahrweg sind breite, tiefe Spuren, die von einem Laster stammen müssen, aber er kann hier nirgendwo versteckt sein.«

Bucky sagte: »Warten Sie. Nehmen Sie sich eine Sekunde Zeit und setzen Sie mich ins Bild.«

Altmeyers Blick schien über die Felder zu schweifen, als er sprach.

»Gestern abend sagte mir Mazarin, er habe hier keinerlei Schußwaffen. Heute morgen tat Van Leuven Ihnen gegenüber dann so, als hätte er Kühe gemolken, bloß gibt's hier gar keine. Die Geräusche, die Sie hörten, stammten von jemand, der Waffen befördert hat – entweder in das Quellenhaus oder aus dem Quellenhaus heraus.«

Bucky schloß die Augen und blieb stehen. »Das war was Schweres, Geräusche wie von Hufen. Ein paarmal hörte ich auch Muhen, also dachte ich, das wären Kühe. Aber die Geräusche bewegten sich alle in diese Richtung.« Er deutete zum Quellenhaus. »Vielleicht machten die auf dem Weg dorthin Geräusche, und auf dem Rückweg hatten sie dann nichts mehr zu tragen.«

»Das hoffe ich«, sagte Altmeyer. »Die müssen den Laster 'n Stück vom Haus entfernt geparkt haben, sonst hätten wir ihn gehört. Wie gesagt – hoffentlich findet sich an Waffen und Munition was im Quellenhaus, wir können's verdammt gut gebrauchen.«

»Was ist mit Van Leuven?« fragte Rachel. »Gestern abend, ich hab's deutlich gesehen, hatte er eine Pistole unter seiner Jacke.«

»Wir werden dafür sorgen müssen, daß er uns wenigstens 'ne halbe Stunde nicht stören kann. Doch zunächst mal soll er uns ruhig finden. Gehn wir zurück und spülen wir das Geschirr.«

Sie traten durch die Küchentür wieder ein. Altmeyer ließ das Spülbecken vollaufen und fing an, das Geschirr und das Silberzeug zu säubern, während Rachel in einem alten, verkalkten Topf auf dem Herd Kaffeewasser heiß machte und Bucky auf den Borden nach Tassen suchte.

Bevor Altmeyer fertig war, hörten sie von draußen Geräusche. Van Leuven scheuerte seine Sohlen über die Steinplatten und stieß dann die Hacken gegen eine Kante, um seine Stiefel vom Schlamm zu befreien. Dann schwang die Tür auf, und er betrat in Wollsocken die Küche. Als er die saubere Küche sah, lächelte er und sagte: »Jah«, dreimal.

Mit seiner plumpen, schwieligen Hand strich er sich eine sandfarbene Haarsträhne aus dem Gesicht, während er in den großen, offenen Raum weiterging, wo Bucky und Rachel Kaffee tranken. Rachel schenkte ihm eine Tasse ein, und er legte wie in einer Geste des Danks die Hände gegeneinander und verbeugte sich vor ihr.

»Sie haben recht«, sagte Rachel, als spräche sie zu Van Leuven. »Der Mann ist ein Meister des ungesprochenen Wortes.«

Altmeyer sprach aus der Küche. »Bring ihn dazu, dir 'ne lange

Geschichte zu erzählen, während ich mich für eine Weile empfehle.«

Van Leuven schlürfte seinen Kaffee und schien nicht zu hören, wie sich die Küchentür öffnete und wieder schloß. Rachel sagte zu ihm: »Haben Sie gegessen?« und bewegte eine imaginäre Gabel von einem imaginären Teller zu ihrem Mund, doch Van Leuven hob beide Hände und schüttelte den Kopf.

Bucky sagte zu ihr: »Er hat schon vor langem gegessen.« Zu Van Leuven sagte er: »Ich möchte mal wissen, ob Sie Gin-Rummy oder so was spielen.«

Rachel sagte: »Das ist einen Versuch wert. Ich werde die Karten aus dem Koffer holen.«

Sie ging zum Schlafzimmer, und Van Leuven sah ihr neugierig nach. Als sie mit einem der Kartenspiele aus dem Imperial Hotel zurückkam, räumte er die Mitte des Tischs von Kaffeetassen frei. Plötzlich erschien auf seinem Gesicht ein fragender Ausdruck, und er sagte zu Bucky: »Altmeyer?«

Rachel warf Bucky einen kurzen Blick zu. »Ich fürchte, wir haben ihn bloß erinnert. Es gibt ja nicht viele Spiele, die man zu dritt spielt.«

Van Leuven stand auf und ging in die Küche. »Altmeyer?« sagte er. Dann trat er zur Tür, öffnete sie. Er erschien wieder am Tisch, deutete auf seine bestrumpften Füße und schüttelte wie konsterniert den Kopf.

Rachel setzte ein Lächeln auf, das ihre Begriffsstutzigkeit ausdrücken sollte; doch sie sagte zu Bucky: »Altmeyer muß sich seine Stiefel genommen haben.«

Bucky hob zwei Finger ein Stückchen über seinen Kopf, imaginäre Hörner, und machte: »Muh.«

Van Leuven wirkte noch verwirrter, und Bucky sagte: »Belgische Kühe sagen offenbar nicht ›Muh‹.« In einer Art Pantomime melkte er wieder imaginäre Kühe, bildete mit den Fingern abermals imaginäre Hörner, und Van Leuven setzte sich, um ihm zuzusehen. Bucky sagte: »Altmeyer . . .« Jetzt ließ er seine Finger über den Tisch spazieren. ». . . macht einen Spaziergang über die Weide.«

Ein Ausdruck des Verstehens huschte über Van Leuvens Gesicht, und er nickte und sah dann zu, wie ihm Rachel Kaffee in seine Tasse nachgoß.

Bucky sagte: »Auch ich bin ein Meister der Pantomime. Nicht jeder sagt: ›Muh‹, doch jeder bewegt sich *per pedes*.« Er begann die Karten zu mischen.

Rachel sagte: »Was für ein Spiel, glauben Sie, spielt er?«

Bucky lächelte. »Überlassen Sie das nur mir.« Er blickte in Van Leuvens leere blaue Augen. »Ich halte ihn für einen Mann von Welt – wenn auch nicht unbedingt für einen Ausbund von Kultiviertheit –, das ist eine andere Sache. Und überall im bekannten Universum verstehen wir Männer von Welt – von welcher Welt auch immer – Black Jack zu spielen, schlicht auch Siebzehnundvier genannt.« Er legte einen König und ein As mit dem Bild nach oben auf den Tisch und blickte zu Van Leuven. Und langsam bogen sich Van Leuvens Mundwinkel nach oben.

Altmeyer faßte das Quellenhaus genau ins Auge. Die Tür, ein Rechteck aus dickem Holz, war so klein, daß ein Mann von normaler Körpergröße nur gebückt würde eintreten können. Sonderbarerweise schien es kein Schloß zu geben. Sorgfältig prüfte er vor jedem Schritt den Boden, ließ dann die Finger unter die Tür gleiten, um nach einem erhöhten Punkt zu suchen. Es würde Mazarin ähnlich sehen, hier eine altmodische Selbstschußpistole anzubringen unter Verwendung eines Stolperdrahts oder eines Luftschlauchs, so wie's Schwarzbrenner mit Vorliebe taten. Doch spürte er nichts, und so schob er die kleine Tür langsam auf und beugte sich vor, um einzutreten.

Drinnen befanden sich lange, schmale Holzkästen, an der Rückwand säuberlich übereinandergestapelt, und zu seiner Rechten sah er Reihen rechteckiger ›Kanister‹ aus Metall, Behältnisse für Munition, sämtlich in aller Hast mit schwarzer Farbe besprüht, wo sich die aufgepinselten Bezeichnungen befunden hatten. Er ließ sich einen Augenblick Zeit, um einen auszuwählen, das heißt einen Kasten *und* eine Metallbox, um beide hinter das Quellenhaus hinauszuschleppen.

Er öffnete den Kasten und nahm das erste der schweren schwarzen Gewehre heraus, zog das Magazin hervor, lud es mit Patronen aus der Munitionsbox und schob das Magazin wieder ins Gewehr. Er arbeitete schnell, bis er alle fünf Gewehre aus dem Kasten geholt hatte. Dann trug er die Munitionsbox ins Quellenhaus zurück, anschließend auch den Gewehrkasten. Etwa eine halbe Minute brauchte er, alles so zu arrangieren, daß sich das leere Behältnis ganz unten im Stapel befand, doch es war notwendig oder wenigstens ratsam.

Altmeyer schloß die Tür hinter sich, schlang die Trageriemen der fünf schweren Gewehre über seine Schultern und bewegte sich schwerfällig in Richtung Haus. Dicht bei der Hausecke legte er drei Gewehre, jeweils Lauf an Kolben, längsseits des Fundaments. Dann ging er weiter zur Weide.

Er kletterte über die niedrige steinerne Umfriedung und legte die beiden Gewehre dahinter ins Gras. Dann blickte er zum Haus und maß die offene Strecke. Es war zu weit. Drei Menschen, so schnell sie auch liefen, auch noch bei Dunkelheit, konnten höchstens die halbe Entfernung schaffen. Er lehnte sich mit dem Rücken gegen den Steinwall und sah, wie ein neugieriger Ochse, einen schwarzen Flecken quer überm Gesicht, auf ihn zutrottete. Wenige Fuß entfernt blieb er stehen und glotzte, methodisch kauend, den Mann an.

Altmeyer schloß die Augen. Er mußte die Dinger ins Haus schaffen. Konnte er durch die Küche hereinkommen, ohne daß Van Leuven ihn sah? Das war nahezu unmöglich. Altmeyer nahm die Gewehre und kletterte über den Steinwall zurück und rannte zum Haus, wo er dann unter dem kleinen, hohen Fenster des Schlafzimmers stand, das er mit Rachel teilte.

Altmeyer nahm seinen Gürtel ab und führte ihn durch die Abzugsbügel der Gewehre, dann durchs Gürtelschloß und hob die Last hoch. Er streckte die Arme in die Höhe, bis er eine Art Holzgitter am Fenster erreichte. Dort schlang er den Gürtel fest. Ein-, zweimal zog, ja zerrte er an der Last der Gewehre, doch der Gürtel hielt.

Jetzt ging Altmeyer zu den Stufen vor der Küche und setzte sich, um den Schlamm von Van Leuvens Stiefeln zu säubern. Während er sich den zweiten Stiefel auszog, hörte er, wie hinter ihm die Tür aufschwang, und als er sich umdrehte, sah er Van Leuven an der Türschwelle stehen, das breite Gesicht ein wenig gesenkt, die kleinen blauen Augen gegen das Sonnenlicht verkniffen. Als er sah, daß Altmeyer die Stiefel säuberte, lächelte er mit übertriebener Genugtuung und nickte mehrmals mit dem Kopf.

Altmeyer hielt abwehrend eine Hand hoch und sagte: »Das Vergnügen ist ganz auf meiner Seite, Sportsfreund. Vielen Dank auch für die Benutzung der Schuhe.«

Altmeyer trat in die Küche und beobachtete, wie Van Leuven sich auf die Stufen setzte, um in die Stiefel zu schlüpfen. Altmeyer sagte: »'n wahrer Prachttag zum Spazierengehen«, schloß langsam die Küchentür und rannte dann ins Schlafzimmer. Er rückte einen Stuhl ans Fenster und stellte sich drauf. Während er das Fenster öffnete, glitt Rachel neben ihn.

»Was ist los?«

»Wir haben nicht viel Zeit.« Er packte ihre Hand und führte sie empor, bis die Finger das Fensterbrett berührten. »Nimm das Ende des Gürtels und halt es stramm. Ich muß dieses komische Gitter aufkriegen.«

Rachel packte das Ende des Gürtels mit beiden Händen, und es gelang Altmeyer, einen Riegel zurückzuschieben und das Gitter nach außen zu öffnen. Dann nahm er den Gürtel aus Rachels Händen. Langsam und mit Bedacht zog er die Gewehre zum Fenster hoch und hievte sie ins Zimmer. »Halte sie«, sagte er zu Rachel, und Rachel hielt die Gewehre in den Armen, während er Gitter und Fenster wieder schloß und dann vom Stuhl auf den Fußboden sprang.

Aus der Küche rief Bucky: »Er geht in Richtung Weide.«

Altmeyer nahm Rachel die Gewehre wieder ab. »Bucky, kommen Sie her, schnell.«

Bucky erschien in der Türöffnung. »Wie haben Sie denn die an ihm vorbeigekriegt?«

»Durchs Fenster. Ich rechnete mit den üblichen belgischen FALs, aber Mazarin scheint sein Sortiment erweitert zu haben. Das hier

162

sind G-3-Gewehre von Heckler und Koch. Er muß 'ne Möglichkeit gefunden haben, deutsche Bundeswehrkanäle anzuzapfen. Jedenfalls sind sie gut. Sie funktionieren wie ein M-16, sehen Sie?« Er drehte eins zur Seite und reichte es Bucky. »Hier mit dem rechten Daumen stellen Sie ein, was Sie brauchen. Zweimal klick, und dann gibt's Dauerfeuer. Und jetzt verstecken Sie das Ding in Ihrem Zimmer.«

Bucky verschwand, und Altmeyer schob das zweite Gewehr unter die Bettmatratze. Dann ging er zur Küche und blickte durchs Fenster. Als Bucky und Rachel zu ihm kamen, sagte er: »Im Gebüsch an diesem Ende des Hauses liegen noch drei weitere, für den Fall, daß wir noch 'n paar brauchen. Wie lange war ich fort?«

Rachel warf einen Blick auf ihre Uhr. »Etwas über fünfzehn Minuten. Van Leuven wirkte ein wenig nervös, vor allem als er entdeckte, daß du seine Galoschen genommen hattest.«

Altmeyer beugte sich vor, um den Belgier solange wie möglich im Auge zu behalten. »Ich konnte nicht zulassen, daß er mir folgte, und ich wollte keine unvertrauten Spuren hinterlassen. Übrigens, die Magazine enthalten je dreißig Schuß, nicht viel, wenn man auf Dauerfeuer gestellt hat und drauflosballert. Zügelt also eure Begeisterung. Die Mazarins wollen uns überrumpeln, bevor wir sie erwarten, und da sich so was nachts am leichtesten bewerkstelligen läßt, wird es mit Sicherheit heute nacht sein. Wir sollten tagsüber abwechselnd schlafen.«

Van Leuven ging jetzt in Richtung Quellenhaus. Altmeyer murmelte: »Ja, da wird's wärmer.« Van Leuven schien nichts Beunruhigendes zu entdecken und ging weiter zur Weide. »Kühler«, sagte Altmeyer. Van Leuven ging an der Steinumfriedung entlang, spähte hinunter zum Unkraut, bewegte sich dann in Richtung Stall. »Kalt . . . kälter . . . Du bist tot.«

Es war drei Uhr früh. Etwa zwei Stunden zuvor hatte Van Leuven seine Schlafzimmertür geräuschvoll für die Nacht geschlossen. Altmeyer schlüpfte aus dem Schlafzimmer, und Rachel schloß hinter ihm von innen zu. Nirgends war Licht, doch Altmeyer hatte ein instinktives Gefühl für die Ausmaße des großen Zimmers. Als er sich dem langen Tisch und den Stühlen drumherum näherte, gab ihm seine Vorstellungskraft einen sehr genauen Eindruck von dem Lärm, den er verursachen würde, wenn er über einen Stuhl stolperte. So machte er einen möglichst weiten Bogen drumherum, erreichte den Kamin, und setzte sich daneben auf den Boden.

Inzwischen kauerte Rachel im Schrank, wo sie kaum von einer Kugel getroffen werden konnte, selbst wenn die Kerle aufs leere Bett feuerten. Doch wo, zum Teufel, steckte Bucky? Den ganzen Tag über waren sie damit beschäftigt gewesen, sich im Haus aufs allergenaueste zu orientieren: jede Entfernung durch Schritte abzumessen, kaum daß Van Leuven mal den Rücken wandte, in die Küche oder ins Badezimmer ging. Jetzt war es drei Uhr, und Bukky müßte aus seinem Schlafzimmer raus sein, der Wand entlang zehn Schritte machen, um an Altmeyers linke Seite zu gelangen. Der Kerl konnte doch nicht eingeschlafen sein. Nein, einfach ausgeschlossen.

Altmeyer starrte in die Dunkelheit, zwanzig Grad rechts von der Zimmerecke, und er glaubte eine Art Umriß wahrzunehmen, ein winziger Unterschied in der Dichte der Dunkelheit, der unerkennbar gewesen war, als er direkt dorthin gestarrt hatte. Nein, Bucky schlief nicht. Er kauerte bereits in der Ecke.

Ab und zu verlagerte Altmeyer sein Gewicht, ohne seine Füße zu bewegen. Er hielt den Atem an und lauschte auf Geräusche aus Buckys Ecke, vernahm jedoch nichts. Nach einer halben Stunde gestattete er es sich, seine Stellung leicht zu verändern.

Zuerst achtete Altmeyer nicht auf jenes noch ferne, kaum wahrnehmbare Geräusch. Es kam von einem Motor, ohne Zweifel, wahrscheinlich war ein Auto auf der Landstraße. In dieser Abgeschiedenheit und Stille konnte das leicht so laut klingen, daß man meinte, ein auf der Straße fahrendes Auto biege ein und halte auf das Bauernhaus zu.

Nur wurde das Motorengeräusch tatsächlich immer lauter, und jetzt begann Altmeyer angespannt darauf zu lauschen, um die Richtung taxieren zu können. Er zählte die Sekunden. Als er bei zehn war, brach das Geräusch ab. Nicht etwa, daß es in der Ferne verklang. Nein, es riß einfach ab. Altmeyer stellte sich die Szene vor: Das Auto befand sich jetzt ungefähr auf der halben Strecke des Fahrwegs, gegen die Landstraße hin durch Bäume verborgen.

Er schluckte kurz und wartete. Aus Van Leuvens Zimmer kam ein leises Rascheln. Altmeyer konzentrierte sich darauf, ruhig und regelmäßig zu atmen und durchdachte das Ganze noch einmal. War irgendwas, das sich ereignet hatte, anders, als er's erwartet hatte? Nein, eigentlich nicht. Der einzige Grund, das Auto so weit vom Haus weg abzustellen, war ganz einfach der, Altmeyer, Rachel und Bucky nicht aufzuwecken. Es würden mindestens zwei Männer sein, keinesfalls jedoch mehr als vier, weil sonst Gefahr bestand, daß sie in einem verhältnismäßig kleinen Raum wie diesem aufeinander schossen. Sie würden vor den beiden Schlafzimmertüren Position beziehen, und dann würde Van Leuven das Licht anknipsen. So würde es ablaufen. Oder ablaufen sollen. Wären sich die Kerle nicht sicher, daß ihre drei Opfer in ihren Zimmern wie in Fallen steckten, unbewaffnet und vermutlich schlafend, so würden sie's vielleicht auf eine andere Weise versuchen. Vielleicht. Heute nacht galt mit Sicherheit dieser Plan: Licht an und dann . . .

Irgendwo bei Van Leuvens Schlafzimmer hörte Altmeyer das Ächzen der alten Dielenbretter, dann wieder Stille, sehr lange. Van Leuven stand jetzt dort und wartete ab, ob das Ächzen und Knacken vielleicht irgend jemanden aufgeweckt hatte. Nach einigen tiefen Atemzügen spürte Altmeyer instinktiv, daß er angefangen hatte, sich wieder zu bewegen. Von der anderen Seite klang das leise Rascheln von Stoff, dann nichts, bis Van Leuven durch die Tür in die Küche gelangt war. In der Türöffnung wurden die Umrisse seines Körpers für Sekundenbruchteile sichtbar, dann war er verschwunden.

Altmeyer stellte mit dem Daumen sein Gewehr auf Dauerfeuer, vergewisserte sich noch einmal. Er hörte, wie die Außentür der Küche aufging, und dann waren da Geräusche, die Bewegungen verrieten, fast wie Windeswehen, es hätte auch Atmen oder ein Rascheln sein können, vielleicht das Schleifen bestrumpfter Füße über den Holzfußboden. Einer nach dem anderen schlüpften die

Schatten durch die Türöffnung in das Hauptzimmer. Altmeyer zählte vier und bemerkte verdutzt, daß es noch einen fünften gab, bis ihm bewußt wurde, daß es kein anderer als Van Leuven sein konnte, der darauf wartete, das Licht anzuschalten.

Sie bewegten sich an der Wand entlang, verhielten dann vor den beiden Schlafzimmertüren. Altmeyer hörte, wie eine Stimme flüsterte: *»Allons«*, sehr ruhig und ohne jede Hast.

Das Geräusch des Lichtschalters klang in Altmeyers Ohren wie das Knacken eines Zweiges. Plötzlich war das Zimmer unglaublich hell und gelb. Ein Mann hatte bereits den Fuß gehoben, um die Tür zu Buckys Zimmer einzutreten, Altmeyer sah ihn durchs Ringvisier, und er gab einen kurzen, ohrenbetäubenden Feuerstoß ab, der den Mann gegen die Wand schleuderte und den rechten Fuß, bevor er zutreten konnte, im Halb- oder Viertelkreis herumwirbeln ließ.

Rasch riß Altmeyer das Gewehr herum und feuerte auf die nächsten beiden Männer. Sie fielen über- und aufeinander, noch während die Schüsse die erschlaffenden Körper schier wieder ins Leben zucken ließen. Jetzt erst wurde Altmeyer das laute Krachen bewußt, das aus Buckys Ecke kam.

Über den Lauf seines Gewehrs blickte er zu den Körpern auf dem Boden, während sich gleichzeitig Bucky aus seiner Ecke löste. Van Leuven lehnte mit dem Rücken an der Wand, die Beine weit von sich gestreckt, als wäre er ausgerutscht. Bucky stieß den Toten mit dem Fuß, so daß er jetzt auf der Seite lag. »Dumm von mir, ich weiß«, murmelte er. »Aber ich kann's nicht sehn, wenn er so ...«

»Schon okay«, sagte Altmeyer. »Dem ist das jetzt scheißegal.« Er trat rasch zur Außentür der Küche, kniete dort nieder, öffnete sie einen Spalt und spähte hinaus. »Ich kann keinen Laster sehen. Holen Sie lieber Rachel.«

Bucky klopfte kurz an Rachels Tür und sagte: »Alles okay. Kommen Sie heraus«, und im selben Augenblick schwang die Tür auch schon auf.

Rachel sah sich im Zimmer um. Ihr Gesicht wirkte angespannt, fast erstarrt. Dann nahm sie die beiden Koffer und schritt an Van Leuvens Leiche vorbei. »Holen Sie lieber Ihr Gepäck«, sagte sie. »Die Hoteldiener habt ihr ja alle umgelegt.«

166

Altmeyer kniete jetzt neben einem der Toten. Einen Schlüsselbund in der Hand stand er wieder auf und ging zur Küchentür
zurück.

Rachel trat in die Küche. »Was stimmt denn nicht?«

»Ich kann den Laster nicht sehen.«

Bucky stand bereits hinter Rachel. »Was für 'nen Laster meinen
Sie?« Er stellte seinen Koffer auf den Boden.

»Außer Van Leuven gab's noch vier Männer: Paul und Bernard
Mazarin und zwei, die ich bei früheren Reisen in Brüssel gesehen
habe. Die haben uns an Ashita verhökert, doch wie sollten sie
beweisen, daß sie uns auch wirklich hatten?« Er nahm einen der
Koffer von Rachel. »Ich geh als erster, dann Rachel. Lauft so
schnell ihr könnt um die Hausecke, dann sehn wir weiter.« Altmeyer schlüpfte hinaus in die Dunkelheit, und sie hörten die Geräusche seiner Füße, hart und schnell, etwa ein Dutzend Schritte
lang, dann Stille.

Rachel blickte durch den offenen Eingang, holte tief Luft und lief
los, den Koffer mit beiden Armen umspannend. Von der Stein-
stufe schien sie geradewegs zur Hausecke zu katapultieren. Dort
fing Altmeyer sie mit einem Arm auf, während er ihr mit der anderen Hand den Koffer abnahm, und dann blieben sie beide still
stehen, bis sie Buckys Schritte hörten.

Als Bucky um die Ecke kurvte, kniete Altmeyer bereits dicht beim
Haus und hob ein Gewehr aus dem Gebüsch. »Für jeden eins, 'n
neues, damit ihr beim Koffertragen nicht einseitig belastet seid.
Sehn wir zu, daß wir zum Auto kommen, bevor der Laster hier
auftaucht.«

Während sie den Fahrweg entlanggingen, fragte Bucky: »Weshalb
sind Sie sich wegen des Lasters so sicher?«

Altmeyer schien seine Schritte zu beschleunigen, so daß er fast in
eine Art Trab fiel. Stoßweise kam seine Antwort. »Es war niemand von den Auftraggebern da, um uns sterben zu sehen.« Dann
sagte er: »Die würden Beweise haben wollen.«

»Wozu dann der Laster?«

Altmeyer war als erster beim Peugeot. Er öffnete den Kofferraum, warf das Gepäck hinein. »Wenn kein Auftraggeber dabei

war, um sich persönlich davon zu überzeugen, war's das Beste, es von neutraler Seite tun zu lassen. Durch die Polizei. Damit's dann später in die Zeitungen kam. Deshalb der Laster. Mazarin wird uns an 'nen anderen Ort schaffen und abladen wollen, damit wir dort bequem gefunden werden können.« Er knallte den Deckel des Kofferraumes zu, nahm dann wieder sein Gewehr an sich und ging zur Fahrerseite des Wagens.

Rachel lief zur anderen Seite und streckte die Hand nach dem Türgriff aus, hielt dann jedoch inne und schien zum Himmel emporzublicken. »Augenblick«, sagte sie.

Bucky hörte es. Ein grelles Motorengeräusch, das immer tiefer zu klingen schien, während es die Landstraße entlangkam. Dann vernahm er, wie der Klang sich veränderte, als bei der Abbiegung ein kürzerer Gang eingelegt wurde. »Zu spät«, sagte er.

Altmeyer rief: »Kommt!« und lief um das Auto herum, packte Rachels Arm und zog sie mit sich, während er auf eine nahe gelegene Baumgruppe zurannte. Er schien die Entfernung nach der Lautstärke des Motors abzuschätzen und lief, bis der Fahrer, weit genug vom geparkten Peugeot entfernt, den Fuß vom Gaspedal nahm. Dann sagte Altmeyer: »Jetzt runter mit euch, hinlegen!«

Die drei warfen sich auf den Boden. Bucky spürte, wie aus dem welken Laub unter seinem Bauch Feuchtigkeit herausquoll. Er wollte ein Stück vorwärtskriechen, doch Altmeyer flüsterte: »Rübe runter. Ist im Scheinwerferlicht zu sehen.«

Wie auf ein Stichwort flammten wirklich Scheinwerfer auf, zuerst nur ein einziger Strahlenkegel, der auf und nieder schwankte auf dem unebenen Fahrweg, dann auch der zweite, als der Laster um die Kurve fuhr und dann hinter dem Peugeot anhielt.

Bucky stöhnte, das Gesicht dicht ins feuchte Laub gepreßt: »Die blockieren den Weg. Wir können mit dem Wagen da nicht raus.«

»Sieht aus, als ob auch die blockiert sind«, flüsterte Altmeyer. »Ich vermute, Mazarin hatte die Absicht, mit dem Wagen später zum Hof zu fahren. Vielleicht können sie 'nen Bogen drum machen.«

Die Lichter des Lasters erloschen, und Rachel sagte: »Unser Pech. Die ahnen offenbar, daß da was passiert ist.«

»Die müssen den PKW aus dem Weg haben, und wir müssen den Laster aus dem Weg haben«, sagte Altmeyer. »Wie schade, daß wir uns nicht in aller Ruhe mit ihnen darüber unterhalten können.«

Es knallte laut, hohl, metallisch, die eine Tür des Fahrerhauses, dann auch die andere, und dann quietschte es laut, als die hintere Tür geöffnet wurde. Altmeyer sagte: »Wir müssen ausschwärmen und es auf die häßliche Tour erledigen. Sobald alle im Freien sind, 'n Stück weit weg vom Laster, heißt's, Feuer frei!« Er robbte nach rechts, gelangte zu einem Dickicht, erhob sich.

Rachel folgte ihm durch die Bäume bis zum Rand der Straße, hob dann das schwere Gewehr an ihre Schulter. »Wo sind sie?« fragte sie. »Ich sehe sie nicht.«

Altmeyer beugte sich dichter zu ihr. »Nimm die Autoschlüssel und bleib hier, da kannst du den Fahrweg kontrollieren. Vergiß nicht, der Wagen ist das einzige, was jetzt wichtig ist.« Er richtete sich wieder auf.

»Wo willst du hin?«

»Die sind vermutlich zu schlau, um sich den offenen Fahrweg entlangzubewegen. Vermutlich schleichen sie sich durch die Bäume auf der anderen Seite. Ich werde das Haus von der Weide aus beobachten. Falls sie dorthin kommen, wissen sie genausoviel wie wir.«

»Bitte sei . . .«

»Vorsichtig?« Aus seiner Stimme klang eine leise Belustigung.

»Ich meine, äh, Hals- und Beinbruch.« Doch er war bereits zu weit entfernt, um sie verstehen zu können. Rachel lehnte ihr Gewehr gegen einen Baumstamm und starrte zum leeren Fahrweg.

Bucky lag bewegungslos und beobachtete den Laster. Altmeyer und Rachel waren schon seit längerem fort. War's wirklich so lange, wie's den Anschein hatte? Wo waren die Männer vom Laster? Langsam zählte er bis hundert, und stellte sich vor, daß bei jeder Zahl ein Mann einen Schritt machen konnte. Dann zählte er noch einmal, langsamer jetzt.

Er betrachtete den Laster. Sah aus wie einer von denen, in denen man Möbel transportiert. Bucky robbte ein kleines Stück vorwärts, zählte dann abermals bis hundert, kroch näher heran, bis er unter den LKW blicken konnte. Er erkannte die Umrisse der Antriebswelle, der hinteren Achse, der Räder. Nirgends jedoch waren auf der anderen Seite die Beine von Männern zu sehen. Vermutlich hatten sie sich auf der gegenüberliegenden Seite des Fahrwegs in Richtung Haus geschlichen. Plötzlich kam ihm der Gedanke: »Ich habe den Laster.« Ob er ihn wohl irgendwie aus dem Weg manövrieren konnte? Vor Jahren hatte er gesehen, wie zwei Männer einen Eisenbahnwaggon auf ein Rangiergleis gerückt hatten, indem sie die Räder mit langen, hebelartig eingesetzten Stangen voranbewegten. Vielleicht konnte er den Laster auf die gleiche Weise ein kurzes Stück versetzen, gerade weit genug, damit das Auto vorbei konnte.

Bucky stand auf. Langsam ging er zum hinteren Ende des Lasters, blieb stehen und lauschte. Er spähte in das Innere des Laderaums, aber der war leer, bis auf ein paar Persennings, die am vorderen Ende auf einem Haufen lagen. Er schlich weiter und spähte an der Längsseite entlang. Unwillkürlich holte Bucky tief Luft und mußte dann den Atem anhalten, um die Luft nicht hörbar auszustoßen. An sich war dort genügend Platz, um den Wagen ein Stück zur Seite zu schaffen. Ganz sicher. Anders gesagt: Der Laster hätte zweifellos am Peugeot vorbeifahren können. Die hatten hier nicht gehalten, weil der Fahrweg blockiert war, sondern weil sie ahnten, daß im Haus irgend etwas nicht stimmte. Sie hatten ihrerseits den Fahrweg blockiert.

Bucky überlegte blitzschnell. Die Männer waren zweifellos nicht drauf aus, Mazarin herbeizuholen, damit der sein Auto aus dem Weg schaffte, sie waren im Wald, um Altmeyer und Rachel zu jagen. Bucky bewegte sich am Laster entlang auf das Fahrerhaus zu, als sein Blick plötzlich auf etwas Silbriges fiel. Der große Rückspiegel seitlich am Fahrerhaus. Während er den Blick darauf gerichtet hielt, schien sich etwas darüber hinwegzubewegen, wie ein huschender Schatten. Bucky blieb stehen und sank dann auf die Knie. Falls der Rückspiegel sich in normaler Position befand, davon war auszugehen, war er dazu bestimmt, dem Fahrer die Sicht seitlich nach hinten zu ermöglichen. Umgekehrt bedeutete das:

Was Bucky im Rückspiegel gesehen hatte, mußte der kurz bewegte Kopf eines Mannes auf dem Fahrersitz sein.

Bucky hielt sich in gebückter Stellung und schlich langsam Schritt für Schritt voran. Aufmerksam behielt er den Rückspiegel im Auge, vergewisserte sich, daß er für den Mann im Fahrerhaus unsichtbar blieb, und als er sich unmittelbar hinter der Tür befand, blieb er wieder stehen. Er hörte ein Geräusch. Die Federn des Fahrersitzes, auf dem sich der Mann leicht bewegte, um durch die Windschutzscheibe hindurch dort vor sich auf dem freien Gelände etwas genauer beobachten zu können.

Altmeyer kauerte hinter dem Steinwall im Gras, als er auf der anderen Seite des Feldwegs im Wald die Bewegung wahrnahm. Der erste erschien im Laufschritt auf der Lichtung. Altmeyer zielte mit dem Gewehr auf ihn und folgte jeder seiner Bewegungen, doch der zweite Mann blieb unsichtbar und schien nur darauf zu warten, daß Altmeyer schoß. Als der erste die Hausecke erreichte und dort in Schußposition ging, jagte der zweite Mann hinter ihm her, dann an ihm vorbei, zur Küchentür.

Altmeyer wartete, während der Mann immer näher zur Küchentür kam. Er suchte die Lösung für ein nicht unschwieriges Problem. Wie konnte man dem, der in die Küche wollte, das Haus verwehren, ohne daß der andere merkte, wo Altmeyer war? Der Kerl, der auf die Küche zurannte, vergrößerte seine Geschwindigkeit noch, als er jetzt auf dem gepflasterten Weg lief. Altmeyer mußte sich entscheiden.

Er zog das Gewehr in die Schulter, gab einen Feuerstoß in Richtung Hausecke ab und duckte sich dann hinter den Steinwall. Altmeyer bewegte sich blitzschnell, während über ihm Steinsplitter durch die Luft schwirrten. Er wußte, daß er emportauchen mußte, während der Mann noch feuerte, wobei ihn das Blitzen aus seiner eigenen Gewehrmündung wohl etwas blenden würde, auch die Wirkung des Rückstoßes war mit einzubeziehen, der Kerl würde also ein wenig Mühe haben, sich sofort auf ein neues Ziel einzustellen.

Altmeyer balancierte sein Gewicht auf den Fußballen, drückte das

Schulterstück des Gewehres fest an sich, richtete sich ein wenig auf und feuerte dann auf die Vordertür des Hauses. Der Mann hatte gerade die Stufen erreicht, und Altmeyer sah, wie er sich duckte und von der Tür forttauchte. Dann lag Altmeyer wieder auf dem Boden und bewegte sich robbend voran. Statt aber in rückwärtiger Richtung zum Auto hin zu kriechen, hielt er nun auf das Quellenhaus zu.

Als Bucky die ersten Schüsse hörte, machte er zwei seitliche Schritte, vom Laster fort, und feuerte dreimal ins Fenster des Fahrerhauses. Er riß die Tür auf und packte den Mann beim Gürtel. Er hatte ein weiches, warmes Gefühl an den Fingerknöcheln, als er den Körper vom Sitz zog, und er wußte, daß eigentlich irgendeine besondere Empfindung sich jetzt bei ihm hätte einstellen müssen, doch seine Gedanken waren wie Stufen zur Erfüllung einer bestimmten Aufgabe. Er trat über den schlaffen Körper hinweg, setzte sich auf den Fahrersitz und ließ den Motor an.

Bucky legte den ersten Gang ein, jedoch so ungeschickt, daß der Laster mit einem Ruck vorwärtsschoß und dann bockte. Wieder trat er auf das Kupplungspedal, ließ den Motor an, schaltete und lenkte den Laster um den Peugeot herum. Das linke Rad rutschte in einer tiefen Furche weg, und der Laster neigte sich bedrohlich. Bucky trat hart aufs Gaspedal, und das schwere Fahrzeug preschte in verwuchertes Buschwerk. Wie wild kurbelte Bucky am Lenkrad, bis ihn der Schwung des Gefährts wieder auf den Feldweg zurücktrug.

Der Laster war jetzt zwischen dem Peugeot und dem Haus. Bucky schaltete auf Leerlauf und griff nach den Schlüsseln. Während er sich nach vorn beugte, blitzte es am Ende des Fahrwegs auf, Schüsse. An der Hausecke feuerte irgendwer quer über den Hof auf den Steinwall der Weide. Während er noch hinsah, hörte die Schießerei von der Ecke her plötzlich auf, und eine Gestalt rannte hinter das Haus. Dann schoß irgendwer aus weiterer Entfernung zurück, aus der Nähe des Quellenhauses.

Wieder betätigte Bucky die Kupplung, und der Laster rollte vorwärts. Der Motor röhrte und dröhnte, als Bucky um höhere Geschwindigkeit kämpfte und krachend den zweiten Gang einlegte.

Dann bemerkte er, wie sich im Fahrerhaus ein Geruch ausbreitete, als brenne irgendwas. Rauch kam ihm in die Nase. Er ließ seinen Blick am Sitz hinabgleiten, beugte sich vor und – löste die Handbremse. Der Laster gewann an Tempo, als wäre er von einer schweren Last befreit. Bucky erreichte den Hof, als die zweite Gestalt sich nun in Richtung Quellenhaus bewegte.

Er kurvte auf dem Hof einen weiten Bogen, so daß der Laster schnell wieder in Richtung Straße fahren konnte, und rief durch das offene Fenster: »Altmeyer, springen Sie hier rein, falls Sie dort sind!«

Gerade wollte er ein zweites Mal rufen, als hinter ihm ein plötzlicher Feuerstoß dröhnte. Er hörte, wie die Kugeln, vom Quellenhaus her, in den hinteren Teil des Lasters einschlugen. Gleichzeitig sah er, daß vom Feldweg her der Peugeot auf ihn zufuhr. Er schrie: »Nein, Rachel. Machen Sie, zum Teufel, daß Sie von hier fortkommen!« Doch dann kam der nächste Feuerstoß, und er konnte seine eigene Stimme nicht verstehen.

Bucky schaltete den Rückwärtsgang ein und starrte in den Spiegel neben sich. Zuerst bewegte sich der Laster langsam, doch als er die flache Stelle beim Haus überquerte, gewann er an Fahrt. Im Rückspiegel beobachtete Bucky das rote Abbild des Quellenhauses; doch dann zersplitterte der Spiegel in tausend Teile. Bucky warf sich gerade noch rechtzeitig auf den Sitz, bevor der Laster in das Quellenhaus krachte.

Für Altmeyer, der hinter dem Weidenwall kauerte, sah es aus, als zerspalte der Laster das Quellenhaus in zwei Hälften. Die hintere Wagenklappe knallte genau gegen die Mitte, und die obere Hälfte des Häuschens bewegte sich vielleicht ein, zwei Meter rückwärts, bevor sie zusammenstürzte. Die untere Hälfte war unter dem Chassis des Lasters begraben. Plötzlich wirkte alles sehr still.

Bucky sprang aus dem Fahrerhaus und machte schwankend ein paar Schritte, wölbte dann die Hände vor dem Mund und rief: »Altmeyer!«

Altmeyer flankte über den Steinwall und spurtete auf den Peugeot zu. Als Bucky ihn sah, rannte er los, erreichte den Wagen und knallte sich auf den Rücksitz.

Rachel fuhr das Auto den langen gewundenen Feldweg entlang. Dort, wo er auf die Landstraße traf, hielt sie an, ließ den Motor im Leerlauf brummen und blickte angestrengt nach vorn. Ein Paar Scheinwerfer tauchten auf, blitzten vorbei, verschwanden, doch Rachel bewegte sich nicht. »Ich weiß nicht wohin.«

Altmeyer nahm das Gewehr, das er zwischen den Knien gehalten hatte und warf es durchs Fenster. »Sonst noch welche?«

»Ich hab meins irgendwo liegengelassen«, sagte Bucky.

Altmeyer blickte zu Rachel. »Ich weiß auch nicht wohin.«

Bucky räusperte sich. »Direkt zum Flughafen. Wenn ich schon sterben muß, so möchte ich mich nicht des Vergnügens berauben, meine Klienten mit mir sterben zu sehen.«

Los Angeles

»Du warst einverstanden, hierher zurückzukommen«, sagte Rachel. »Auf dem Brüsseler Flughafen hättest du dich ja noch dagegen sperren können, aber wo wir jetzt zu Hause sind, hör endlich auf zu meckern. Wir wären dir gefolgt, wohin du nur wolltest.« Sie wandte sich von Altmeyer ab und gab Bucky einen kleinen Stoß gegen den Arm, so daß die Flasche mit Scotch, aus der er gerade einschenkte, das dritte Glas verfehlte und eine glänzende Spur quer über seinen leeren Schreibtisch kleckerte. »Hätten wir das nicht getan?«
Bucky wischte mit dem Hemdsärmel über die Schreibtischplatte. »Nein, hätten wir nicht.«
Altmeyer starrte auf Buckys Bücherregal. »Bucky, allmächtiger Gott, das sind ja Telefonbücher. Wieder Ihre Ex-Frau?«
»Ich habe Ihnen doch gesagt, daß die sie nicht alle auf der Reihe hatte. Als sie hier ›umdekorierte‹, ließ sie die Telefonbücher in Saffianleder binden.« Er hob die anderen beiden Gläser hoch, stieß sie leicht gegeneinander, und reichte eines Altmeyer. »Cheers.«
Altmeyer trank einen kleinen Schluck. »Wir werden bei denen nicht in Vergessenheit geraten.«
»Ganz meine Meinung«, sagte Bucky. »Womit wir quitt wären. Aber wir werden die auch nicht vergessen. Und wir haben einen kleinen Vorteil, weil die nicht wissen, wer ich bin.«
»Ich bin mir nicht ganz sicher, daß *ich* das weiß«, sagte Altmeyer. »Wird unser Bucky nicht ein wenig sonderbar?«
»Er hat eine Menge durchgemacht«, sagte Rachel, während sie ihr immer noch unberührtes Glas Scotch neben sich auf den Tisch stellte. »Wir alle haben das. Es ist gut, wieder zu Hause zu sein – auch wenn es Ihr Zuhause ist, Bucky.«

Bucky lehnte sich auf seinem Stuhl zurück und sagte: »Wir müssen überlegen, was wir wissen müssen, um loszulegen.«

Altmeyer runzelte die Stirn. »Nun gut, was wissen wir eigentlich nicht? Wir wissen nicht, *wer die sind,* genaugenommen. Wir wissen nicht, ob sie bereits 'ne Bombe in Japan haben oder erst Zubehör sammeln. Wir wissen nicht, wie die Bombe aussehen oder wie groß sie sein wird. Tatsache ist, daß wir überhaupt kaum was wissen, außer daß die sich 'ne ungeheure Mühe geben, uns umzulegen.«

»Wir werden mit dem bißchen anfangen müssen, was wir wissen«, sagte Bucky. »Die hängen irgendwie mit dieser Ashita-Company zusammen, also müssen wir was drüber rauskriegen. Haben Sie 'ne Ahnung von Atomwaffen?«

Altmeyer schüttelte den Kopf. »Das ist eine meiner Bildungslücken.«

»Ich weiß nicht, ob ich überhaupt einen kenne, aber jedenfalls wär ich verrückt, wenn ich mit ihm Kontakt aufnehmen würde. Diese Ashita-Leute haben sich bestimmt auf dem Waffenmarkt eingenistet. Sie wußten genug, um sich mit mir in Verbindung zu setzen, und brauchten nur einen Tag, um mit Mazarin 'nen kleinen Handel abzuschließen, um mich, nein, uns aus dem Weg zu schaffen. Vielleicht war er's gewesen, dessen sie sich ursprünglich bedient hatten, um für sie 'nen Markt zu finden. Aber das bezweifle ich. Viel wahrscheinlicher ist, daß sie Order gaben, uns umzulegen.«

»Keine Sorge. Arthur kann uns einen Experten besorgen.«

»Arthur?« fragte Altmeyer. »Sie meinen diesen alten Suffkopp, über den Sie uns bei der Party 'ne Menge vorgeflunkert haben?«

»Ich habe Ihnen über Arthur nichts vorgeflunkert«, sagte Bucky. »Ich hätte nicht genügend Phantasie, um mir über Arthur eine Lüge auszudenken. Er besitzt Macht. Wenn man einen solchen Namen hat, kann man ihn wie eine Keule benutzen. Ist irgendwo in einem Restaurant kein Tisch für ihn frei, dann bezahlen die einen Gast dafür, daß er eher geht. Und Arthur haßt das.« Er hob den Telefonhörer ab und tippte rasch auf die Tasten. »Stephanie, hier Bucky Carmichael. Ist er da?«

Pause. Dann sagte Bucky: »Heute? Und die Adresse? Ich könnte ja mal dort vorbeifahren und ihm sagen, daß 'ne Temperatur um die vierzig Grad älteren Herren wenig zuträglich ist.«

Bucky zog die Schublade seines Schreibtischs auf und nahm ein Stück Papier und einen Bleistift heraus. Beim Schreiben murmelte er etwas Undeutliches vor sich hin. »Äh-hm-hm-hm.« Dann sagte er: »Ja, ich weiß genau, wo das ist. Ich bin sowieso in diesem Viertel. Vielleicht kassiere ich meine zehn Prozent auf seinen Sonnenstich. Oh, Stephanie, und sagen Sie Leonard, ich hätte da was Heißes für ihn. Wenn er mich diese Woche anruft, werd ich's ihm verraten, aber er muß mir zuerst 'nen Gefallen tun.«

Bucky gluckste leise. »Stephanie, das hat wirklich nichts mit Pferden zu tun. Hat ja sowieso nur Arthur genügend Kleingeld, um dafür was Ordentliches zu verbuttern.«

Jetzt wieherte er. »Auch nicht für Weiber, *pardon,* Frauen. Sie wären meine einzige Liebe, Stephanie, und Arthurs auch, wenn Sie uns bloß nicht mit Ihrem eigenen Mann betrügen würden. Nein, das ist für Leonard in seiner Eigenschaft als Geschäftsführer von Paston Enterprises.«

Bucky lächelte ins Telefon. »So, ist er? Sagen Sie ihm, daß ich ein Gespräch mit ihm erwägen werde, aber nur, wenn er sich beeilt. Am anderen Ende meines zweiten Apparats wartet die Königin von England auf mich und ist ganz heiß darauf, bei dieser Sache einzusteigen.«

Bucky stieß sich mit seinen kurzen Beinen ab und drehte sich auf seinem Schreibtischsessel um sich selbst, so daß die Telefonschnur sich im Uhrzeigersinn um ihn wickelte. Plötzlich hielt er an, drehte zurück, befreite sich wieder von der Schnur. »Leonard? Natürlich bin ich's. War die ganze Woche in Japan. Sie sollten so was auch mal machen. Reisen erweitert den Horizont, und wenn das wer nötig hat, dann . . .«

Bucky grinste. »Also gut. Als ich in Japan war, hab ich einen heißen Tip erhalten, den Sie vielleicht überprüfen möchten. Es handelt sich um eine Firma namens Ashita, A-S-H-I-T-A, die Electronic-Zeug herstellt. Ich weiß nicht viel darüber, doch es waren zuverlässige Gewährsleute.«

»Nein, Ashita heißt nicht ›Dummkopf‹. Es heißt ›morgen‹. He –

das macht mir nichts. Wer sich mit Geld von Arthurs Größenordnung reinhängt, der kann wenigstens gehörigen Profit einstreichen, sagen wir mal Nebraska oder so. Alles, was hierbei für mich abfällt, ist 'n popliger Rolls-Royce. Mann, ich bin ja 'n Held.« Dann hörte Bucky eine Weile aufmerksam zu. »Wie kann ich wissen, ob's sich um 'ne Gesellschaft mit beschränkter Haftung handelt? Ich weiß, daß es kein Tante-Emma-Laden ist. Wenn Sie nachprüfen, werden Sie's mir sagen können.«
Bucky ließ seinen Stuhl herumwirbeln, wirbelte wieder zurück. »Aber gerne. Vergessen Sie nur nicht, mich wieder anzurufen. Ich weiß nicht, wieviel Zeit wir haben, uns davon ins Bild zu setzen. Oh, und Leonard? Ich weiß, wenn's eine heiße Sache ist, dann behalten wir's doch möglichst für uns und unseren kleinen Kreis von zirka hunderttausend Engvertrauten, okay? Im Ernst, ich möchte nicht aufwachen und in der Zeitung lesen, daß irgend so ein kleiner Scheißer, dem im Norden 'ne kleine Computer-Firma gehört, Ashita aufgekauft hat. Und versuchen Sie, Ihre Hände von Stephanie wegzuhalten...« Bucky wirbelte wieder auf seinem Stuhl herum und legte den Hörer auf, blickte dann auf seine Uhr. »Das wär's wohl. Bis morgen wird Leonard vermutlich mehr über Ashita wissen als dessen Präsident.«
Rachel blickte zur Zimmerdecke. »Wir haben Vertrauen zu Ihnen, Bucky, aber sehr seriös klang das Gespräch nun wirklich nicht.«
Bucky stand auf und ging zur Tür. »Kommt. Ihr braucht euch keine Sorgen zu machen. Leonard ist kein geldgieriger Investor. Er ist ein Amateur im wahrsten Sinne des Wortes – er spielt das Spiel, weil er es liebt. Für ihn ist das, als ob er mit Großmamas Moneten pokert. Er hat Jahr um Jahr für Arthur Millionen gemacht. Selbst wenn er nie etwas anderes tut, Arthur wird ihm bis zu seinem Tod 'ne dicke Rente zahlen und später sicher auch noch seinen Kindern einiges zustecken. Es ist ein postfeudales Verhältnis. Aber das könnt ihr jetzt wieder vergessen. Der Mann hat sein Leben damit verbracht, Tips auszuschlachten. Er wird sich diesen nicht entgehen lassen.«
»Wo wollen Sie hin?« fragte Rachel.
»Wir werden Arthur besuchen. Er hat heute Drehtag.«

Bucky ließ den Mercedes auf die mittlere Fahrbahn gleiten, als ein kanariengelber Kleinlaster mit zwei aufrechtstehenden Motorrädern auf der Ladefläche vorbeijagte. Dann kurvte er in die linke Abbiegung. Als Bucky die Radford Avenue an den CBS-Gebäuden vorüberfuhr, sagte er:»Wenn ich da nur dran denke, treibt's mir schon den Schweiß aus allen Poren.« Rachel tätschelte seine Schulter.»In jener Nacht hat Sie niemand gesehen.« Bucky wies mit dem Finger durch das Fenster.»Diese Bäume haben mich gesehen, und der Feuerhydrant dort drüben auch. Ich dachte, am hellichten Tag würde das anders sein, doch ich habe nur das Gefühl, als hätte jemand das Licht angedreht und mich erwischt.« Er kurvte wieder nach links, in die ruhige Straße eines Wohnviertels, von niedrigen Stuckhäusern und hohen Eichen gesäumt, und hielt dann an.

Auf der rechten Straßenseite parkten lange, weiße Wohnwagen, Trailer allermodernster Art, und eines der Fahrzeuge sah aus wie ein Haus auf Rädern. Eine ganze Menge Leute spazierte die Straße entlang, und andere eilten hin und her mit Metallkästen und Kabelrollen, während wieder andere irgendwo auf Rasenflächen saßen und Zeitungen lasen oder Kaffee tranken. Ein Polizist in hohen Reitstiefeln stolzierte die Straße entlang und hob abwehrend den rechten Arm.

»Der Zirkus ist in der Stadt«, sagte Rachel.

Bucky schaltete den Rückwärtsgang ein und lenkte den Mercedes um die Ecke.»Wir werden auf der Radford Avenue parken und zu Fuß gehen müssen.«

»Was wollen Sie ihm sagen?«fragte Altmeyer, als er für Rachel die Wagentür öffnete.

Bucky schritt um das Auto herum und schloß sich ihnen auf dem Gehsteig an.»Arthur ist zu kompliziert für 'ne klassische Lüge. Also muß ich zu einer meiner ›Jazz-Lügen‹ greifen: ein Thema anschlagen und dann aufs Geratewohl improvisieren.«

»Was soll's denn für ein Thema sein?«fragte Rachel.»Und was sollen wir dabei?«

Sie sollen bei dem, was er an Verstand oder Gemüt noch im Kopf hat, Interesse wecken. Arthur ist seit vielen, vielen Jahren eine solche Größe, daß typisch menschliche Gefühle ihm eigentlich fremd sind – keine Gier, keine Angst, keine Eifersucht. Man könnte ihn in dieser Hinsicht geradezu verkümmert nennen. Da ist nicht viel mehr übrig als Neugier. Er interessiert sich für alles Mögliche.«

»Was wollen Sie also tun, ihm ein Rätsel erzählen?« Altmeyer blieb stehen und wartete.

»Kommen Sie, vertrauen Sie mir«, sagte Bucky. »So was wie das bringt mir genug Schecks für sämtliche Alimente ein, und ich habe mehr Frauen zu unterstützen als 'n Zulu-König. Heute spiele ich die Rolle des Busineß-Baggers. Ich bringe Arthur die Idee für einen Film. Die Idee ist 'n faules Ei, also wird Arthur sie nicht mal mit der Kneifzange anfassen. Trotzdem wird er alles tun, was er nur kann, um uns zu helfen, und das ist 'ne ganz verdammte Menge.«

»Warum?«

Bucky zuckte die Schultern. »Eine seltene Form der Senilität. Er kriegt's manchmal so an sich, den großen Wohltäter zu spielen. Mit einem einzigen Telefonanruf kann er irgendeinem 'ne Riesenkarriere verschaffen, und jener Teil seines Gehirns, der ihm sagen müßte: ›Ja, weshalb denn eigentlich?‹ ist vielleicht so vor dreißig oder vierzig Jahren an Altersschwäche abgestorben.«

Sie gingen jetzt in der Mitte der Straße, und Altmeyer sah in einiger Entfernung ein paar Feuerwehrautos, außerdem einige Polizeiautos, eine Ambulanz und einen Tankwagen. Als sie näher kamen, sahen sie auf einer Art Karren eine Filmkamera. Dahinter saß auf einem Traktorensitz ein fetter Typ mit Bart, während drei junge Männer den Karren auf einer Piste aus Holzplanken einen Meter oder anderthalb vorwärtsschoben. Eine grauhaarige Frau trat in unmittelbarer Nähe auf die Straße. Sie trug ein rotes T-Shirt und Dschungelhosen à la Marines und hielt eines der bei Filmaufnahmen unentbehrlichen Klapp-Bretter.

»Das war wunderbar«, rief sie. »Ihr wart alle wunderbar. Machen wir's noch mal, nur nicht so schnell.«

Ein Mann, Anfang dreißig mit Baseballmütze und einem knallgelben Hawaiihemd, trat ein Stück vor und rief mit lächerlicher Amtsstimme: »Dies ist ein Film. Ruhe, bitte. Dies ist ein Film. Bitte, äußerste Ruhe.«

Die Frau rief: »Bewegung, los Bewegung, okay. Action.«

Die Feuerlöschwagen setzten sich in Bewegung, von irgendwoher tauchte eine schöne, platinblonde Frau in Polizeiuniform auf und stieg in einen Polizeiwagen, und das Auto rollte sofort los. Gleichzeitig stürzte ein großer, dürrer Mann in einem Smoking über die Straße und rief jammernd: »Gretchen!« Riß sich dann das Jackett vom Körper und schleuderte es zerknüllt zu Boden.

»Aufnahme!« schrillte die Frau in den Dschungelhosen. Dann wandelte sich ihre Stimme wieder, und sie wurde zur Lehrerin, die ihrer Klasse zurief: »Sehr gut. Diesmal laß dein Füßchen von der Bremse weg, mein Lieber.« Die Polizeiautos stießen auf der Straße zurück, um ihre Positionen wieder einzunehmen, und die Feuerwehrautos fuhren um den Block herum. Die Frau in Polizeiuniform steckte die Hand in das Fenster des Polizeiwagens, zog einen großen orientalischen Fächer heraus und fächelte sich damit, während sie wartete, Kühlung zu.

Eine Frau mit einer Box (die aussah, als enthielte sie Angelzeug) wanderte zwischen den Mitwirkenden umher und betupfte sie mit einer Puderquaste, die sie in ihrer freien Hand schwenkte. Eine andere junge Frau ging auf den hochgewachsenen, dünnen Mann zu und reichte ihm einen anderen Smoking.

Vier Männer in Blue jeans schlenderten über die Straße und setzten sich auf die Eingangstreppe des nächsten Hauses, ein anderer Mann schwang sich auf den Tankwagen und besprengte das Pflaster mit Wasser.

»Dort ist er«, sagte Bucky und deutete auf eine Gruppe von Menschen, die im Schatten eines hohen Baumes auf Liegestühlen saßen. »Was immer ich auch sage, laßt euch nichts anmerken. Ihr seid's, die die lausige Idee habt, die ich zu verhökern versuche.«

Sie drängten sich zwischen Technikern und speziellen Requisiten zu dem Baum durch, als der Mann mit dem Hawaiihemd rief: »Achtung, Lunch von hinten, bitte umsehen und aufpassen. Achtung, bitte Obacht geben«, immer in derselben lauten Stimme. Sie blieben stehen, und ein Lieferwagen bahnte sich langsam seinen Weg durch die Menge in die Mitte der Straße.

Arthur Paston saß auf einem Klappstuhl und blickte durch die Gläser einer Halbbrille auf ein gebundenes Manuskript. Als die drei näher kamen, schaute er nicht auf, sondern sagte: »Hallo, Bucky. Hätte nicht gedacht, daß du dich an einem solchen Tag hier sehen lassen würdest.«

Bucky machte zwei Schritte vorwärts und tätschelte Pastons Arm. »Wenn man zu seinem Lebensunterhalt Wildschweine schlachtet, muß man halt manchmal in den Wald. Wie läuft's denn so?«

Paston zuckte die Achseln. »Zwei Tage Vorsprung und sechzigtausend unter dem Budget. Ethel ist ein guter Steuermann, aber sie muß mit rauher See rechnen, so in etwa drei Tagen, wenn Gunther zu sprechen anfängt – in kompletten Sätzen, meine ich.«

Bucky lächelte. »Eigentlich hast du immer gesagt, Film wär ein visuelles Medium... Hier möchte ich dir 'n paar Leute vorstellen.«

Paston blickte auf, erhob sich dann langsam und starrte Rachel an. »Sie kenne ich«, sagte er. »Irgend etwas Quecksilberhaftes ist an Ihnen, das in meiner Erinnerung haftet.« Er überlegte einen Augenblick. »Martinis.«

»Stimmt«, sagte Rachel. »Wir sind uns an dem Abend begegnet, an dem Sie in Buckys Haus Martinis machten. Sie waren ausgezeichnet.«

Er machte eine Verbeugung, wandte sich dann zu Altmeyer. »Und Sie sind der Importeur. Freut mich sehr, Sie beide wiederzusehen. Bitte machen Sie's sich bequem. Wir haben hier Dutzende von Stühlen.«

Bucky schleppte einen Klappstuhl dicht an Pastons Seite. »Arthur, er ist heute kein Importeur. Er ist gekommen, um dich aus deiner Langeweile zu erlösen.« An den Feuerlöschwagen und den Polizeiautos vorbei blickte Bucky zu einer Gruppe von Männern, die Metallgestelle mit reflektierenden Aluminiumplatten daran sorgfältig aufstellten. »Ich hab da eine Bombe, so einen richtigen Aufreißer, und den offeriere ich dir als erstem. Das da ist doch nicht genug, um dich in Schwung zu halten.«

Paston lächelte. »Natürlich. Was hast du denn für mich?«

»Also, das läßt dieses Zeug wie Kinderkram aussehen – kleine Spielzeugfeuerlöschwagen und – Polizeiautos. Wir denken erwachsen, Arthur.« Er senkte seine Stimme, beugte sich näher. »Ich spreche vom Atomkrieg.« Buckys Augen weiteten sich. »Es gibt nichts – absolut nichts –, das eine Leinwand besser ausfüllt als ein Atomkrieg.«

»Ich höre.«

»Es ist nicht *Pannensicher,* und nicht *Dr. Strangelove.* Ich spreche von einer Sache, an die man sich noch nie getraut hat. An einen Film, der große Bedeutung erlangen wird. Eine Sache, die Regierungsverantwortliche schon seit zwanzig Jahren jeden Morgen schweißgebadet aufwachen läßt, doch in der Branche hat noch keiner die Schönheit begriffen. Und keiner kann diesen Streifen richtig gestalten, nur du, Arthur. Hier geht es darum, was passiert, wenn Privatfirmen Atomwaffen herstellen und an jeden verkaufen, der bezahlen kann. Das Treatment werden wir bald fertig haben.«

Paston schloß die Augen, und Bucky blickte schmunzelnd auf Altmeyer und fuhr dann fort: »Da ist dieses nette junge Pärchen. Sie leben in Los Angeles, vielleicht sogar direkt hier in dieser Straße.«

Paston hob eine Hand. »Ich mach's.«

Buckys Gesicht schien zu erschlaffen. »Was!?«

»Ich habe gesagt: Ich mach's. Du hast recht, ich langweile mich. Ethel ist ein Profi. Und ob ich hier herumhocke oder nicht in all meiner geriatrischen Pracht, ist für sie Jacke wie Hose.« Er blickte zu Altmeyer. »Was brauchen Sie, um das Treatment fertigzustellen?«

Altmeyer sagte: »Da gibt's leider 'n paar Kleinigkeiten, die noch zu eruieren wären.« Er blickte zu Bucky.

Bucky sprach ruhig, das Gesicht ein einziger Ausdruck strahlender Hoffnung. »Wir brauchen einen Fachmann, der sich mit Atomwaffen wirklich auskennt. Wir haben zwar diese phantastische Idee, bloß Ahnung davon, die haben wir nicht.«

Paston spitzte die Lippen. »Macht nichts. Wir werden einen für euch ausgraben.«

Auf der anderen Seite der Straße dröhnte eine Stimme durch den Lautsprecher: »Fertig, Audrey?« und eine Männerstimme rief: »Fertig.« Es gab eine kurze Pause. Dann: »Moment. Daß mir ja jemand diese Katze vom Auto runter schafft. Aber dalli.«

Bucky brachte das Auto so zum Stehen, daß es mit der Schnauze zur geschlossenen Tür der Vier-Wagen-Garage stand und mit den Hinterrädern am Straßenrand.

»Soll das heißen, er hat die Regierung angerufen und denen gesagt, sie sollen ihm einen Fachmann für Atomwaffen schicken, einfach so?« Rachel beobachtete ihn aus dem Augenwinkel.

»Ein klein bißchen anders war's schon«, antwortete Bucky. »Er hat mit jemandem von der Gray Corporation in Pasadena konferiert. Die ist nicht direkt die Regierung, aber sie ist auch nicht direkt nicht direkt die Regierung. Das einzige, was die tun, ist, Aufträge von seiten der Regierung zu erledigen. Vielleicht würden die ihren Kreis ganz gern ein bißchen erweitern – ein zweiter Kunde –, Sie verstehen.«

Altmeyer stand hinten an Buckys Mercedes. »Falls hier einer kommt, der rasant die Kurve kratzt, sind Sie 'n Stückchen von Ihrem Auto los – mit 'ner Delle geht das nicht ab.«

Bucky seufzte. »Genau das ist das Risiko, das man eingehen muß, wenn man Arthur am Strand besuchen will. Arthur liebt Malibu, hat deswegen auch so viel davon aufgekauft. Jedes Jahr verliert er durch den Verkehr hier ein Auto und durch das Meer einen halben Hektar Land. In tausend Jahren wird er im Armenhaus wohnen müssen.«

Sie gingen die fensterlose Front des Ziegelhauses entlang, bis zu einer Hartholztür. Bevor sie anklopfen konnten, hatte Arthur Paston bereits geöffnet. »Sie kommen früh«, murmelte er. »Sie kommen wirklich zu früh.«

»Du hast auf uns gewartet«, sagte Bucky.

Paston drehte sich um, und sie folgten ihm durch die Tür in einen riesigen, mit Teppichen ausgelegten Raum, der von einem eisernen Geländer unterteilt war. Zehn oder fünfzehn Meter jenseits dieses Geländers erstreckte sich eine durchsichtige Wand von irgendwo oben nach irgendwo unten; diese Wand bestand aus Glasscheiben, von denen jede einzelne mindestens drei Meter hoch war. Rachel trat zum Geländer und blickte auf den tiefer gelegenen Teil des Raums, wo sich um einen großen Kamin Ledersofas und -sessel gruppierten. Von der Ecke des Balkons aus konnte sie in der Schwärze der Fenster die rollende Linie der Brandung sehen. Links vom Fenster befanden sich auf einem Patio in einer Steinumhegung mehrere hohe, schlanke Kokospalmen. »Es ist wunderschön«, sagte sie.

»Phantastisch«, bekräftigte Bucky. »Als ob man im Astrodome lebte.« Er trat zu Rachel ans Geländer. »He, das sind dort ja ganz andere Bäume.«

Rachel blickte zur linken Seite des tieferliegenden Wohnzimmers und begriff, daß es sich bei dem, was sie im Fenster gesehen hatte, nur um Spiegelbilder handelte. Der Patio und die Palmen befanden sich innerhalb des Hauses.

Paston grummelte. »Blieb mir gar nichts anderes übrig. Die verdammten Dinger verstreuten ihre Blätter über den ganzen Boden. So kann man wenigstens nicht so leicht über Palmwedel stolpern.«

Bucky sagte: »Erzählen Sie uns was von diesem Kerl, bevor er herkommt.«

»Hab ihn noch nie gesehen. Soll 'n Experte für die Proliferation von Atomwaffen sein. Ist wohl irgendwie auf Dauer von der Cal Tech beurlaubt. Wird dort aber nach wie vor als Physikprofessor geführt. Er heißt Robert Cord.«

»Wie haben Sie ihn dazu gekriegt, mit uns zu reden?«

Paston zeigte sich überrascht. »Ich habe ihn eingeladen. Wie würden Sie so was denn anstellen? Ihm versprechen, ihn zu . . .«

Von der Auffahrt kamen Motorengeräusche. »Da ist er.« Paston ging zur Tür zurück und öffnete sie, rief dann: »Die Tür ist hier drüben. Ja, richtig.« Gleich darauf erschien ein Mann in der Türöffnung. Er trug einen gutgeschnittenen dunkelblauen Anzug und eine Brille mit leicht graugetönten Gläsern, die sein tiefgebräuntes Gesicht zu einem solchen Teil verbargen, daß es schwierig war, sein Alter zu erraten.

Paston sagte: »Erfreut, Sie kennenzulernen, Mr. Cord. Das sind die Altmeyers, die mit mir bei dieser Sache zusammenarbeiten, und das ist unser Agent, Bucky Carmichael. Lassen Sie ihn gar nicht erst zum Reden kommen, sonst wird er in Ihrem Leben garantiert zu einem beträchtlichen Kostenfaktor.«

Cord ließ bei einem Lächeln kurz seine Zähne blitzen, murmelte dann dreimal nacheinander: »Erfreut«, und schüttelte allen steif die Hand.

»Geben Sie auf Ihre Schritte acht«, sagte Paston, als sie ihm die gekrümmte Treppe zum Wohnzimmer hinabfolgten. »Ich möchte nicht, daß irgendwer auf mich draufstürzt.«

Paston ging am Balkon vorbei zu einer langen Bar mit einer Marmorplatte. »Ich werde Drinks mixen, doch strikt im herkömmlichen Stil. Soll mir alles recht sein. Allerdings habe ich kürzlich ein Intensivtraining in Sachen Martinis absolviert.« Paston begann, Gin in einen großen Shaker auf der Bar zu gießen.

»Ich bürge für ihn«, sagte Rachel, und die drei Männer gesellten sich an der Bar zu ihr.

Als Cord seinen Drink nahm, sagte er: »Erzählen Sie mir von Ihrem Film.«

Bucky antwortete. »Realistisch, daß es einen fröstelt. Nein, daß einem das Blut in den Adern gerinnt. Wir sehen es als einen Film, der Menschen zum Nachdenken bringt. Wir wollen erreichen, daß sie miteinander reden über die Proliferation – die Weitergabe von Atomwaffen.«

Cord lächelte. »Wie sind Sie denn darauf gekommen? Sind Ihnen die mechanischen Haie ausgegangen?«

»Wir wollen, daß dieser Film über das Übliche hinausgeht. In dieser Stadt wimmelt's nur so von Leuten, die so ziemlich alles filmisch eingesetzt haben, Haie und Piranhas, Frösche, Ratten, Pflanzen, Irre, Bären, Insekten, sogar Würmer. Wir sind darauf aus, den Zuschauern einen Schrecken einzujagen mit etwas, das wirklich ist, absolut realistisch. Und wir brauchen Sie, um uns zu sagen, was das ist.«

Cord schlürfte den Martini und sagte zu Arthur: »Das hier ist sehr gut, Mr. Paston. Ich habe mich schon gefragt, warum ich keine

188

dienstbaren Geister gesehen habe. Ich habe das Gefühl, Sie tun alles lieber selbst.«

»Irrtum«, sagte Paston. »Das einzige, worauf ich mich besser verstehe als andere, sind Filme, und genau deshalb brauche ich die jetzt nicht.«

Cord stellte seinen Drink auf die Theke. »Ich halte nicht viel von Ihrer Filmidee. Alles, was sich über dieses Thema legitimerweise sagen läßt, ist bereits doppelt und dreifach verfilmt worden. Mein bester Rat lautet – vergessen Sie's.«

Bucky runzelte die Stirn. »Kommt nicht in Frage. Wir fühlen uns dieser Sache verpflichtet, wir sind ihr ergeben. Dieser Film wird uns zu Legenden machen.« Er blickte zu Arthur. »Zumindest jene von uns, die nicht bereits Legende sind. Wir brauchen nur ein paar Detailinformationen, um die Sache glaubwürdiger zu machen. Das könnte der letzte Katastrophenfilm sein – der Große Knall.«

Cord lehnte sich gegen die Bar. »Sobald Sie damit anfangen wollen, werden Sie feststellen, daß alles, was Sie wissen wollen, strengster Geheimhaltung unterliegt. Und Sie werden einen Rechtsanwalt nötiger haben als einen Regisseur. Falls es Ihnen aber nur auf einen großen Knall ankommt, den können Sie ohne große Kopfschmerzen kriegen.«

»Wie?« fragte Rachel. Auf ihrem Gesicht spiegelte sich Neugier, doch mit der Hand, die sie auf dem Rücken hielt, winkte sie den anderen zu.

Cord lächelte. »Es gehört zu den Eigentümlichkeiten unseres Planeten, daß auf ihm viele Dinge unter durchaus normalen Umständen explodieren: Benzin, bestimmte Chemikalien und so manches mehr. 1919 explodierte in Boston ein Tank mit Melasse und tötete einundzwanzig Menschen.« Seine Augen verengten sich. »Nun, das ist bestimmt 'n guter Filmstoff. Aber was ist, wenn ein Ding, an dem tausend intelligente Leute gearbeitet haben, damit es explodiert, auch wirklich funktioniert? Wo steckt da denn der Witz? Das ist, als sähe man zu, wie eine Scheibe Toast, wenn sie fertig ist, aus einem Toaster herausfliegt.«

»Aber so empfinden Sie doch nur, weil Sie soviel darüber wissen.«

Rachel griff nach dem Cocktail-Shaker und füllte Cords Glas nach. »Wie aber, wenn kaum jemand einen Toaster besitzt? Die würden sich das zwanzigmal hintereinander ansehen und es bei jeder fliegenden Toastscheibe von neuem bewundern. Das wäre auch ein guter Filmstoff – Leute, die sich an den Gebrauch ihrer neuen Toaster gewöhnen.«

Cord grinste. »Wissen Sie, als Kind hab ich das einmal gemacht. Ich hab's inzwischen ganz vergessen. Ich toastete ungefähr zwanzig Brotscheiben, eine nach der anderen, bloß um zu sehen, wie so was funktionierte. Meine Mutter ertappte mich dabei und war nicht gerade sehr erbaut davon.« Sein Blick schien auf einen fernen Punkt gerichtet.

»Wegen des Brots?«

Er schüttelte kurz den Kopf und sah sie an. »Nachdem mir das Brot ausgegangen war, gab es für mich nur eine Möglichkeit, der Sache auf den Grund zu gehen – ich mußte das Ding auseinandernehmen.«

»Wohl der Grund dafür, daß Wissenschaftler Laboratorien haben«, sagte Rachel. »Damit eure Mütter nicht sehen können, was ihr so treibt.«

Cord nickte. »Erzählen Sie mir mehr von dem Film.«

»Nun, das ist alles noch ziemlich vage. Jedenfalls haben wir uns das so gedacht, daß sich irgendeine Terroristengruppe ihre eigene Bombe bastelt.«

Cord schüttelte den Kopf. »Da haben Sie bereits Ihren ersten dikken Irrtum begangen. Sie haben recht, wenn Sie meinen, daß wir uns diesem Problem ziemlich bald gegenübersehen werden, aber so, wie Sie sich das denken, läuft die Chose nicht. Terroristen sind nicht in dem Busineß der Waffenherstellung. Deren Geschäft besteht darin, Geld zusammenzukriegen, um Waffen von Firmen zu kaufen, die wissen, wie man so etwas macht. Was einem *echte* Kopfschmerzen bereiten kann, sind Terroristen, die darauf spezialisiert sind, nach einem guten Dinner schöne Reden zu halten.«

»Weil sie auf diese Weise genug Geld zusammenkriegen, um diese oder jene Regierung zu bestechen?«

»Nein«, sagte Cord. »Auf so'ne Weise verkehren nur Regierungen miteinander. Was für Gefühle sie auch immer füreinander hegen mögen, alle Regierungen dieser Welt sind absolut auf Stabilität angewiesen. In der Regel besitzen die Regierungsleute nicht gerade sehr viel Phantasie, doch mit Sicherheit fallen ihnen genügend Gründe ein, niemanden übermäßig aufzurüsten, der weniger bescheidene Ziele verfolgt, als nur Steuern einzutreiben.«

»Wer also dann?« fragte Rachel. »Sie haben doch gesagt, die Terroristen würden nicht ihre eigenen Dinger basteln.«

Cord ließ seinen Blick von einem zum anderen schweifen, bis er sicher war, daß alle aufmerksam zuhörten. »Ganz ehrlich, Sie denken diese Sache nicht wirklich durch. Erstens produzieren Regierungen von Staats wegen keine Atomwaffen, zumindest nicht im Westen. Sie bestellen sie bei Privatfirmen, genauso wie sie Kampfstiefel oder Kugelschreiber bestellen, und das sollte Sie auf eine Idee bringen.«

»Es auf einem anderen Planeten zu versuchen«, warf Rachel ein.

Cord ignorierte sie. »Wenn's getan wird, so wird es sich vermutlich um eine kleine bis mittelgroße Firma mit High-Tech-Ausrichtung handeln, vermutlich eine multinationale Unternehmung in Westeuropa oder in den Vereinigten Staaten. Wahrscheinlich wird es eine Firma sein, die erst vor höchstens zehn Jahren gegründet wurde und keine direkten Verbindungen zur Waffenindustrie hat.«

»Woher wollen Sie das alles wissen?«

»Wir wissen es nicht, aber es ist ein Profil, das wir entwickelt haben. Diese Version ist ziemlich grob, liegt zum größten Teil aber, wenn man so will, auf der Hand. Um ein Riesenunternehmen kann es sich nicht handeln, denn die gehn kein so'n Risiko ein, um ihre jährliche Rendite um ein paar Prozentbruchteile zu steigern. Es wird auch niemand sein, der bereits 'n Haufen Regierungskontrakte hat, weil das auf Dauer langfristige Sicherheit bietet. Außerdem stehen die viel zu sorgfältig unter Beobachtung. Es wird sich also um 'ne Firma handeln, die sich entschließt, sich bei nicht unbeträchtlichem Risiko auf ein sehr profitträchtiges Gebiet zu wagen.«

Rachels Blick zuckte kurz zu Altmeyer, dann wieder zurück. »Eine solche Firma wird also eine Atombombe herstellen, diese dann an Terroristen verkaufen und einen Riesenprofit machen. Was dann? Die Terroristen jagen ihr Vaterland in die Luft und sind dann Herrscher über Ruinen?«

Cord schüttelte den Kopf. »Wir müssen einen Blick in die Geschichte werfen. Niemand hat jemals nur *eine* Atombombe hergestellt. Die kleinste Anzahl waren zwei, und das ist 'ne Ausnahme, weil es sich um einen Versuch handelte und man in großer Eile war. Eine braucht man, um demonstrieren zu können, daß man's ernst meint. Hat man das dann bewiesen, braucht man die zweite zu Erpressungszwecken. Folglich wird der Kunde mindestens zwei oder drei kaufen, jedoch nur eine zum Einsatz bringen.«

»Was ist mit der Firma? Wenn die erst mal das Geheimnis kennen, werden die dann nicht riesige H-Bomben am Fließband produzieren?«

»Es wird sich nicht um H-Bomben handeln, und sie werden auch nicht groß sein. Auch ist es zur Herstellung einer Atomwaffe nicht erst nötig, ein Geheimnis zu entdecken. Die Grundprinzipien kennt man seit über hundert Jahren. Es handelt sich vielmehr darum, während der Herstellung Dutzende von – wie man so sagt – technischen, das heißt praktischen Problemen zu lösen, und für die meisten davon gibt es mehrere Lösungen. H-Bomben zum Beispiel bringen einige sehr schwierige und kostspielige Pobleme mit sich, und unsere hypothetische Firma würde nicht im Traum daran denken, dergleichen anzugehen.«

»Sind Sie sich dessen sicher?« fragte Bucky, doch Rachel, ansonsten scheinbar bewegungslos, schwenkte hinter ihrem Rücken hastig die Hand.

»Ich beabsichtige nicht, dies im Detail zu erörtern. Wäre es der besagten Firma überhaupt möglich, so wäre es nicht kosteneffektiv. Sehr wenige Firmen – oder selbst Regierungen – sind in einer Position, in der sie produzieren können, was man in den Fernsehnachrichten aus Raketensilos hervorlugen sieht. Und die, die sich's leisten können, tun's bereits.« Cord hob sein Glas, so daß Rachel ihm einen weiteren Martini einschenken konnte. »Falls Sie wirklich die feste Absicht haben, diese Geschichte durchzuführen, so denken Sie in kleineren Dimensionen – etwa in der Art der ersten Atombombengeneration, bloß modernisiert und miniaturisiert. Wenn Sie dann nüchtern drüber nachdenken, werden Sie allerdings finden, daß die Liste potentieller Firmen wächst und wächst.«

Rachel schien geschockt zu sein. »Sie meinen, eine Menge Firmen passen in dieses, äh, Profil?« Sie fragte sich, ob sie nicht übertrieb. Kehrte sie allzusehr die Begriffsstutzigkeit heraus, so würde er mit Sicherheit verstummen.

Cord nickte. »Eine Firma, die einen Computer produzieren kann oder eine gute Digitaluhr oder auch erstklassige zahnärztliche Instrumente, die tut etwas, das zweifellos schwieriger ist als die Herstellung einer – wenn ich so sagen darf – ›schmucklosen‹ Atombombe. Es gehört nicht so ungeheuer viel dazu, ein Stück Uran einen Schaft hinunter in ein anderes zu feuern, um eine kritische Masse zu erzeugen. Ist schon 'ne verdammt gute Sache, daß solches Material so schwer zu beschaffen ist.«

»Aber wenn die nun – wenn die so was hätten und einsetzten –, wie würde das im Film aussehen?«

Cord blickte in die Ferne. »Wir haben welche, die kann man wie großkalibrige Artilleriegranaten abfeuern. Nehmen Sie das als praktikable Minimalgröße, Kaliber etwa zwanzig Zentimeter. Man könnte die auch kleiner halten, wenn man wirklich wollte – bei Ihnen, im Film, meine ich. Aber alles, was unter den Ausmaßen eines, sagen wir mal, normalen Koffers liegt, wird den Zuschauern kaum imponieren.«

»Das eröffnet eine Menge Möglichkeiten für Action-Szenen«, sagte Bucky. »Die Schauspieler könnten die Bombe mit sich herumtragen. Da läßt sich überhaupt 'ne Menge mit machen.« Er blickte zu Altmeyer, der seinen Augen auswich und sich einen frischen Drink eingoß. »Großartig, wie?«

»Ich frage mich, ob Mr. Cord uns vielleicht noch einiges über den möglichen Transport einer solchen Bombe sagen könnte«, erklärte Altmeyer.

»Da wäre für 'ne Filmstory wohl so manches Brauchbare bei. Die würden das in Einzelteilen transportieren und erst kurz vor dem

Zeitpunkt zusammensetzen, wo sie's verwenden wollen. Das könnte bestimmt 'ne Schlüsselszene werden, wenn's nicht zu lang würde.«

»Aber wie sollte es aussehen?« fragte Altmeyer. »Das müßte doch möglichst unheimlich wirken.«

Cord ging zu der Stelle, wo die Palmen in windloser Stille standen. »Machen Sie's, wie Sie's für am wirksamsten halten. Wenn Sie glauben, ein Rattennest voller Drähte mit 'nem tickenden Wecker sei das Richtige – bitte. Das wirkliche Ding dürfte nicht größer sein als ein Fußball, und die Elektronik – nun, als man 1952 die erste Wasserstoffbombe baute, da hätte allein das, was jetzt in Ihrem Taschenrechner untergebracht ist, dieses Haus gefüllt.«

Bucky folgte Cord zu der kleinen Terrasse am Rande der Baumgruppe. »Ich meine, wir sollten in allem unbedingt realistisch bleiben, sonst wirkt der Film unglaubwürdig. Entweder wir drehn einen grundehrlichen Streifen, oder wir drehen gar keinen.« Er blickte zur Bar, als erwarte er von dort Applaus.

»Richtig«, sagte Rachel. »So wie ich das sehe, besteht ein Problem darin, wie diese Leute die verschiedenen Komponenten von einem Ort zu einem anderen schaffen. Wir wissen, daß sie etwas Uran oder etwas Plutonium oder so was brauchen, stimmt's?«

»Wie sie sich das beschaffen, wissen wir so in etwa«, sagte Cord. »In den westlichen Ländern gibt's zur Zeit über zweihundert Kernreaktoren, allein etwa fünfundsiebzig in den Vereinigten Staaten. Jeder dieser Reaktoren braucht hochwertiges Uran. Über die Jahre hinweg ist bei so manchem so manches Quantum verschwunden, ohne daß man wüßte, wie und weshalb. Ging's verloren, wurde es abgezweigt oder was?«

»Müßten die das Zeug nicht über mindestens eine Grenze schaffen?« fragte Rachel. »Diese hypothetische Firma würde doch bestimmt sichergehen wollen, daß sie keine lokalen Kunden hat.«

»Das Sicherste wäre es, das Zeug in winzigen Stücken zu befördern«, sagte Cord. »Jedes einzelne könnte man in Blei oder sogar in Gold unterbringen. Im Grundprinzip wäre es der Herstellung von Banknoten ähnlich. Alles muß absolut unter Kontrolle sein und höchst respektabel wirken. Für den Film würde wohl nur das erste Stadium was hergeben. Damit meine ich, spaltbares Material kann man ja nicht auf dem offenen Markt kaufen. Auf irgendeine Weise muß man's denen stehlen.«

»Vielleicht ist das der Dreh, den wir übernehmen können«, sagte Bucky. »Wir sollten uns hierüber Notizen machen.«

»Das können wir uns auch so merken«, meinte Altmeyer.

Arthur Paston nahm den Cocktail-Shaker und begann eine weitere Flasche Gin hineinzuschütten. »Da ist 'ne Menge, was wir uns zu merken haben.«

Cord stellte sein Glas auf die Bar. »Und ich merke gerade, daß ich in knapp einer Stunde in Pasadena verabredet bin. Leider muß ich also nichts wie weg.«

»Wären Sie denn bereit, mit uns zusammenzuarbeiten?« fragte Rachel.

Arthur Paston unterbrach. »Bedrängen wir Mr. Cord heute abend nicht weiter. Wenn wir die Idee erst mal ein bißchen abgeklopft haben, können wir alle mehr darüber sagen.« Er folgte Cord die Treppe hinauf. Dann verschwanden die beiden Männer aus dem Gesichtsfeld der anderen. Man hörte ruhige Stimmen, dann das Schließen einer Tür. Paston erschien wieder an dem balkonartigen Geländer und blickte zum Wohnzimmer hinunter. Sekundenlang stand er schweigend, beide Hände um das Geländer geklammert. Schließlich rollte seine tiefe Stimme durch das Haus. »Bucky«, sagte er, »schenke jedem einen neuen Drink ein und fang bei mir an. Ich habe das Gefühl, daß ich einen gebrauchen kann, während du loslegst.«

»Gute Idee«, sagte Bucky und ging zur Bar. »Wir waren so sehr damit beschäftigt, bei Cord nachzugießen, daß ich nicht mal Zeit hatte, mir selbst einen zu genehmigen. Womit sollten wir beginnen? Geld oder Talent?«

»Beginne damit, mir zu sagen, worum's hier überhaupt geht. Es liegt ja auf der Hand, daß du nicht von 'nem Film sprichst.«

Auf Buckys Gesicht erschien ein listiger Ausdruck. »Als Fernsehserie? Warum eigentlich nicht? Wenn der Preis stimmt.«

»Nein, du Esel«, sagte Paston mit leiser, müder Stimme. »Du hast es mit großem Geschick fertiggebracht, mich in etwas zu ver-

195

wickeln, und jetzt wirst du mir sagen, was das ist. Und hör mit diesem Unfug über Filme auf. Ihr braucht doch diese ganze Farce nicht in Szene zu setzen, um euch meiner Hilfe zu vergewissern. Ich nahm an, daß Sie das wüßten.«

Bucky sagte: »Okay, Arthur. Es ist also 'ne lausige Idee. Aber das ist noch lange kein Grund, sich . . .«

»Hören Sie auf, Bucky«, sagte Altmeyer. Er blickte zu Paston hoch, und sein Gesicht war ausdruckslos. »Vielen Dank für Ihre Zeit.« Er erhob sich und streckte Rachel seine Hand hin.

Paston rief: »Sie brauchen nicht zu gehen. Sie können durchaus damit rechnen, daß Sie kriegen, weswegen Sie hergekommen sind. Bucky ist wie ein Mitglied meiner Familie: Alle sind sie so töricht und so enttäuschend wie er, doch würde ich nie einen von ihnen im Stich lassen, wenn er mich braucht.« Er blickte zu Bucky. »Worum geht's denn? Hast du bei diesen Leuten Schulden?«

Für eine Sekunde hielt Bucky die Luft an. Dann blies er sie langsam von sich und sagte: »Ja.«

»Wieviel?«

Bucky zögerte, und Paston erklärte, zu Altmeyer gewandt: »Es geht nicht nur um Geld, nicht wahr?«

Altmeyers kalte, leidenschaftslose Augen hafteten auf Paston. »Sie sind zu gewitzt, um für uns von irgendwelchem Nutzen zu sein. Was immer wir Ihnen sagen, wird Ihnen schaden.«

»Ausgezeichnet.« Paston lachte. »Ich kenne Sie jetzt, Altmeyer. Sie sind der Versucher. Also schön, Sie haben mich. Muß man für eine Verschwörung einen schriftlichen Antrag stellen?«

Altmeyer setzte sich neben Rachel auf das Sofa und steckte sich eine Zigarette an. »Erzählen Sie's ihm, Bucky.«

Buckys Blick huschte kurz zu Altmeyer, doch er schwieg. Altmeyer beobachtete den Rauch, der über seiner bewegungslosen Hand rund anderthalb Meter in gerader Linie in die Höhe stieg, sich dann kräuselte und auflöste. Er sagte: »Das ist ein seriöser Mann. Er hat seine Entscheidung getroffen und weiß genau, was es für ihn bedeutet.«

»Altmeyer«, sagte Rachel, »ihm liegt nur was an Bucky, den er aus der Sache heraushaben möchte.«

Altmeyer blickte zu Paston. »Was würden Sie tun, wenn wir jetzt gingen?«

»Ich würde alle Hebel in Bewegung setzen, um zu erfahren, was Sie tun, und stünde unter keinerlei Verpflichtung, irgendwas für mich zu behalten. Ob nun so oder so – ich werde alles wissen.«

»Erzählen Sie's ihm«, sagte Altmeyer.

Paston lehnte sich in seinem Sessel zurück und schloß die Augen. »Ein vernünftig denkender Mann meines Alters würde wünschen, Sie hätten's ihm nicht erzählt. Ich kann mich noch daran erinnern, wie ich mit meinem Vater in einem Pferdewagen zum Waffengeschäft fuhr. Als ich in diese Stadt kam, hörten wir jedesmal mit den Dreharbeiten auf, wenn ein Flugzeug über uns wegflog, und glotzten.«

»Ich weiß«, sagte Bucky. »Und wenn ihr's tatet, dann kam ein Dinosaurier herbeigerannt und biß euch in den Arsch. Ein vernünftig denkender Mensch hätte nicht nach oben gegafft.«

»Bucky«, sagte Rachel.

Paston öffnete die Augen. »Nein, er hat recht. Von einem bestimmten Punkt an werden die Erinnerungen zu scharf und zehren an einem. Manchmal erinnere ich mich an Sachen – Geräusche, Gerüche, was immer sonst –, und es ist erst ein paar Tage her *und* fünfzig oder sechzig Jahre. Weiter gar nichts Besonderes.« Er schüttelte den Kopf, seine Augen glänzten stärker. »So verschwenden Sie einen weiteren Tag mit der Erinnerung.«

Rachel stand auf und trat an die Glaswand. »Ich bin sicher, wir werden uns an diesen erinnern.« Sie beugte sich dicht zur Glasscheibe und blickte hinaus zum Meer. »Falls wir dann noch existieren.«

Pastons Stimme klang wie ein Fauchen. »Was soll das? Natürlich existieren wir dann noch. Wir müssen uns nur was wegen dieser Leute einfallen lassen. Falls Sie glauben, daß ich hier herumsitze wie ein Idiot, während die . . .«

»An die Behörden können wir uns damit nicht gerade wenden«, sagte Altmeyer und blickte zu Rachel bei der Glaswand. »Würde uns womöglich 'n geruhsames Jährchen oder so in 'nem Einzelzimmer mit Fliegengitter und extradicken Wänden eintragen.«

»Natürlich können wir die Polizei nicht einschalten«, sagte Paston.
»Ein Jährchen? Schön wär's. Die würden Sie auch alle wegen Mordes einlochen, und ich hätte die ganze Chose allein zu erledigen.«
»Ich habe euch ja gesagt, er ist ein Mann mit Mitgefühl«, sagte Bucky zu Altmeyer, trat zu Pastons Sessel und hielt den Cocktail-Shaker schräg, um das Glas des alten Mannes nachzufüllen. »Vor drei Jahren hat er Leonard einen Tag freigegeben, und nun das.«
»Komisch, daß Sie gerade Leonard erwähnen«, sagte Paston.
»Das ist doch die Firma, bei der er recherchiert, nicht wahr? Ashita.«
Bucky nickte. »Natürlich. Im Augenblick würde ich niemandem den Rat geben, in etwas anderes zu investieren. Was es bei denen herauszufinden gibt, davon bin ich überzeugt, wird er auch herausfinden.«
»Klarer Fall.« Paston blickte zu Altmeyer. »Wissen Sie, es ist durchaus möglich, daß Bucky unsere Rettung sein wird. Überlegen Sie nur mal. Er hat ein Gespür für die Loyalität, die Anständigkeit, die Kompetenz eines Mannes wie Leonard, und er erinnert sich daran. Wenn er das braucht, gibt's bei ihm kein Zögern.«

Paston führte sie durch das vordere Büro zu einem Zimmer mit einer dicken Eichentür und klopfte. Sekunden später schwang die Tür auf, und ein großer Mann mittleren Alters in einem weißen Hemd trat zur Seite, die Klinke in der Hand. »Hallo, Leute«, sagte er. »Willkommen.«
»Leonard, dies sind die Leute, von denen ich Ihnen erzählt habe. Mr. und Mrs. Altmeyer, Leonard Stahl.«
Rachel sah sich kurz im Zimmer um. Auf einem kleinen, zerkratzten Schreibmaschinentisch neben dem eigentlichen Schreibtisch stand ein Computerterminal. Die Wände waren mit ungerahmten Fotografien bedeckt, auch mit Posters, Baseballwimpeln, Zeitungsausschnitten sowie allerlei festgehefteten Zeitungsausschnitten und ähnlichem, das ohne jede erkennbare Ordnung dort herumzuhängen schien und offenbar jüngeren Datums war, weil es

anderes zum großen Teil verdeckte. Rachel setzte sich auf eine alte grüne Couch beim Schreibtisch und spürte, daß sich in ihrer Strumpfhose unmittelbar hinter dem Knie irgend etwas verfing. Als sie mit dem Finger vorsichtig zu der Stelle tastete, um das Ding loszumachen, entdeckte sie, daß es die Metallspirale eines Notizbuches war, das irgendwie unter das Kissen geraten sein mußte.

Leonard schritt in dem Büro auf und ab, nahm Computerausdrucke von den Stühlen, ließ sie zu Boden flattern, »Bitte, machen Sie sich's bequem. Möchte irgendwer Kaffee?«

Rachel sah zu der Kaffeemaschine in der Ecke des Zimmers, wo vier angestoßene Porzellantassen vor einem Pyrex-Gefäß mit einer kohlschwarzen Flüssigkeit standen. »Nein, danke.« Die anderen schienen ihre Meinung zu teilen.

Paston sagte: »Haben Sie schon irgendwas herausgefunden?«

Leonard saß hinter seinem Tisch und fing an, sich durch Papierhaufen und Aktenstapel zu wühlen. »Ich weiß noch nicht alles, aber doch schon so einiges. Es ist eine Art Profil.«

Altmeyer und Rachel tauschten einen Blick aus.

Leonard fuhr fort. »In den letzten paar Jahren ist alles rauher geworden. Jede Firma, die kleiner ist als General Motors, kommt sich vor wie 'n Hauskätzchen im Dschungel. Sie sehn die Chance für'n bißchen Wachstum, doch was immer sie tun, um zum notwendigen Kapital zu kommen, könnte die Aufmerksamkeit auf sie lenken – für 'ne wenig freundliche Übernahme. Wenden sie sich an die Öffentlichkeit, so kann's passieren, daß sie am nächsten Tag zur Arbeit kommen und feststellen, daß ihnen jemand die Firma unterm Hintern weggekauft hat. Also verstecken sie sich im hohen Gras, solange irgend möglich.«

»Tut das Ashita?« fragte Altmeyer.

Leonard zog einen Aktendeckel hervor, schlug ihn auf. »Sieht ganz danach aus. Die tun so geheimnisvoll wie der Teufel. Früher hatten sie Zwischenhändler, doch während der letzten zwei Jahre haben sie so ziemlich in jedem Markt ihre eigenen Leute untergebracht. Ich hab zwar noch keine Zahlen, aber bei dem Volumen, das sie schon vor zwei Jahren hatten, lag es für sie nahe, die Sache sozusagen 'n bißchen aufzuschlüsseln.«

»Worauf läuft das nach Ihrer Ansicht hinaus?« fragte Paston.

Leonards Blick löste sich nicht von dem Aktenstück. »Es könnte bedeuten, daß Bucky recht hat. Daß die was am Laufen haben, worüber sie jedoch nichts verlauten lassen möchten, bis ihre eigenen Wiederverkäufer etabliert sind – und bereit sind zu verkaufen.«

»Also haben sie irgendein geheimnisvolles Produkt«, sagte Rachel. »Aber wie kommt man dahinter?«

Leonard zuckte die Achseln. »Es ist schwer, auch nur in einem einzigen Punkt genau Bescheid zu wissen. Ein neues Produkt kann 'ne Menge bedeuten – neue Fabriken, neue Maschinen, vor allem 'ne Riesenmenge Kosten. Bisher sind die noch an keine japanischen oder hiesigen Banken rangetreten. Und mit Papierchen an irgendner Börse haben sie's auch noch nicht versucht.«

»Woher wissen Sie das mit den Banken?« fragte Paston.

»Ashita ist privat, und direkte Fragen beantworten die Banken nicht, aber über größere Anleihen findet man am besten mit Hilfe einer Kreditprüfung heraus. Jedenfalls: Da sie keine Aktien ausgeben und sich kein Geld leihen, ist nicht auszuschließen, daß sie bereit wären, über eine begrenzte Partnerschaft zu verhandeln. Wer weiß, mit wem sie deshalb vielleicht schon in Verhandlungen sind?«

»Klingt ganz, als hätten wir keine Zeit zu verlieren«, sagte Paston. »Was haben Sie sonst noch?«

Leonard reichte ihm eine Glanzbroschüre mit Modellnummern und Preisen. »Das ist ihr Katalog. Falls die ein Geheimprodukt haben, wird's da drin wohl kaum zu finden sein.«

Bucky stand neben Paston. »Können wir das mitnehmen?«

»Sicher. Ich weiß allerdings nicht, was es Ihnen verraten könnte.«

»Wir werden davon einfach Muster bestellen«, sagte Bucky. »Was für einen Sinn hat es zu investieren, wenn sich später herausstellt, daß die doch nur Schrott produzieren?«

»Hören Sie, Bucky. Ich weiß nicht, was die Leute tun. Ich weiß nicht, ob die Sie mit offenen Armen aufnehmen würden, falls Sie's herausfänden. Aber ich würde sagen, daß Ihnen keine sechs Wochen bleiben, um da auf eine Lieferung von irgendwoher zu warten. Wenn darüber bereits gequatscht wird, dann müssen Sie verdammt schnell zu einem Entschluß kommen.«

Paston hielt den Katalog auf Armlänge von sich, um ihn zu betrachten.»In Ordnung. Ich melde mich bald wieder bei Ihnen.« Er bewegte sich in Richtung Tür.»Inzwischen bleiben Sie bitte am Ball. Konzentrieren Sie sich darauf herauszufinden, wem der Laden wirklich gehört, wer ihn leitet, und wie man sich mit denen in Verbindung setzt. Wenn wir uns zu einem Schritt entschließen, dann möchte ich mit dem Mann sprechen, der die Papiere unterzeichnet.«

»Aber Arthur«, sagte Bucky.»Wir müssen doch . . .«

Altmeyer berührte ihn am Ärmel.»Nur mit der Ruhe.« Er blickte zu Leonard.»Vielen Dank für alles.«

Rachel trat zwischen Bucky und Leonard. Sie lächelte.»Ja, vielen herzlichen Dank. Arthur sagte, Sie seien der Beste, und jetzt wissen wir, was er meinte.« Sie spürte, wie hinter ihr die Tür aufschwang, ahnte, daß Altmeyer Bucky sacht hinausdrängte, deckte gewissermaßen beider Rückzug.»Es war nett, Sie kennenzulernen.«

Während sie zu Buckys Auto gingen, schritt Rachel neben Paston.»Arthur, was ist Ihnen aufgefallen? War was im Katalog?«

»Eine Sache ist die, daß Leonard noch mehr recht hat, als er ahnt, und daß wir keine sechs Wochen auf Lieferung warten können. Die andere Sache ist die, daß wir das gar nicht brauchen. Die ziehen hier so was wie eine Engros-Niederlassung in Westwood auf.« Paston reichte Rachel den Katalog, als er sich auf den Rücksitz des Mercedes fallen ließ.

Rachel studierte den Katalog, ließ ihren Finger rasch die Spalten hinuntergleiten, blätterte dann geschwind um.

»Die Anschriften sind auf der letzten Seite«, sagte Paston.

»Ja«, erwiderte Rachel.»805 Westwood Boulevard.« Sie runzelte die Stirn.»Altmeyer, sieh dir das mal an. 805 Westwood Boulevard.« Sie schob den Katalog auf den Vordersitz.

»Hab's gehört«, sagte Bucky.»Wir werden in zwanzig Minuten dort sein.«

Altmeyer sah sich den Katalog an. »Sicher«, sagte er nur, klappte die Broschüre zu und ließ sie auf seinem Schoß liegen. »Sollte sehenswert sein.«

»Wie meinen Sie das?« fragte Paston.

»Überlegen Sie mal, wo es sich befindet«, sagte Rachel. »Direkt am Rand vom UCLA-Campus.«

Bucky sagte: »Wer diese Kerle auch immer sind, es sind gewitzte Jungs. Wer kauft denn wohl all so elektronisches Zeug. Wenn ich Stereogeräte und Recorder und so weiter verkaufen würde, dann . . .«

Altmeyer unterbrach ihn. »Rachel hat recht. Ich würde Ihnen die Angebotsliste ja zeigen, bloß rammen Sie dann womöglich einen Baum. Ich kann jedenfalls nichts finden, was Jugendliche kaufen würden. Da gibt's fünfzig verschiedene Sorten von Drähten und Kabeln und Temperaturkontrollsysteme für Bürogebäude und Swimmingpools, ja sogar Feuchtigkeitsregler für Gewächshäuser. Also müßte es so was wie 'n Großhändler sein, der den Einzelhandel beliefert. Bloß paßt das nicht zur geographischen Lage.«

»Überlegt mal«, sagte Rachel. »Es liegt direkt zwischen Brentwood und Beverly Hills, auf einem der teuersten Grundstücke der ganzen Welt. Wieso? Die Einzelhändler würde eine so hochnoble Lage kaum beeindrucken, und was für einen Vorteil sollte das sonst haben? Es liegt mindestens dreißig Kilometer vom Hafen entfernt.«

Altmeyer nickte und fügte hinzu: »Außerdem muß man die Verkehrsbedingungen hier berücksichtigen. Die meisten Straßen sind zu eng für Laster von mehr als zweieinhalb Tonnen. Parken ist praktisch unmöglich, und Tag für Tag verstopfen fünfundzwanzig- bis dreißigtausend Autos sämtliche Straßen, die zum Campus führen. Außerdem gibt's dort den Gebäudekomplex der Veteranenverwaltung und . . .«

»Ich weiß«, sagte Bucky. »Und Century City und Fox Studios auf der anderen Seite. Ich habe in diesem Stadtteil mein halbes Leben verbracht, und Arthur hält wahrscheinlich die zweite Hypothek darauf. Daß diese Leute keine elektronischen Pool-Wärmer verkaufen, wissen wir doch bereits – was für eine neue tolle Hypothese schütteln wir denn nun aus dem Ärmel?«

Rachel sagte: »Ich habe keine. Und du, Altmeyer?«

Altmeyer studierte wieder den Katalog. »Nein. Ich kapier allerdings, warum die 'n solches Risiko eingingen, ihr Uran nach Japan zu transportieren. Offenbar muß man da jede sich bietende Gelegenheit wahrnehmen und kann nicht sehr wählerisch sein. Aber wieso die bei ihren normalen Geschäften was Unnormales tun sollten, geht über meinen Horizont. Ich wüßte gern, ob sie weitere Niederlassungen in ähnlich auffälliger Lage haben.«

»Ich werde Leonard bitten, das zu überprüfen«, sagte Paston. »Ist doch ein verständliches Informationsbedürfnis für jemanden, der investieren möchte, oder?«

»Sicher«, sagte Bucky. »Schließlich wollen wir ja nicht, daß unsere Filialen in heruntergekommenen Vierteln liegen, wo sich die Leute unsere Bomben überhaupt nicht leisten können.« Er stoppte beim Wilshire Boulevard und versuchte sich in den westlichen Verkehrsstrom einzuordnen, womit's nicht klappen wollte: Es gab einen Stau.

Als die Verkehrsampeln auf Grün wechselten, sagte Arthur: »Fahr geradeaus weiter und dann zu mir zurück.«

»Willst du mir etwa eine Übungsstunde *in puncto* Verkehrsverhalten geben?«

»Nein. Aber ich meine, daß wir besser zu einer anderen Tageszeit zur Ashita-Niederlassung fahren. Altmeyer weiß sicherlich, welche die beste dafür wäre.«

Altmeyer antwortete ohne Zögern. »So um zehn, wenn dort die Kinos mit der zweiten Vorstellung angefangen haben. Wir wollen mit dem Shopping ungefähr zur selben Zeit fertig sein, wenn die Vorstellungen in den Kinos zu Ende sind.« Er lehnte sich auf seinem Sitz zurück und schloß die Augen.

Die meisten Leute auf der Straße schienen in den Zwanzigern oder in den Dreißigern zu sein, auch waren es lauter Paare oder Gruppen von Paaren, so als gäbe es irgendwo in der Nähe eine altmodische Tanzveranstaltung und man spaziere zwischendurch mal ein bißchen draußen umher, um etwas frische Luft zu schnappen.

Altmeyer blickte sich um.»Wir müßten auf der richtigen Fährte sein. Es ist in diesem Häuserblock, und die Filme fangen so in zehn bis fünfzehn Minuten an.« Unter dem Arm hielt er eine Einkaufstasche.

Rachel wandte sich von den Schaufensterscheiben ab und blickte geradeaus.»Ihr werdet's nicht glauben«, sagte sie.

»Vermutlich nicht«, sagte Bucky.»Aber an so was gewöhnt man sich.«

»Es ist die Buchhandlung. Offenbar haben die den Laden gemietet und ihn dann dichtgemacht. Eine Schande.«

Altmeyer sagte ruhig:»Da werden wir wohl keine Mühe haben, uns zurechtzufinden, oder?«

»Ich würde mich dort mit geschlossenen Augen zurechtfinden«, sagte Rachel.»Früher habe ich hier so manche Stunde zugebracht. Manchmal kamen Leute und fragten mich nach diesem oder jenem Buch, weil sie annahmen, daß ich hier beschäftigt sei.«

»Das waren bloß Annäherungsversuche«, meinte Altmeyer.

Rachel runzelte die Stirn.»Nein, überhaupt nicht.«

Paston gluckste.»Oder vielleicht doch. Vor Jahren war das mal meine Lieblingstaktik. Ich fand die perfekte Buchhandlung in New York. Die waren auf symbolistische Lyrik spezialisiert . . .«

»Arthur«, sagte Bucky,»dies ist die anrüchige Seite deines Charakters, von der ich mir nie was hätte träumen lassen. Du hast mir nie davon erzählt.«

»Du hast dich ja auch nie für Frauen interessiert, die lesen konnten«, sagte Paston. Er betrachtete die vordere Schaufensterscheibe des Geschäfts. Das Glas war erst vor kurzem durch ein Eisengitter verstärkt worden. Die Auslage bestand aus einigen Plastikbehältern, die möglicherweise zu einem elektronischen System gehörten.»Nicht sehr einladend, wie?«

»Wir steigen ein«, sagte Altmeyer.»Das Metallgitter ist 'n gutes Zeichen. Es bedeutet wahrscheinlich, daß sie kein Alarmsystem haben. Sie wollen nicht, daß es durch Zufall ausgelöst wird und die Polizei herbeigejagt kommt. Gehen wir doch mal nach hinten.«

Hinter dem Ashita-Geschäft fand sich auf der stählernen Doppeltür ein weiteres Zeichen: PARKEN NUR FÜR KUNDEN. Altmeyer stellte seine Einkaufstüte auf die Betonplatten und betrachtete die Türen.

Bucky seufzte:»Und ich hatte so sehr auf'n Schild EINTRITT FÜR EINBRECHER gehofft. Wollen Sie wirklich das Schloß knacken?«

Altmeyer grinste und langte in die Einkaufstüte.

»Dies, meine Damen und Herren, ist so was wie 'n Stemmeisen.« Er schob es unter die Tür.»Nicht besonders hübsch. Nicht besonders kompliziert.« Er schob es soweit nach rechts, bis es sich direkt unter dem Türknauf befand. Dann drückte er nach unten, und es gab ein ächzendes, zerrendes Geräusch. Altmeyer legte das Stemmeisen beiseite und zog einen Metallstreifen hervor, der an den Boden geschraubt gewesen war.»Dazu braucht's keine mathematischen Kenntnisse, nicht mal 'ne Spur von Orientierungssinn. Stur draufhalten ist die Devise.«

Wieder schob er das Eisen unter die Tür, diesmal ein wenig weiter, ließ es von Seite zu Seite gleiten, suchte irgend etwas. Schließlich fand er, was er suchte und stemmte den flachen Teil des Eisens dagegen. Er blickte zu den anderen.»Diese Tür hat 'ne vertikale Stange, die bis zu 'nem Loch im Boden reicht. Die Stange ist aus Stahl, etwa 'n Zentimeter dick, das gilt aber nicht für den Boden.« Er lehnte sich auf das Eisen, und man hörte das Splittern von Holz. Wieder drehte er das Eisen, schob es langsam tiefer. Dann langte Altmeyer zum Türknauf und öffnete die Tür zwei, drei Zentimeter mit der linken Hand.

»Eine überzeugende Methode«, sagte Bucky.

»Ja«, sagte Altmeyer.»So 'n Stemmeisen ist das richtige Werkzeug für 'n analytischen Menschen wie mich. Wenn man genügend Zeit und Geduld hat, kann man damit so ziemlich alles in seine Einzelteile zerlegen.« Er ließ seine Hand durch den Türspalt nach innen gleiten, preßte den Handteller gegen die Metallstange, drückte sie höher, und die Tür schwang auf.

Bucky zögerte.»In letzter Zeit stolpere ich dauernd an Leichen vorbei.«

»Keine Sorge«, sagte Rachel und glitt an ihm vorbei in die Dunkelheit. »Wer mit mir Shopping geht, kann seine Nerven schonen. Kommt rein und macht die Tür zu. Ich hab meine Hand am Lichtschalter.«

Ein leises Kratzgeräusch, dann eine Art Klicken, als Altmeyer die Tür schloß. Das Licht gab den Blick frei auf einen großen Raum voller Kartons und auf eine Tür, die zum vorderen Teil des Geschäfts führte. »Die reinste Festbeleuchtung«, sagte Paston, »ist da nicht irgendwas faul?«

»Keine Sorge«, sagte Altmeyer. »Als das hier noch 'ne Buchhandlung war, war die Vordertür aus Glas. Jetzt ist es Holz. Man konnte durch die Schaufensterauslage in den Laden blicken und jetzt ist da hinten alles dicht gemacht. Das sagt schon 'ne ganze Menge.«

»Vielleicht haben sie die Zimmerleute umgelegt, aus Kostenersparnisgründen.« Rachel ging an der Reihe der Kartons entlang. »Arthur, hier ist die Produktliste. Sie können jeden Gegenstand, den ihr findet, abhaken, und Bucky und Altmeyer werden die Kartons öffnen und nachsehen, was drin ist.« Sie ging durch die Tür in den vorderen Teil des Gebäudes.

»Wo will sie hin?« fragte Bucky.

»Sich 'n bißchen umtun. Okay, Arthur, was als erstes?«

»Fangen wir mit den großen Dingern hier an. *Model R1X-5937* steht drauf, *Happyboy Verdunster*. So was Sinistres habe ich in meinem ganzen Leben noch nicht gehört.«

Altmeyer riß einen Karton auf und zog eine große, schwarze Kiste hervor, die er mit seinem Eisen aufstemmte. Zwei kleine Schrauben flogen ihm über die Schulter, landeten irgendwo. Altmeyer riß heraus, was er fand und warf alles in den Karton, Stück für Stück. Ein kleiner silberner Gegenstand verfehlte den Karton, doch Altmeyer ignorierte das.

»Wir sind die echt wilden Shopper, wie?« meinte Bucky.

»Die sehn sowieso, daß wir hier waren«, sagte Altmeyer. »Was kommt als Nächstes?«

Paston kippte den Kopf zur Seite, las das Schild auf einer anderen Box. »*NIR-2130*, ein Anrufbeantworter.«

Bucky riß einen Karton auf und erklärte: »Klingt wie ein Musikinstrument, ist aber bloß so 'ne Antwortmaschine. Hier, Altmeyer, Sie können es ja mit Ihrem Stemmeisen analysieren, während ich mich ans nächste mache.«

Rachel ging gelassen zur Vorderseite des Geschäfts. Da waren auch schon die langen Gänge mit den Buchregalen, bloß daß auf ihnen jetzt Plastikbehälter mit Drahtrollen, Steckern, Clips und anderem Zeug lagerten. Während sie die Gänge abschritt, vernahm sie die gedämpften Stimmen Altmeyers und der anderen und mitunter auch ein scharfes Krachen, wenn die Männer irgend etwas aufbrachen. Sie wandte sich in Richtung der Treppe zum nächsten Stockwerk. Diesen Teil der Buchhandlung, sie hatte ihn vor ein paar Monaten das letzte Mal betreten, hatte sie am liebsten gemocht, weil hier die Bücher seitlich aufgestellt wurden, so daß man sie betrachten konnte wie Gemälde. Weiter oben sah es aus wie in einer Bibliothek, Buch neben Buch gestellt in säuberlichen Reihen. Rachel erinnerte sich an das kleine Büro ganz oben, wo der Manager den Papierkram erledigte. Es mündete in einen kleinen Alkoven, dessen Wände teure Nachschlagewerke säumten. Unwillkürlich fragte sie sich, nach welchen Gesichtspunkten die Auswahl getroffen worden war: Um den wenigen Kunden, die darauf achteten, zu imponieren, oder um dem kleinen Büro einen Touch von Würde zu geben? Jetzt würde es in den Regalen bestimmt nur rechteckige elektronische Kästen geben, manche mit Leuchtdioden oder Digitalanzeigen und ähnlichem, doch alle häßlich und bedrohlich wie Rattenfallen.

Rachel stieg weiter hinauf. Ein leichtes Schwindelgefühl erfaßte sie, als sie oben ankam. Während sie noch stand, schien sich ihr Herzschlag zu verlangsamen. »Nicht jetzt«, dachte sie. »Es ist zu wichtig, später fällt's nicht mehr so ins Gewicht.«

Das obere Stockwerk war umgestaltet worden. Keine Regale mehr, und der Alkoven war jetzt offen. Vier große hölzerne Schreibtische mit Computerterminals teilten sich den Raum mit einer Reihe von schwarzen Aktenschränken. Ohne Zögern trat sie zum nächsten Schreibtisch und begann, die Papiere zu sichten. Sie ging mit methodischer Ruhe vor, zwang sich dazu, jedes Blatt auf dem Schreibtisch zu studieren, öffnete jede Schublade und tastete sie sorgfältig ab, um sicherzugehen, daß nirgends etwas mit ›Scotch-tape‹ festgeklebt worden war. Als sie mit dem ersten Schreibtisch fertig war, ging sie zum zweiten. Als sie die dritte Schublade öffnete, spürte Rachel eine eigentümliche Anspannung in den Beinmuskeln, als sollte sie auf der Stelle die Treppe hinuntereilen, um die anderen zu holen. Doch sie bezwang sich und fuhr mit ihrer Arbeit fort. Nach den Schreibtischen blieben nur noch die Aktenschränke.

Im Lagerraum beobachtete Bucky, wie Altmeyer einen Cozy Paradise Industrie-Thermostaten demolierte. »Geht das denn?« fragte er. »Ist doch ziemlich gut versiegelt.«

Altmeyer ging zu einem anderen Kasten. »Das bezweifle ich. Ist ja nicht viel dran. Falls Cord recht hat, müssen sie irgendwas verwenden, das im Prinzip 'n Ersatz für den Bleischutz des Urans wäre.«

Er betrachtete den Karton. »Mit diesem sind wir auch schon fertig, was, Arthur?«

Paston rückte die Brille auf seiner Nase zurecht und blickte auf die Liste in seiner Hand. »Ist das der Rauchdetektor?«

»Nein, das ist der Wasserentkalker.«

»Dann haben Sie ihn schon lädiert.« Er ließ seinen Kugelschreiber die Liste hinuntergleiten, dann wieder hinauf. »Ich glaube, wir haben alles gesehen bis auf das G-96 Hochspannungssicherheitskabel und den batteriebetriebenen Rauchdetektor.«

»Hier hinten seh ich nichts, was dem entsprechen könnte. Sehn wir uns mal im vorderen Teil des Ladens um. Wenn sie schon nichts davon an Lager haben, so doch wenigstens 'n Exemplar zum Vorzeigen.«

Sie traten durch die Tür, und Bucky ging an der ersten Regalreihe entlang. »Hier sind Drähte und Kabel. Wie war die Nummer?«

»G-96.«

Bucky hielt ein Paket mit einer roten Rolle oder Spule hoch. »Dies wär's wohl. Soll ich's öffnen, oder möchten Sie's so mit nach Hause nehmen?«

Altmeyer öffnete das Päckchen und spannte einen Teil der Plastik-isolierung gegen das Ende des Tischs.»Ich glaub kaum, daß es das ist. Die brauchen was leicht Schwereres, um damit 'ne Hohltasche im Zentrum auszufüllen.« Er ließ es fallen und ging zur nächsten Regalreihe.

Bucky trat zum vorderen Tisch und rief:»He, die haben hier 'n Superkatalog, mit Abbildungen drin und allem Drum und Dran.« Er nahm den Katalog, blätterte ihn hastig durch.»Hier ist es. *Slee-ping-Tite Rauchalarm.* Dieser Rauchdetektor ist irgendwie elfen-beinfarben, hat die Form und die Größe einer Suppenschüssel, mit einem kleinen roten Licht in der Mitte. Habt ihr schon mal so was gesehen?«

Nach einer Pause sagte Paston:»Auf dieser Seite ist nichts. Und da drüben ist alles o. k.« Altmeyer sagte:»Hier haben wir alles ge-prüft. Laßt mich mal den Katalog ansehn.«

Altmeyer und Bucky traten dichter zum Treppenaufgang, wo das Licht heller war. Altmeyer studierte den Katalog, gab ihn dann wieder Bucky.»Sehen Sie das? Da steht: *Zur Zeit nur in England erhältlich.*«

»Wenigstens den Katalog habe ich gefunden«, sagte Bucky.

»Lassen Sie ihn ja nicht aus den Augen. Ist bisher das Beste, was uns in die Hände gefallen ist.« Er stieg die Treppe zu dem erleuch-teten Büro hinauf, wo Rachel dabei war, Schubladen aufzuziehen und wieder zu schließen.

»Was Interessantes gefunden?« fragte er.

»Wenig.« Rachels Stimme klang weich und fern. Rasch trat sie zum nächsten Aktenschrank und öffnete eine weitere Schub-lade.

»Die scheinen überhaupt nichts abzuschließen, was?« Paston war gleichfalls die Treppe heraufgestiegen.

»Wozu auch«, murmelte Rachel.»Es ist ja praktisch nichts hier. Ein paar Verkaufsaufträge, aber keinerlei Kopien über Zahlun-gen, nicht mal die Rechnungen für die Ware, die sie am Lager haben. Vermutlich wurde alles auf einmal hergeschafft, inklusive Mobiliar. Seht euch mal die Computerterminals genauer an. Die sind mit nichts verbunden.«

Altmeyers Blick glitt durch den Raum. »Nirgends 'ne elektrische Steckdose, die nah genug wär, um das hier einzustöpseln.« Rachel schloß die letzte Schublade und hielt dann inne. »Das wär's. Ich glaube, ich bin fertig. Wir sollten machen, daß wir hier rauskommen und darüber sprechen.«

»Ich bin nicht sicher, daß wir schon fertig sind«, sagte Altmeyer. »Kannst du mir 'nen kurzen Überblick geben?«

Rachel setzte sich hinter den nächsten Schreibtisch und blickte starr vor sich hin, als rezitiere sie aus einer müden Erinnerung. »Der Schreibtisch dort drüben und die meisten Aktenschränke sind leer. Hier gibt's nichts, was den Eindruck macht, als würden hier viele Geschäfte betrieben. Das eigentlich Überraschende ist wohl, daß sie überhaupt welche machen, aber das ließ sich wohl kaum vermeiden.« Sie lächelte. Für eine Sekunde ruhten ihre Augen auf Altmeyers Gesicht, glitten dann weiter. »Überlegen wir mal. Alle, die hier arbeiten, sind Amerikaner. Hier gibt's nichts, aber auch gar nichts Englisches, nicht mal 'n bekritzeltes Stück Papier.«

»Du willst auf was Bestimmtes hinaus.«

Sie nickte. »Hilfreich ist es nicht, macht einem höchstens Angst. Ich fand fünf Handfeuerwaffen im Büro, und in der unteren Schublade des zweiten Aktenschranks ist ein Ingram MAC-10. Momentan steht das Ding auf automatisch, und das Magazin ist voll, was nur beweist, daß es da wen gibt, der *kein* Genie ist.«

Altmeyer berührte sie am Arm. »Und die Handfeuerwaffen?«

»Na, wenigstens sind's keine Brownings«, sagte sie.

»Mit so was können wir allemal mithalten.« Er schwieg einen Augenblick. »Sonst noch was – Schlimmeres?«

»Auf dem Schreibtisch dort hinten lag ein Zettel mit unserer Adresse drauf.«

Er legte seinen Arm um Rachel. »Komm, Baby. Machen wir, daß wir hier rauskommen.«

Bucky begann zu reden. »Augenblick mal.« Sie sahen, wie er auf einen Schreibtisch kletterte. Unsicher stand er da und starrte zur Zimmerdecke empor, wo ein scheibenförmiges Ding von gut zwanzig Zentimeter Durchmesser mit einem roten Punkt in der

210

Mitte glühte. Er deutete darauf. »Schaut her«, sagte er. »Ich kann's zwar von hier aus nicht lesen, doch 's sieht mir ganz nach einem batteriebetriebenen *Sleeping-Tite Rauchalarm* aus.«

Altmeyer kletterte zu ihm auf den Tisch und zog einen Stuhl hinterher. »Halten Sie den Stuhl fest«, sagte er und trat auf die Sitzfläche, hob die Hand und berührte die Scheibe, drehte sie, zog dann daran. »Sie haben recht, Old Buckeye.«

Rachel sagte: »Unten müssen noch mehr davon sein. Brauchst dir also nicht den Hals zu brechen.«

Bucky ließ Altmeyer nicht aus den Augen. »Hier verkaufen sie das Zeug nicht. Nur in England.«

»Vermutlich verkaufen sie überhaupt nicht viel«, sagte Rachel, »aber garantiert haben sie eine Menge davon geordert. Die Auflistung ist irgendwo hier drüben.« Sie trat zu der Reihe der Aktenschränke und öffnete zwei Schubladen, fand schließlich die richtige, zog einen Aktendeckel hervor.

Altmeyer schwang sich vom Schreibtisch herunter und stand neben Bucky, den ›Rauchalarm‹ in den Händen. Bucky sagte: »Bevor Sie das Ding in Gang setzen, lassen Sie mich bitte die Feststellung treffen, daß meine Nerven bereits in Fetzen sind.«

Altmeyer drückte auf eine Kerbe an der Seite und zog eine Art Deckel ab. Kurz betrachtete er das Innere, dann reichte er die Alarmanlage Bucky und deutete auf die Worte, die in die glänzende Metallbox neben der Batterie tief eingraviert waren.

Bucky las laut: »*Vorsicht. Nicht weiterverwenden. Enthält radioaktives Material.*«

Rachel blickte von ihrem Aktenstück auf, als hätte sie nichts gehört. »Letzten Monat haben die zweitausend davon aus Japan geordert, doch der Liefertermin ist in über einem Jahr.«

»Gott sei Dank«, sagte Paston mit Inbrunst.

»Aber die sind bereits mitten in der Planung«, sagte Rachel. »Sie rechnen damit, daß sie die Bombe eines Tages hier bauen werden.«

»Wir sollten jetzt verschwinden. Ich hab meinen Einkaufsbeutel und das Stemmeisen unten gelassen. Noch jemand außer mir, der was bei sich hatte?«

»Nein, sonst hatte keiner was mitgebracht«, meinte Rachel. »Sollten wir vielleicht was mitgehen lassen, damit's nach Einbruch aussieht?«

»Ich nehm die MAC-10 und 'n paar Clips«, sagte Altmeyer. »Ihr anderen nehmt 'n paar Handfeuerwaffen mit.«

Arthur Paston stützte sich auf das Geländer, als er die Stufen hinunterging. »Verdammt raffiniert von diesen Kerlen, radioaktives Material eindeutig gekennzeichnet zu transportieren. Wenn wir diesen Teil des Rauchdetektors wiegen und mit zweitausend multiplizieren würden, könnte uns sicher irgend jemand Aufschluß über die Größe der Bombe geben, was? Vielleicht Mr. Cord?«

Bucky nahm von Rachel eine Pistole entgegen und folgte ihr zur Treppe. »Ich glaube nicht, daß wir das unbedingt wissen müssen, Arthur.«

Paston war bereits am Fuß der Treppe. Im trüben Licht wirkte er sehr groß und sehr gerade. »Sie haben natürlich recht. Schon früh in meinem Leben habe ich gelernt, daß alle intelligenten, ernsthaften Menschen von der Vorstellung besessen sind, Details möglichst messerscharf zu sehen. Aber das hier ist doch wohl was anderes, oder?«

»Nein«, sagte Rachel, »ist es nicht. Wir sollten für den Augenblick mal ganz schlicht auf ein Stück Denkarbeit verzichten.«

Altmeyer betrachtete die kleine Maschinenpistole. »Die steck ich in den Beutel. Falls jemand 'n bißchen was entzweischlagen möchte, tut euch keinen Zwang an, solang es keinen Krach macht.«

»Nein, danke«, sagte Bucky. »Einen so wunderschönen ruhigen Abend möchte ich nun wirklich nicht verderben.« Rachel ging zur Vordertür, und Bucky rief: »Wollen Sie die wirklich einschlagen . . .?«

Rachel sprach über die Schulter. »Unsinn, ich will nur mal nachsehen, ob die Luft rein ist.«

Altmeyer kehrte aus dem Lagerraum zurück, Einkaufsbeutel in der Hand. »Wie sieht's aus?«

»Moment. Oh, hier ist das Ding.« Sie beugte sich vor und spähte durch die winzige Fischaugenlinse in der Tür. »Die Straße sieht okay aus. Eine Menge Leute, in beiden Richtungen.«

»Die Kinos sind wohl aus, da strömt's dann nur so. Bucky und Rachel, ihr geht zuerst, wir anderen folgen. Bucky, tun Sie genau das, was Rachel tut. Ihr geht raus und mischt euch gleich rechts unter die Leute. Schaut niemandem in die Augen und bewegt euch genau wie alle anderen.«

»Wir schleichen uns nicht hinten raus?«

»Zeitverschwendung und gefährlich dazu. Was für Typen tauchen schon nachts aus dunklen Gassen auf?«

»Typen, die Shopping gehen – mit Stemmeisen.«

Rachel trat hinaus auf den Bürgersteig und Bucky folgte ihr. Altmeyer hatte seine Hand auf dem Türgriff und sein Auge am Spion, er beobachtete die Reaktionen der Leute auf der Straße, soweit er sie sehen konnte, bis Rachel und Bucky nach etwa zehn Schritten aus seinem Blickfeld entschwunden waren. Dann öffnete er die Tür, zog Arthur nach draußen, schloß die Tür wieder. Beim Gehen hielt er den Einkaufsbeutel in der linken Armbeuge.

Paston sagte ruhig: »Wir scheinen's geschafft zu haben.«

Altmeyer zuckte mit den Achseln. »Alles, was wir drinnen gefunden haben, wird uns noch mehr zu schaffen machen.«

Sie bogen um die Ecke und konnten jetzt sehen, daß Rachel und Bucky nicht mehr weit vom Auto waren. Altmeyer sagte: »Wieviel müssen Sie wissen, bis Sie meinen, daß es Zeit ist, uns fallenzulassen und zu den Behörden zu gehn?«

Paston verlangsamte seinen Schritt, um nicht in Hörweite der anderen zu geraten. »Nach meiner Erfahrung sind die Behörden langsam wie Schnecken. Und wenn sie's mit so unglaublichen Beschuldigungen gegen eine legale Firma zu tun haben, werden sie noch schneckenmäßiger sein als sonst.«

Altmeyer blieb stehen und wartete.

Paston sprach voll Ungeduld, fast war's, als deklamiere er: »Ich weiß, daß wir's uns nicht leisten können, monatelang zu warten, während die Polizei einer Reihe von Ländern sich Verfahrenstricks einfallen läßt, damit sie einander ja nicht auf die Zehen treten. Bis dahin könnte es Tausende von Toten geben.«

»Wann werden Sie zur Polizei gehen?«

Paston runzelte die Stirn. »Darüber brauchen wir nicht zu reden, Bucky hat's bereits gesagt: Sobald man weiß, daß es keinen Ausweg mehr gibt, sondern nur noch den nach vorn. Wenn ich der Meinung wäre, die Polizei könnte auch so damit fertig werden, brauchte ich denen nichts zu melden.«

Altmeyer musterte Paston. »Wovon sprechen Sie?«

Paston beugte sich näher. »Sie sind in dieses Geschäft eingestiegen, um Geld zu machen, bloß: Die Art von Geld, mit der Sie sich in aller Seelenruhe hätten trollen können, war da nie drin. Sie sagen, Sie können nicht aufhören, weil diese Leute Sie umbringen wollen, aber Sie wissen auch, Altmeyer, daß diese Leute, sobald sie im Besitz ihrer Waffen sind, nichts von Ihnen zu fürchten haben. Wenn's Zeit für die Polizei ist, werde ich sie gar nicht anzurufen brauchen, weil Sie das selber tun werden, Altmeyer.«

»Sie vergessen, wer ich bin, Paston. Das ist meine Art, mir meinen Lebensunterhalt zu verdienen.«

Paston sah, wie Rachel in Buckys Wagen stieg. »Ich vergesse überhaupt nichts.«

Irgendwo in der Ferne läutete ein Telefon, und Rachel lauschte, versuchte den genauen Standort auszumachen. Das Geräusch schien aus einem anderen Teil des Hauses zu kommen, hinter den hohen Palmen.

Paston öffnete eine Box auf dem Tisch neben sich und holte einen Zweitapparat heraus. »Ja. Oh, hallo, Leonard. Bucky und die Altmeyers sind jetzt hier. Und da das alle Partner hören sollten, schalte ich auf die Zwischensprechanlage.«

Von irgendeinem Lautsprecher bei der Bar dröhnte Leonards verstärkte Stimme in den Raum. »Tu's noch nicht. Hör zu, ich hab diese Sache aus jedem Blickwinkel gecheckt, und nichts davon stimmt so richtig. Dieser Altmeyer . . .«

»Ich hatte dir nicht aufgetragen, irgendwas zu checken, Leonard«, sagte Paston.

»Wenn man 'ne Partnerschaft eingeht, ist's mehr als ratsam, zu wissen, wer der andere ist. Und jetzt hör mir mal ganz schlicht zu und grunze höchstens einmal, bis ich fertig bin. Altmeyer ist solvent. Er hat 'n großes Haus in Laurel Canyon, das mehrere Mille wert ist. Er hat praktisch jede Menge Kredit, eher wie jemand, dem 'ne Bank gehört, als wie einer, der dort Schecks einlöst. Bloß kann ich keine Spur finden, wo das alles herkommt. Er und seine Frau besitzen angeblich dieses lumpige kleine Import-Export-Geschäft.«

»Das ist womöglich profitabler, als es den Anschein hat. Machen wir uns da also keine Sorgen...«

»Hab Vertrauen zu mir in dieser Sache, Arthur. Ich hab zwar noch keinen Beweis dafür, aber ich glaube nicht, daß dieser Kerl das ist, wofür du ihn hältst. Der braucht für 'nen Handel wie diesen genauso wenig einen Partner, wie du einen brauchst. Er gebraucht dich als Frontmann, als Aushängeschild. Höchst wahrscheinlich ist er 'n Drogenschmuggler mit dem Arsch voller 100-Dollar-Scheine, die er irgendwie ›konvertieren‹ muß.«

»Vielleicht hat er gerade eine Erbschaft gemacht.«

»Vorsicht, oder der kommt uns prompt auf den Trichter, worüber wir reden. Ich weiß, du hast gesagt, Bucky sei bei dir, aber ich hab so ein Gefühl, daß dieser Kerl dir Probleme machen kann, die dir kein noch so gewiefter Agent vom Hals schafft. Mir war schon immer klar, daß Buckys Leichtfertigkeit mit Kokain uns 'n paar Schlangen ins Nest schaffen würde, und Altmeyer ist eine. Das ist kein Mann, der irgendwas *geerbt* hätte.«

»Nicht er?«

»Sie? Bezweifle ich. Ich weiß, Arthur, das letzte Mädchen, das deine Pulsfrequenz erhöhte, war Marie Dressler, und jetzt denk mal scharf nach, und vielleicht regt sich bei dir 'ne trübe Erinnerung. Frauen, die nach der Pubertät drauf aus sind, reich zu werden, tun dies meist, indem sie solche Männer heiraten. Das erste Mal, als ich Altmeyer sah, steckte er schon im Schlamassel. Sieh dir doch seine Augen an, um Himmels willen! Als du ihn hereinführtest, dachte ich, nun hättest du dir 'nen Leibwächter angelacht.«

»Ashita.«

»Hörst du mir überhaupt zu? Arthur, wenn nichts Schlimmeres passiert, dann wird eines Tages die IRS über diesen Kerl stolpern und einen nationalen Feiertag ausrufen. Ich hab mich bei 'ner Bank umgehört, die 'ne Filiale in der Nähe seines Hauses hat, und fragte, ob Altmeyer wohl in der Lage wäre, ein Filmprojekt von 'ner halben Million Dollar zu finanzieren, und die hielten mit ihrer Meinung wirklich nicht hinter dem Berg zurück. Wenn der mal geschnappt wird, bist du mit drin in den 7-Uhr-Nachrichten.«

»Verstehe. Ich schalte jetzt auf die Zwischensprechanlage.« Paston drückte zweimal auf eine Taste, und Leonards Stimme bekam einen anderen Klang.

Sein Ton war freundlich und verbindlich. »Hallo, allerseits.«

Bucky und Rachel sangen wie aus einem Mund: »Hey, Leonard.«

»Ich hab noch 'n paar kleine Informationen über Ashita Electronics. Erstens – aber ich will's mal nicht so spannend machen –, mein Rat: Nicht zu viele Gedanken dran verschwenden. Die haben 'ne Kapitalquelle und sind voll damit beschäftigt, in sechs oder sieben Ländern nationale Zentren aufzubauen. Mein Tip: Das Kontrollkapital befindet sich bereits in einer bestimmten Hand.«

Altmeyers Stimme klang leise und anerkennend. »Wie kommen Sie zu dieser Ansicht, Leonard?«

»Weil's im Management von Ashita 'nen Wechsel gegeben hat. Jahrelang haben die in Japan Sachen produziert und an Großhändler in anderen Ländern verkauft. Aber plötzlich richten die auf fremden Märkten eigene Läden ein. Geschäfte müssen sie nicht mehr betreiben, also bereiten die 'ne große Sache vor. Es muß 'n dickes Ding sein, weil sie sich 'n Haufen Mühe machen, erstklassige Lokalitäten zu finden. Alles Läden in der Nähe von Universitäten. Übrigens, Sie waren's, Altmeyer, der mir den Hinweis gegeben hat, und das war 'ne mächtige Hilfe.«

»Es war dieser UCLA-Laden, der uns stutzig machte«, sagte Rachel.

Leonard schien zu grübeln. »Schon das verrät 'ne Menge. Die haben irgend'n mysteriöses Produkt auf der Pfanne, das man Studenten verkaufen kann, und hoffen, daß es 'ne Modemasche wird. Eigentlich 'n alter Hut, und ich versteh gar nicht, warum ich nicht selbst drauf gekommen bin.«

216

»Bloß keine Selbstvorwürfe«, sagte Rachel.»Wir wunderten uns nur wegen der Lokalität, aber eine Theorie hatten wir nicht. Sieht aber gut aus, wie?«

»Nein«, sagte Leonard.»Da ist vielmehr alles faul. Die investiern 'n Haufen Geld in Geschäfte, die nichts einbringen, falls das Geheim-Produkt nicht 'n Superknüller wird. Wir wissen nicht, ob's das beste Ding seit Frisbee ist oder 'ne komplette Niete. Was wir aber wissen, ist, daß die bereits 'nen Partner mit Risikokapital haben.«

»Hast du eine Idee, für wann die wohl planen, ihr Produkt herauszubringen?« fragte Paston.»Vielleicht können wir uns gleich nach dem Start einklinken, während die sich noch fragen, ob sie vielleicht einen Fehler gemacht haben.«

»Da hab ich meine Zweifel«, sagte Leonard.»Ehrlich, Arthur. Du weißt, daß ich andere Vorbehalte habe, was das betrifft, deiner Finanzlage wegen. Aber das ist was anderes. Wer die Sache bezahlt, rechnet mit 'nem Verlustgeschäft für längere Zeit, damit er die Geschäfte und die Lizenzen rechtzeitig im voraus unter Kontrolle hat. Die werden das Produkt an einer Stelle einführen, damit's dann den großen Sprung in die Zeitschriften-Publicity macht. Kriegen sie den gewünschten Aufhänger, so erscheint das Produkt plötzlich in allen anderen eingerichteten Läden.«

»Warum?« fragte Rachel,»haben die so was wie eine Großoffensive vor?«

»Das ist keine Marketingstrategie für 'ne Boutique«, sagte Leonard geduldig.»Die Leute in Minneapolis und Düsseldorf kaufen Sachen, von denen sie jemand überzeugt hat, sie seien *fashionable* in London und Paris. Wird das Produkt zum Superknüller, dann werden sie es auch an den anderen Stellen anbieten und wahrscheinlich den Preis in die Höhe treiben.«

»Wo, glaubst du wohl, werden sie die große Show starten, um dieses Produkt einzuführen?« fragte Paston.

»Da kann ich nur raten, und ich tippe auf London. Dort ist das erste ausländische Geschäft, das sie eröffnet haben, also liegt ihnen da am meisten dran. In London haben über die Jahre hinweg einige der größten Trends begonnen, und sie scheinen sogar Lon-

don als eine Art Ventil benutzen zu wollen, als Markttest für einige der langweiligeren Produkte, die sie jetzt verkaufen.«
»Wie meinen Sie das?« fragte Rachel.
»Nehmen Sie doch nur mal diese Jahreskatalogliste mit dem Rauchalarm, der nur in Großbritannien verfügbar ist. Ich behaupte ja nicht, daß damit schon was bewiesen wäre, aber es wäre doch wohl viel leichter, Produkte im Heimatland durchzutesten, falls man nicht was Besonderes im Hinterkopf hat. Ich sage euch, das alles sieht mir einem durch und durch raffinierten Plan verdächtig ähnlich.«
»Danke, Leonard«, sagte Paston. »Sorge doch dafür, daß Stephanie eine Reise nach London für uns arrangiert. Wir fliegen alle, und ich möchte so unauffällig wirken wie möglich. Die beste Idee wäre vielleicht, mich als Kameramann zu verkleiden, der auf der Suche nach guten Drehorten ist. Das heißt, ich werde ein paar Kameras mitbringen und vielleicht ein Tonbandgerät.«
»Arthur, das ist keine gute Idee.«
»Danke, Leonard. Halte dich auf dem Laufenden.« Paston drückte eine Taste des Telefons, schloß dann die Box.
Altmeyer stand auf und streckte sich. »Bucky, würde es Ihnen was ausmachen, wenn Sie heute nacht hier bei Arthur blieben und wir allein zu uns nach Haus gingen? Wir werden versuchen, gegen Mittag wieder hier zu sein, aber werdet nicht nervös, falls ihr uns erst gegen zehn oder elf Uhr abends seht.«
Paston begann: »Ich hoffe, Sie fühlen sich nicht beleidigt. Leonard ist nur...«
»Nicht die Bohne«, sagte Altmeyer, während er Buckys Schlüsselbund betrachtete. »Bis morgen also.«
Bucky folgte ihnen die Treppe hinauf zur Tür. »Was werden Sie tun?«
Rachel sagte: »Die Ziegen zählen.«
Altmeyer nahm den Einkaufsbeutel bei der Tür und blickte hinein. »Wir werden nur zwei Handfeuerwaffen mitnehmen. Den Rest lassen wir bei euch.« Er gab den Beutel Bucky. »Immer schön vorausdenken, ja nicht vergessen. Wenn Sie ein Klopfen an der Tür hören, so schaun Sie sich den Kerl erst durchs Fenster an,

bevor Sie öffnen.« Ohne eine Antwort abzuwarten, folgte er Rachel nach draußen.

Bucky sagte leise zu der geschlossenen Tür:»Gott schütze euch.« Er drehte sich um und ging langsam die Treppe hinunter, den schweren Einkaufsbeutel in der Hand. Als er bei Paston war, fragte er:»Möchtest du eine?« Er hielt ihm den Beutel hin.

»Ich hasse die Dinger, aber ich greife mir wohl besser eine, um mir nicht selbst eins vor den Wanst zu knallen.« Vorsichtig hob Paston eine Pistole am Lauf heraus, und starrte drauf, starrte dann zu Bucky.»Morgen nacht werden wir alle hier sein.«

»Was hast du vor?«

Paston zuckte mit den Achseln und betrachtete die Pistole.»Das Ding ist vermutlich geladen.«

Bucky langte danach, prüfte das Magazin, ließ es wieder in den Handgriff klicken.»Ja.« Er reichte die Waffe wieder Paston.

»Hältst du uns für Narren?«

Paston sagte:»Altmeyer scheint zu wissen, was er tut.« Nach kurzem Schweigen fügte er hinzu:»Was Leonard über Altmeyer gesagt hat, war nicht falsch.«

»Leonard weiß doch nichts.«

»Trotzdem hat er nicht unrecht. Du hattest Riesenpech, einen Kerl vom Kaliber Altmeyers kennenzulernen. Er ist ein Raubtier.«

»Wenn das deine Überzeugung ist, warum hast du dann . . .« Paston legte die Pistole auf seinen Schoß und verschränkte die Hände darüber.»Leute wie er«, sagte er,»gewinnen Kriege.«

Altmeyer ließ den Mercedes den Fahrweg hinaufgleiten, und die automatische Garagentür öffnete sich und ließ sie ein. Die Tür schloß sich wieder, und Altmeyer warf einen Blick auf seine Armbanduhr.»Sehr gut. Wir haben noch 'ne Menge Zeit, um uns in den Büschen hinter dem Koi-Teich einzunisten, bevor der alte Calvin zur Arbeit kommt.«

»Das sind keine Büsche, das sind Zwergnadelbäume.«

»Egal. Ziehn wir uns um.«

Rachel stieg aus.»Ich weiß – meine mitternächtliche raffinierte

Kombination in Dunkeloliv. Ist doch toll von mir, daß ich immer genau weiß, was ich einpacken muß.«

»Hauptsache, du hast was, das dich für 'n paar Stunden warm und trocken hält.«

Sie betrachtete ihn über die Motorhaube hinweg. »Das sind so die Sprüche, die von mir erwartet werden. Sollten wir noch ein Jahr am Leben bleiben, sind wir wie ein altes Ehepaar, dem der Gesprächsstoff endgültig ausgegangen ist.«

»Wir werden mit den Kindern sprechen.«

Sie fühlte, wie sich ihre Gesichtshaut anspannte, als sei nicht mehr sie selbst es, die die Muskeln kontrollierte. Da war ein Lächeln, ein falsches Lächeln, das irgendwie Schutz zu bieten schien, und sie hörte sich selbst sagen: »Ja, und auch mit den erwachsenen Ziegen.«

Altmeyer öffnete ihr bereits die Tür zu Buckys Haus, und sie konnte sein Gesicht nicht sehen. Sie eilte an ihm vorbei, als wollte sie dem nächsten Satz buchstäblich aus dem Weg gehen. Dann war sie im Gästeschlafzimmer, und sie konnte Altmeyer hören, irgendwo in der Nähe von Buckys Bibliothek. Was, dachte sie, würde er wohl als nächstes gesagt haben? Vielleicht dachte er noch darüber nach, allein im anderen Zimmer. Vielleicht war er im Begriff gewesen, ihr etwas Wichtiges zu sagen. Nicht bloß so eine läppische Bemerkung. Rachel saß auf dem Bett, starrte auf ihren Koffer, lauschte auf seine Schritte.

Schließlich gab sie es auf, öffnete den Koffer, holte ein Sweat-Shirt und Laufschuhe heraus, band ihr Haar im Nacken zu loser Flechte. Während sie sich anzog, hörte sie, wie Altmeyer wieder den Gang betrat. »Ich glaube, ich bin fertig«, sagte sie. »Was soll ich mir hierfür denn sonst noch anziehen?«

Als sie am Rand von Buckys Patio entlanggingen und auf das Mosaik beim Swimmingpool traten, erinnerte sich Rachel an die Party. In jener Nacht war es leichter gewesen, die Abkürzung am Hügelhang zu nehmen, weil das Flutlicht auf Buckys Haus den Weg zur Hälfte beleuchtet hatte. Sie folgte Altmeyer die Hecken entlang und ins Unkraut. Aufmerksam behielt sie den Boden im Auge, schon fünfzig Meter, bevor etwas von der kleinen, steinernen Erhöhung zu erkennen war. In den zwanziger Jahren hatte hier, weiter hügelabwärts, ein weiteres Haus gestanden, und die Steinreste waren die Überbleibsel der felsigen Abgrenzung eines terrassierten Gartens. Rachel hatte das immer als altmodischen Garten voller Blumenbüsche empfunden, wie man so was heutzutage nicht mehr pflegte, rosa Flammende Herzen und weiße Primeln und purpurfarbener Flieder.

Dann gelangten sie in die dichte Gruppe alter Eukalyptusbäume, die wohl einst gepflanzt worden waren, um die Begrenzung des ursprünglichen Hofs zu markieren: das, was in Rachels Vorstellung ihr beider Land war. Zwar hatte Altmeyer für ein Dokument bezahlt, auf dem verbrieft und besiegelt war, die Grenzlinie verlaufe in der Mitte des alten Gartens, den sie gerade hinter sich gelassen hatten, doch Rachel war nicht von der Vorstellung abzubringen gewesen, daß sich die wirkliche Begrenzung dort befand, wo die Bäume standen. Fünf Meter innerhalb der Baumgruppe bewahrte ein großer, kettengliedriger Zaun die Ziegen davor, zwischen den hohen Stämmen abzuirren.

Altmeyer beugte sich vor und werkelte an dem Kombinationsschloß des Törchens. »Kannst du gut genug sehen?« flüsterte sie.

Er nickte. Langsam schwang das kleine Tor auf, so daß Rachel eintreten konnte. Sie bemerkte, daß er das Tor nicht wieder verschloß, und Rachel wußte, daß sie keinen bequemen Heimweg haben würden. Möglicherweise würden sie flüchten müssen, zum Tor, durch das Tor, in der Hoffnung, daß niemand es zwischen den Bäumen bemerkt hatte.

Mit besonderer Sorgfalt achteten sie jetzt darauf, auf keinen der Eukalyptuszweige zu treten, die hier und dort aus gefallenem Laub ragten. Rasch bewegten sie sich um den Rand des Rasens herum zu der kleinen Ansammlung von Zwergkiefern, die sie gepflanzt hatte, um den Koi-Teich vor der heißen Nachmittagssonne zu schützen. Rachel blickte über den Rasen hinweg zum Haus und fühlte sich kalt und verloren. Es wirkte verödet, verlassen wie von Flüchtlingen oder von Toten.

Das Mondlicht spiegelte sich in der stillen, glatten Oberfläche des

Koi-Teiches und gab ihr ein Gefühl noch größerer Kälte. Während sie noch schaute, war da eine hastige, wie flackernde Bewegung, und glänzende, runde Umrisse schienen über die Oberfläche zu rollen, doch sofort war es wieder verschwunden und ließ nichts zurück als eine sich weitende Reihe von Ringen, die, noch bevor sie das Land erreichten, wieder verebbten. Die Koi lebten. Rachel schloß die Augen und versuchte das Bild des Fisches wieder vor ihr inneres Auge zu bringen. Es hätte Robert sein können, der weiße mit den schwarzen Tupfen. Aber da waren keine Farben gewesen, nur die goldenen Töne, fahl auch in diesem Licht. Wenigstens lebten sie, und das hieß, daß Calvin jeden Tag hier gewesen war, und – nein, das war kein Beweis. Fische konnten monatelang in einem Teich leben, ohne gefüttert zu werden. Vielleicht, wenn alle stürben und keiner hierherkäme, dachte sie, aber dann erinnerte sie sich ihrer wirklichen Gedanken und wußte, daß es so nicht sein konnte. Der Teich hätte sich in einer Tausendstel Sekunde in Dampf verwandelt, und die Fische wären auf der Stelle umgekommen.

Altmeyer berührte Rachel am Ärmel und deutete zum Haus. Ein Lichtstrahl strich quer durch die Küche, und sie konnte einen sich bewegenden Schatten sehen. Dann schien das Licht trübe zu werden, bevor es ausging. Zuerst dachte sie an eine Taschenlampe, aber dann wurde ihr klar, daß es etwas anderes sein mußte. Es war das Licht im Kühlschrank. Die dort in der Küche hatten die Kühlschranktür geöffnet, um sich in der Dunkelheit besser zurechtzufinden.

Altmeyer sprach nicht und bewegte sich nicht, also wartete Rachel. Alle paar Minuten nahm sie die vertrauten Umrisse des Hauses erneut in sich auf, bis sie schon, wenn auch ein wenig verschwommen, etwas Klischeehaftes annahmen. Dann schloß sie die Augen, um das Bild wieder auszulöschen und blickte zu Altmeyer. Sein Gesicht, im Dunkeln, wirkte völlig ausdruckslos. Nur ein Stück Profil, undeutlich genug, ließ sich vage erkennen. Jetzt hob er den Kopf wieder, offenbar hatte er einen Blick auf seine Armbanduhr geworfen. Er verschwand um die Hausecke, und Rachel war allein.

Die Zeit schlich dahin. Jede einzelne Minute schien die Dimension eines Jahres zu haben. Sie hörte das Klappen der Hintertür des Hauses, hörte dann, auf dem Fahrweg, die Schritte von zwei oder drei Männern. Sie zog die schwere Pistole aus ihrer Jacke und erhob sich auf die Knie. Die Geräusche verklangen langsam in der Ferne. Sie machte ein, zwei Schritt vorwärts, lauschte auf ein scharfes Geräusch, das von Altmeyer zu stammen schien. Dann überquerte sie den Rasen zum Haus, duckte sich bei der Hausecke. Der Anlasser wurde betätigt, und der kalte Motor ließ ein hohles Grollen hören, als der Fahrer allzu stark auf das Gaspedal trat.

Rachel ließ die große Automatic wieder in ihre Jacke gleiten und wärmte sich die Hände in den Seitentaschen. Dann setzte sie sich auf den Boden, den Rücken gegen die Hausmauer gelehnt und spähte zu den Bäumen, wo Altmeyer und sie selbst sich versteckt gehalten hatten. Die Sicht war jetzt klarer. Es war kurz vor Sonnenaufgang, doch wo steckte Altmeyer?

Als sie schwere Schritte auf dem Fahrweg hörte, erhob sie sich, spähte vorsichtig um die Hausecke und trat dann vor. »Calvin.«

Er war ein dünner Mann in den Fünfzigern mit einem steifen, weißen Cowboyhut aus Stroh und Blue jeans, die er über die flachen Stiefel gezogen hatte. Mit einem Seitenblick fragte er: »Hatten Sie eine gute Reise?«

Irgendein Impuls veranlaßte Rachel, ein Stück Wahrheit preiszugeben. »Sie ist noch nicht zu Ende. Wir sind nur vorbeigekommen, um nach dem Rechten zu sehen. Ist doch alles in Ordnung, wie?«

»Die Ziegen sind neulich mit meinem Laster in die Stadt gefahren und in vierzehn chinesische Restaurants gegangen. Sie bestellten *à la carte* und setzten es auf Ihre Rechnung. Aber ansonsten ist alles in bester Ordnung.«

Er ging an ihr vorbei zum kleinen Ziegenstall am anderen Ende des Hofes. Dort stieß er einen schrillen Pfiff aus, und zwei Ziegen trotteten hervor und folgten ihm zur Futterraufe unter dem überhängenden Dach, drängten dann gegen ihn, als er den Futtersack öffnete und den Inhalt in die Mulde kippte.

Rachel trat zu ihm, und drei weitere Ziegen kamen aus dem Stall und versammelten sich um sie. »Hallo, Girls«, sagte sie. »Calvin, die sehen ja prächtig aus.«

»Wie Ziegen sehen sie aus«, sagte Calvin.

Eine junge Geiß stürzte sich mitten in die Herde und rammte die Hinterteile der größeren Ziegen, um zum Futtertrog zu kommen.

»Betty!« sagte Rachel. »Warte, bis du an der Reihe bist.«

Altmeyers Stimme klang von den hinteren Stufen her. »Morgen, Calvin.«

Calvin warf einen Blick über die Schulter. »Ein feiner Morgen.«

Altmeyer nahm eine Handvoll Futter, fütterte eine Ziege damit. »Hat Rachel Ihnen gesagt, daß wir wieder für 'n paar Tage fortmüssen?«

»Kein Problem. Ich und meine Ziegen werden immer hier sein.«

»Danke, Calvin. Ich glaube, wir setzen uns jetzt besser in Bewegung, wenn wir zum Flugplatz wollen.« Zusammen mit Rachel ging er zum Fahrweg, doch dann blieb Altmeyer plötzlich stehen und kam zurück.

»Ah, noch was, ist Ihnen übrigens aufgefallen, ob hier jemand ums Haus rumstreunt oder so?«

»Bisher nicht. Aber ich achte auf so was auch nicht besonders.«

»Dann lassen Sie's auch weiterhin besonders bleiben. Falls Sie was bemerken, denken Sie dran, daß es in diesem Haus nichts gibt, weswegen man sich niederknallen lassen könnte.«

Calvin lächelte. »Meine Mutter hat keinen Narren großgezogen.«

Altmeyer und Rachel gingen jetzt die Auffahrt hinunter, nahmen dann wieder die Abkürzung entlang dem Zaun zum Tor im Eukalyptushain. Als Altmeyer das kleine Tor hinter ihnen abschloß, sagte Rachel: »Es ist scheußlich.«

»Da bin ich mir nicht sicher«, sagte er. »Ich fand, daß manches doch schon um einiges rosiger aussieht.«

Rachel drehte den Kopf, um ihn zu mustern, und strauchelte dabei fast über die alten Reste der Steinterrasse. »Rosiger? Ja, spinnst du? In unserem Haus warten Leute darauf, uns zu ermorden.«

Altmeyer tätschelte ihr die Schulter, legte dann den Arm darum. »Wir wissen bereits, daß sie's besonders schlau anstellen wollen. Und wir wissen auch wie. Sie rechnen damit, daß wir nachts nach Hause kommen, also werden sie auch Nacht für Nacht Wache halten. Den Tag über müssen sie das Anwesen Calvin und den Ziegen überlassen.«

Rachel murmelte: »Klingt mir nicht wie der reine Nerventrost.«

»Behaupte ich ja auch nicht«, sagte Altmeyer. »Calvin ist sicher, die Ziegen sind sicher, die Fische sind sicher. Genaugenommen beschützen unsere Gäste unser Haus sogar vor Einbrechern. Wenn wir sie alle haben wollen, müssen wir warten, bis die Nachtschicht beginnt.«

Rachel schritt schneller. »Weißt du, das klingt, als ob du nun anfängst überzuschnappen.«

»War Optimismus nicht schon immer eine Seite meines Charmes?« fragte Altmeyer. »Und genau das hat mich veranlaßt, beispielsweise, die Zulassungsnummer ihres Autos zu checken. Viele Leute, die tagsüber ganz brav die Augen aufhalten, stellen sich nachts an wie blind.«

»Glaubst du wirklich, wir können einem Auto, das sie gefahren haben, auf die Spur kommen?«

»Es gibt kein Auto, dem man nicht auf die Spur kommen kann – einer der wenigen Vorteile für Angehörige des Computerzeitalters. Die Bullen brauchen keine halbe Minute zur Identifizierung. Schon aus diesem Grund werden diese Leute keine gestohlenen Autos benutzen. Sie würden jede Nacht ein neues brauchen, und das ist gefährlicher, als auf uns zu warten. Wenn's gemietet ist, muß es ja jemand gemietet haben. Falls nicht, dann gehört's irgendwem.«

»Wenn du in Wahrheit auch nichts weißt, so muntert's dich doch zumindest enorm auf, daß du dir das wenigstens *einbildest*.«

»Ist das nicht das Kennzeichen des Optimisten?«

»Hör zu, Dave.« Altmeyer schritt an Arthur Pastons Bar entlang, zwirbelte die Telefonschnur, drehte sich dann um. »Seit Ewigkeiten hab ich von dir Versicherungen gekauft. Du weißt, daß ich kein

Spinner bin. Ich frag dich jetzt, 'n bißchen plötzlich vielleicht, was tust du überhaupt. Ich werd in ein oder zwei Tagen dieser Stadt den Rücken kehren.«

Er lauschte, sagte dann: »Das ist der richtige Geist. Die Zulassungsnummer ist 048 KPJ, und es ist kastanienbraun, jüngstes BMW-Modell. Der Schaden wird mich schon nicht pleitegehen lassen, aber der Fahrer fuhr rückwärts in meinen Laster rein, und ich hab 'n Recht drauf zu wissen, wer er ist.«

Altmeyer verstummte. »Das ist richtig. 048 KPJ. Wie lang, glaubst du, wird's dauern?«

Altmeyer seufzte. »Läßt sich wohl nicht ändern. Hör zu, ich versuch ihn zu verkaufen. Die Nummer ist 555-4012. Ruf mich an, wenn du kannst. Danke.«

Altmeyer legte auf und rieb die Hände gegeneinander. »Da. Die können so ziemlich jeden für'n Idioten halten, aber keiner trickst die California DMV und die Pyramid Company von Hartford, Connecticut aus.«

Bucky stützte sich auf die Bar, die Fäuste unter dem Kinn. »Das mag ja ein ganz amüsanter Zeitvertreib für Sie sein, bloß klingt mir das ziemlich nach zweckfreier Koloratur. Entweder ist es ein Mietauto, oder es gehört der Ashita Corporation.«

Altmeyer beobachtete, wie Arthur Paston mit zusammengekniffenem Auge einen Spritzer Vermouth in den Cocktail-Shaker zielte. »Wissen Sie, Arthur, daß es noch nicht mal Mittag ist?«

Paston hob den Kopf und fixierte Altmeyer durch seine Brille, die ziemlich tief unten auf der Nasenspitze hing. »Es gehört eine Unmenge Übung dazu, einen feinen, trockenen Martini zu machen. Und es gibt manchmal so Zeiten, wo ein Mann meines Alters sich mit einem Affenzahn einen hinter die Binde kippen würde, zumal in einer außergewöhnlichen Streßsituation.«

Rachel krauste die Stirn. »Hat schon mal einer von euch ernsthaft darüber nachgedacht?«

»Nachgedacht? Worüber denn?« fragte Bucky.

»Über unsere außergewöhnliche Situation. Bevor wir von hier abziehen, sollten wir da nicht irgendeine Botschaft für die Behörden zurücklassen? Ich hasse solche Touren ja, aber . . .«

226

»Sie haben recht«, sagte Paston, während er für die lange Reihe der Gläser jeden Tropfen sorgfältig bemaß. »Zu einer schönen Frau paßt so etwas eigentlich nicht. Ist irgendwie morbide. Aber ich bin seit frühester Jugend durch die Lektüre Edgar Allen Poes versaut.«

Bucky wirkte erregt. »Natürlich hat Rachel recht. Ich hatte den gleichen Gedanken. War wohl die Versicherungsgesellschaft, die mir das ins Bewußtsein rief. Wie steht's mit unseren Chancen, daß wir irgend etwas Endgültiges bewirken? Wir werden ins Gras beißen.«

»So ziemlich das Endgültigste, was es gibt«, sagte Altmeyer.

Bucky nahm eins von Arthurs Gläsern, kippte es hinunter, stellte es knallend auf die Bar. »Es muß für uns eine Möglichkeit geben, Ashita auffliegen zu lassen für den Fall, daß wir nicht zurückkommen. Wir brauchen eine Art Rückversicherung.«

»Wie ihr meint«, sagte Altmeyer. »Aber tut's nirgends hin, wo ich's dann nicht finden kann. Legt's nicht zu euerm Testament oder in euern Safe. Wenn Rachel und ich zurückkommen, hätten wir gerne was Konkretes.«

»Du bist süß«, sagte Rachel. »Aber mir wäre wohler zumute, wenn ich glauben könnte, da wär so etwas wie eine Rückendeckung.«

»Arthur würde sich für bestimmte Zwecke bestens eignen«, verkündete Bucky. »Selbst wenn er tot ist, wirkt er glaubwürdiger als irgendeiner von uns.« Er blickte zu Arthur, der nachdenklich an seinem dritten Glas der Martinis nippte. »Besonders, wenn er tot ist.«

»Auf dein Wohl«, sagte Paston und hob sein Glas.

»Werden Sie's tun, Arthur?« fragte Rachel.

»Wenn Sie zusammen mit Bucky den Text tippen, werde ich's unterschreiben. Bloß müssen wir uns noch ein vernünftiges Versteck einfallen lassen. In der Union Station gibt's natürlich immer Schließfächer fürs Gepäck. Das habe ich in drei Filmen in den Vierzigern verwendet. Jeder Detektiv erkennt den Schlüssel stets auf den ersten Blick. Und in der nächsten Szene verpaßt ihm dann natürlich einer eins über die Rübe und klaut den Schlüssel.«

»Klingt ein bißchen zu kompliziert«, meinte Bucky. »Aber die Grundidee ist doch Klasse.«

Paston starrte in die Ferne. »Es gab da eine Episode mit Amos und Andy, wo die beiden eine wertvolle Münze finden. Andy steckte sie in einen Münzfernsprecher, und der *Kingfish* nannte ihn einen Superidioten und marschierte davon. Andy lächelte bloß und rief die Vermittlung an, und so kriegte er die Münze wieder zurück. Ich habe das immer bewundert.«

Altmeyer grinste: »Einfach an sich selbst adressieren.«

Paston musterte ihn enttäuscht. »Nicht gerade sehr raffiniert.«

»Wir alle haben Schlüssel für dieses Haus. Wer von uns zurückkommt, kann einfach herein und sich das Papierchen nehmen. Natürlich wäre es pietätlos, die Post eines Toten für etliche Tage zu lesen, aber wenn keiner von uns zurückkäme, würde es irgendwer schließlich tun müssen.«

Das Telefon läutete und Altmeyer hob ab. »Hallo. Oh, hey, Dave.«

Die anderen verließen die Bar und gingen in den großen Raum. Bucky entfernte sich in eine andere Richtung und kam mit einer Schreibmaschine zurück. Er stöpselte sie ein, spannte ein Stück Papier in die Walze und trat dann zurück, damit sich Rachel an den Tisch setzen konnte.

Sie hantierte an der Maschine und tippte in Großbuchstaben: DRINGEND! WICHTIG! DRINGEND! Dann ließ sie zwei Leerzeilen folgen. *Ich schicke diesen Brief an mich selbst für den Fall, daß man mich beim Versuch tötet, dieser Information gemäß zu handeln. Der Finder händige diesen Brief der Polizei aus.*

Bucky las über ihre Schulter hinweg. »Der Polizei? Klingt irgendwie nicht richtig. Warum nicht dem FBI?«

Altmeyer, an der Bar, sprach ins Telefon. »Bist du sicher? 048 KPJ. Ein kastanienbrauner BMW.« Er lauschte, fragte dann: »Habt ihr nachgecheckt, ob irgendwas gestohlen wurde oder so?«

Nach wenigen Sekunden sagte er: »Du weißt, daß ich kein Idiot bin. Tut mir leid, aber ich war 'n bißchen verblüfft. Vielleicht kann ich dabei ja noch was für mich rausholen.« Er gluckste. »Ich weiß.

Ich weiß, in deinen Ohren klingt das nicht sehr lustig.« Er schrieb etwas auf eine Papierserviette.»Kannst du Namen und Adresse wiederholen?« Er korrigierte irgendwas, das er geschrieben hatte.»Vielen Dank, Dave. Was? Nein. Mach dir da keine Mühe. Wäre sicher nur Zeitverschwendung. Okay. Good-bye.« Bucky sagte:»Vergeßt nicht die Farm in Belgien. Das könnte ihnen dabei helfen, herauszufinden, wer hier Großhandel betreibt und wer kauft.« Altmeyer trat an den Tisch.»Arthur, wenn Sie sich mal von der Warnung jenseits des Grabes lösen könnten, dann wär's mir ganz lieb, wenn Sie sich Leonard noch mal etwas vorknöpfen könnten.« Paston folgte ihm zur Bar und tauschte mit geläufiger Handbewegung ein leeres gegen ein volles Glas aus.»Ich knöpfe mir immer gern jemanden vor, aber warum ausgerechnet Leonard?«

»Weil die Leute, die in Ihrem Haus warten, einen Wagen fahren, der einer anderen Gesellschaft gehört.« Arthur blickte zu Bucky und Rachel.»Haltet bloß die Presse raus. Wir haben meinen posthumen Memoiren noch eine weitere Gesellschaft hinzuzufügen.« Altmeyer reichte Arthur die Serviette, und Paston las laut:»The Twenty First Century Medical Group Clinic von Santa Barbara, Kalifornien.«

Rachel betrachtete die Transportkästen auf dem Fußboden des Wohnzimmers und seufzte.»Das Zeug ist schwer, sehr metallisch, enorm groß. Für England wohl kaum geeignet.« Altmeyer öffnete eine Verpackung und ließ seine Finger langsam über die dicke Polsterung gleiten. Dann schloß er den silbernen Deckel, ließ die Spangen wieder zuschnappen, hob den Kasten am Griff hoch und starrte in die Ferne. Er öffnete zwei weitere Kästen, mit gekrauster Stirn.»Ist das so'n Zeug, wie man's normalerweise auf 'nen Filmtrip mitnimmt?« Paston warf einen Blick auf die Kästen.»Sieht soweit okay aus. Alles, was ein Standfotograf und sein Assistent brauchen, haben sie hier bei sich. Der Rest der Gruppe variiert, kommt nämlich darauf an, wie viele Leute der Produzent nach Europa schicken möchte, um sein Budget noch etwas aufzublasen. In dieser Phase würden wir nicht viel mitnehmen. Da tun wir uns nur ein bißchen um und versuchen ein Gefühl für das zu bekommen, was wir im Script gelesen haben.«

Bucky setzte sich neben Altmeyer und studierte die Geräte. »Was stimmt denn an diesem Ding nicht? Sieht ja aus, als enthielte es ein ganzes Arsenal.«

»Gut beobachtet«, sagte Altmeyer. »Diese Art von Schmuggel ist hauptsächlich optische Illusion. Alles hängt davon ab, daß man dem jeweiligen Versteck 'n falsches Aussehen gibt. Ein Kaninchen gehört nicht in 'nen Hut, wichtiger noch ist, daß der Hut einen nicht an 'n Kaninchen erinnert. Wenn wir in Großbritannien sind, wird man diese Sachen checken. Fotografisches Gerät gleicht irgendwie Kanonen.«

Bucky schüttelte den Kopf. »Was ihr von Japan mitgebracht habt, ist eine hübsche Grundausstattung für einen Krieg.«

»Die Engländer sind anders. Die haben lange genug Kriege geführt, und die einzigen Leute, die noch 'nen Gedanken daran verschwenden, sind genau die, die wir täuschen müssen – Zollinspektoren, die Leute, die für die Airlines arbeiten, die mit Gepäck umgehen, Polizisten. Alles, was nach Koffer aussieht, kann 'ne Sprengladung sein oder 'ne Ladung Pistolen für die Iren. Und das meiste davon wird von Amerikanern finanziert und transportiert.«

Paston sagte: »Ich könnte diese Sachen heute abend nach London ins Savoy schicken.«

»Da macht man sich am besten gleich dran«, stimmte Altmeyer zu. »Wir haben damit nichts weiter zu tun.«

Bucky sagte: »Altmeyer, das ist wirklich deprimierend. Sie haben sich ja schon so manches einfallen lassen, bloß um reich zu werden. Können wir nicht auf Nummer Sicher gehen? Die Leute wollen uns umlegen, genaugenommen ist das ihre Minimalabsicht.«

Rachel stand auf und klopfte Bucky auf die Schulter. »Wir gehen so gut wie immer auf Nummer Sicher, Old Buck. Ist doch bloß ein Geschäft, und da hält man das Risiko möglichst in Grenzen. Man zahlt nicht viel für ein Hindernisrennen, weil der Reiter meist eine gewaltige Bauchlandung macht, und wer sicher ins Ziel gelangt, hat einen Haufen Tricks drauf.«

Altmeyer nippte an seinem Drink und sagte:»Ihre Ansicht sollte man sich genau durch den Kopf gehn lassen, Old Buckingham. Hoffentlich fällt Ihnen was Brauchbares ein, bevor Ihr Drang, sich für die Sache zu opfern, allzu stark wird.«

»Bucky tut Buße, indem er Tag für Tag schlimmste Risiken auf sich nimmt«, sagte Rachel.»Das Problem ist, die Vergeblichkeit unserer vergeblichen Sache wäre komplett, wenn man uns auf dem Heathrow Airport festnehmen würde.« Bucky stieg die Treppe empor, und sie hörten, wie er den oberen Korridor in Richtung der Schlafzimmer entlangschritt.

Paston schüttete einen weiteren Martini ins Glas.»Ich bin verblüfft, Rachel«, sagte er.»Sie zeigen sich ja als ausgezeichnete Zynikerin.«

Rachel musterte ihn.»Und Sie sind ein hervorragender Bartender. Vielleicht unterbreche ich meine Diät und führe mir auch so etwas zu Gemüte. Können Sie auch kleine machen?«

Altmeyer nippte an seinem Glas.»Das ist das dritte Mal, daß Bukky seine Seele reinigt, damit alles tipptopp aussieht, wenn er bei seiner Einkommenssteuer schwindelt. Wir brauchen ihn.«

Paston zuckte mit den Achseln.»Bucky hat Menschen umgebracht. Er ist ein richtiger Mörder.«

Rachels Augen füllten sich mit Tränen.»Er braucht sich nicht schuldig zu fühlen. Er hat gar kein Recht dazu. Er hat nicht viel getan, um sich schuldig zu fühlen. Er ist ein dicker, kleiner Mann, der am Leben bleiben wollte.«

Paston trat wieder zur Bar.»Er liebt Sie auch.«

London

Der lange, blasse Engländer betrachtete eingehend Buckys Paß-
foto und musterte ihn dann mit finsterer Stirn.

Bucky lächelte. »Ich weiß, die haben ein Adlersiegel in meinen
Kopf eingeprägt, so daß ich wie Merkur aussehe.«

Der Mann wendete die Blätter mit einer Hand um und hielt sie mit
dem Handgelenk nach unten, um eine freie Stelle zu finden. Er
fand eine auf Seite sieben und hinterließ den Abdruck seines
Stempels: *Einreiseerlaubnis in das Vereinigte Königreich für sechs
Monate. Immigration Officer 694 Heathrow (3).* Sein langes, flei-
schiges Gesicht blieb ausdruckslos. »Danke, Sir.«

Bucky bewegte sich die Schlange entlang und durch die Glastüren,
wo die anderen warteten und wisperte Altmeyer zu: »Sie hatten
recht. Die haben alles gefilzt.«

»Drum sind sie ja auch zivilisierter als wir. Sie sind gründlich, und
wenn sie was Verbotenes oder Zollpflichtiges finden, sind sie völlig aus dem Häuschen.«

Paston murmelte: »Wir werden wohl wieder die ganze Nacht wach
sein. In diesen verdammten Sitzen hier ist es mir immer unbe-
quem.«

»Will's glauben«, sagte Altmeyer. »Aber wir könnten doch auch
zum Hotel gehen und bis zum Abend schlafen.«

Bucky strahlte. »Sie meinen, dieser ganze Zinnober von wegen an
die Zeitverschiebung gewöhnen, wie seinerzeit in Japan, bliebe
uns erspart?«

»Glaub schon«, sagte Rachel.

»Gott sei's getrommelt und gepfiffen«, sagte Paston. »Und wenn
ich während des Ruhestündchens verscheiden sollte, laßt genügend Kontrast übrig, damit ich den Unterschied erkenne.«

Sie verließen das Gebäude und sahen draußen die Reihe schwarzer Taxis. Bucky sagte zu dem ersten Fahrer vorn:»Das Savoy, on the Strand.«

»Sie brauchen einem Fahrer keine nähere Auskunft zu geben, Sir«, sagte der Mann. Wir sind *absolut im Bilde.* In London kann keiner ein Taxi fahren, bevor man ihn nicht auf Herz und Nieren geprüft hat.«

»Tut mir leid«, sagte Bucky.»Wir sind Amerikaner. Und Amerikaner kann keiner werden, der nicht genügend Dreistigkeit nachgewiesen hat.«

Sie saßen im Grill Room des Savoy Hotel. Würdige Kellner reichten einander im gedämpften Licht Silbergefäße zu, unverkennbar eine Zeremonie, bei der die Speisen Symbol für etwas anderes waren.

»Hier könnt ich's aushalten«, sagte Bucky.

»Hier werden wir vorläufig auch bleiben.« Rachel beobachtete einen der stummen Bediensteten, wie er die überzähligen Gedecke auf dem Tisch entfernte und dann verschwand.

»Ich meine, richtig gehend hierbleiben und sich höchstens zwischendurch mal kurz entfernen. Nach ein oder zwei Jahren würde ich wahrscheinlich in ein anderes Hotel übersiedeln, doch jeder im Hotel hier würde mich kennen. Man würde mir eine Abschiedsparty geben, und mir zu Ehren diesen Tisch vielleicht aus dem Verkehr ziehen.«

»Es könnte Ihnen allerdings auch passieren, daß sie Ihnen an ein und demselben Tag die Rechnung präsentieren und unseren Bukky anschließend in Westminster Abbey beisetzen.« Altmeyer warf einen Blick auf seine Uhr.»Es wird Zeit.«

Während sie den Grill Room verließen und in die Hotelhalle traten, sagte Altmeyer:»Gehn wir auf der Flußseite hinaus. Ich möchte nicht, daß Arthur 'n paar Fans in die Quere kommen, die ihn dann für 'ne halbe Stunde festhalten.« Sie gingen durch die hohen Glastüren, und der uniformierte Türsteher winkte ein Taxi herbei, doch Altmeyer sagte:»Nein, danke, wir möchten uns etwas die Füße vertreten.«

Bucky blickte zum Eingang zurück.»Na, dieses komische gewellte

Dach (es war der altehrwürdige Regenschutz des Savoys, sozusagen voller respektheischender Patina) würde ich aber sofort beseitigen lassen. Sieht aus wie eine Chevrolet-Stoßstange bei einem Rolls-Royce.«

Sie schlenderten den breiten Uferstreifen entlang, vorüber an malerisch grünen Bänken. Rachel blickte über den Fluß hinweg, denn das Licht begann gerade eine dunstige, bläuliche Farbe anzunehmen.

»Wunderschön, nicht?« sagte Paston. »Ist zwar dreckig, aber das verleiht ihm erst den richtigen antiken Touch. London, das gibt einem irgendwie das Gefühl der Hauptstadt der Welt, so wie's vor fünfzig Jahren war.«

Rachel drehte den Kopf zurück. »Ich habe das für keine Glanzidee gehalten, so schwere Sachen, von denen man nicht möchte, daß sie herumgestoßen werden. Wasser ist sanfter.«

Altmeyer faltete den Stadtplan zusammen, den er studiert hatte. »Wir müssen uns jetzt in nördlicher Richtung halten. Aldwych, dann Kingsway und dann nach rechts zur Theobalds Road. Es ist nur 'n kurzes Stück von hier, und ich versprech euch, wir brauchen nicht zurückzugehn.«

Sie gingen die Straße entlang. Aus allen Richtungen und überallhin drängten sich Menschen, mit ungeheuer konzentriert wirkenden Gesichtern. »Ich glaube, wir sind am Rand des Theaterdistrikts«, meinte Parson. »Die meisten dieser Leute sind dorthin unterwegs. Covent Garden liegt nur einen Steinwurf entfernt.«

»Wir scheinen immer Shopping zu gehen, wenn andere Leute ins Theater wollen«, sagte Bucky. »Liegt wohl daran, daß wir den ganzen Tag schlafen.«

Sie überquerten High Holborn, und Bucky fragte Paston: »Was ist denn das da drüben?«

Pastons Augen verengten sich, dann sagte er: »Moment. Das Riesending ist das British Museum. Stunden und Stunden habe ich dort zugebracht. Einmal sah ich mir ägyptische Mumien an, drei Tage lang. Erinnerst du dich an den *Krieg der Pharaonen* mit Walter Langston?«

»Hab's vor ein paar Jahren im Fernsehen gesehen.«

Arthur gluckste. »Hat sich's gelohnt, dafür so lange aufzubleiben?«

Bucky ging ein paar Schritte, sagte dann: »Die Mumien waren Spitzenklasse. So was sieht man heute leider nicht mehr, nur Krieg-der-Sterne-Kram und Fantasy-Filme. Mumien sind wohl aus der Mode gekommen.«

»Sie werden wieder auftauchen«, sagte Paston voll Überzeugung. »Alles, was die Leinwand mit Farbe und reiner Fremdartigkeit füllt, kommt wieder. Ich würde gern ein Remake vom *Krieg der Pharaonen* machen, und würde mir diesmal jemanden nehmen, der nicht so agiert, als sei er gleich in der ersten Szene einbalsamiert worden.«

»Der alte Walter war ein bißchen steif«, räumte Bucky ein. »Was liegt denn sonst noch in dieser Richtung?«

Paston zuckte mit den Schultern. »Einige Parks.«

Altmeyer sagte: »London University.«

Eine Zeitlang gingen sie schweigend, und am Ende der Straße sagte Rachel zu Altmeyer: »Hier ist sie. Lambs Conduit Street.«

Bucky lachte. »Hört sich an, als ob man dort was Besonderes ißt – irgendeine Lammspezialität.«

Die Straße war fast leer, nur wenige Menschen auf den Bürgersteigen, die meisten jung und allein. Altmeyer blieb vor einem zweistöckigen Ziegelgebäude mit dunklen Fenstern stehen. »Hier ist's«, sagte er ruhig. »Hätten wir doch nur 'ne Kamera mitgenommen, wär ganz praktisch gewesen.« Er betrachtete die Messingplatte *Ashita, Ltd.*

»Zum Fotografieren hat es nicht genug Licht, und von hier aus kann man sowieso nichts sehen«, warf Paston ein.

»Genau«, sagte Altmeyer. »Sehen wir uns mal die Rückfront an.«

»Sieht nicht aus, als ob das so leicht wäre«, meinte Bucky. »Hoffentlich haben Sie Ihr Stemmeisen mit.«

Paston sagte: »Ich bin wahrhaftigen Gottes nicht den weiten Weg hier hergekommen, um beim amerikanischen Konsul einen Fragebogen einzureichen. Wir werden eine andere Möglichkeit finden.«

Altmeyer glitt in die schmale Lücke zwischen den beiden Gebäuden. Es war so eng, daß Bucky sich seitwärts drehen mußte, um nicht gegen die staubigen Steine zu schauen. Das Ende des Gebäudes war umschlossen von einer niedrigen Steinmauer mit einer Holzpforte. Altmeyer langte über die Pforte hinweg und riegelte sie von innen auf, so daß sie in den kleinen Hof konnten. Am anderen Ende der Umfriedung bemerkte Rachel ein sorgfältig bearbeitetes Stück Boden mit kleinen Holzpflöcken an jedem Ende. Es war zu dunkel, um die Keimlinge zu identifizieren, die durch den Erdboden empordrängten, doch schien es, als wüchsen sie von der entfernteren Mauer her in Richtung des kleinen Schuppens bei der Pforte, in ebenen, gleichmäßigen Reihen.

Altmeyer zerrte an der Hintertür des Gebäudes. »Wir hätten wohl doch lieber 'n Stemmeisen mitbringen sollen. Wahrscheinlich müssen wir eins der Fenster benutzen. Rachel, meinst du, du kommst durch dieses Kellerfenster?«

Rachel blickte durch die verstaubte, rechteckige Fensterscheibe in undurchdringliches Dunkel. »Ich glaub' schon.« Sie zögerte. »Wird schon gehen.« Wieder eine Pause. Dann: »Da sind Ratten drin, Riesenbiester mit roten Augen, die da schon zweihundert Jahre nisten und bloß darauf warten, mir ein Bein zu stellen.«

»Tut mir leid«, knurrte Altmeyer. »War bloß so 'n Gedanke.«

Rachel wirkte plötzlich sehr vergnügt. »Dort, gleich beim Schuppen, ist ein kleiner Garten. Den scheinen sie sehr sorgfältig zu pflegen.«

»Ist mir auch schon aufgefallen«, sagte Paston. »Verrückte Idee, aber wohl sehr britisch.«

»Sie verstehn nicht, ich meine, die müssen Geräte, Werkzeuge haben, und der Schuppen muß irgendeinem Zweck dienen.«

Altmeyer öffnete den Schuppen, verschwand kurz darin und kam mit einem spachtelförmigen Gerät und einem langstieligen Spaten zurück. »Bucky, stemmen Sie den Spaten unter die Tür und hebeln Sie ihn hoch.« Das spachtelförmige Gerät schob er in Höhe der Klinke in den Türspalt, bewegte ihn ein paarmal hin und her und drückte dann kraftvoll. Dann zog er die Tür auf und trat ein.

Altmeyer knipste das Licht an und sagte: »Kommt rein. Wir haben inzwischen doch genügend Übung im Demolieren von Ashita-Filialen. Hier können wir wieder gute Arbeit leisten.«

Bucky trat zu einem Kartonstapel an der Wand. »Ist genau dasselbe Zeug in so ziemlich genau derselben Ordnung.« Er riß einen Karton auf und blickte hinein. »*Happyboy Luftbefeuchter* – was treibt das Ding hier in England?«
»Keine Sorge«, sagte Rachel. »Wir wissen, es ist der *Sleeping-Tite*-Rauchalarm. Die würden das niemals falsch kennzeichnen, oder das Risiko wäre noch größer.«
Sie gingen an den Kartonstapeln vorbei und einen engen Gang entlang. Von der Vorhalle führten zwei Türen ab; Altmeyer öffnete sie, spähte in das Düster dahinter und schloß sie wieder. »Interessante Anordnung«, sagte er. »Die eine führt nach oben, die andere in den Keller.«
»Es ist ein altes Haus«, erklärte Paston. »Der Lagerraum war wahrscheinlich so was wie eine Vorratskammer, und vermutlich hatte man die Wände eines Dienstmädchenzimmers oder was niedergerissen, um das Ganze in einen Laden zu verwandeln. Die Treppe war für das Personal. Weiter vorn wird's noch eine geben, es sei denn, man hätte sie demontiert.«
Am Ende der Diele gelangten sie zu einem größeren Raum an der Vorderseite des Gebäudes. Sämtliche Türen waren aus den Angeln gehoben worden. Altmeyer und Paston gingen von Raum zu Raum. In drei Räumen gab es Kamine, aus Steinen gefügt, und in einem zentralen Raum waren die Wände ähnlich mit Regalen versehen wie in dem eigentlichen ›Laden‹ ein Stockwerk tiefer, doch nichts lagerte dort, nur eine dicke Staubschicht. Am Ende der langen Halle befand sich ein Bad mit einer Badewanne, in die sich Rostspuren eingefressen hatten wie von jahrzehntelangem Gebrauch.
Sie gingen wieder die Treppe hinunter und kehrten zum Laden zurück. »Keine Sleeping-Tite Smoke Sentinels dort oben«, sagte Bucky.
»Genausowenig wie hier«, sagte Rachel. »Wie ist es denn dort oben?«

»Sieht aus, als hätte man dem Dienstmädchen cirka 1912 einen freien Tag gegeben, und es hätte sich schnellstens einen Australier geangelt und wäre ab zu den Känguruhs.«
»Laut Leonard haben sie über ein Jahr hier gewohnt«, sagte Paston. »Schienen's nicht gerade eilig zu haben, ihr Domizil zu renovieren.«

»Es muß im Keller sein«, sagte Altmeyer.

»Hoffentlich gibt's dort unten Licht«, erwiderte Rachel.

Bucky hob die Hand. »Hat keinen Sinn, wenn wir alle gehen. Wie wär's, wenn Sie und Arthur mal nachschaun, ob wir irgendwas übersehen haben?« Er öffnete zuerst die falsche Tür, fand dann jene, die nach unten führte. Altmeyer folgte ihm in die Dunkelheit.

Am Fuß der Treppe streifte irgend etwas Dünnes und Kaltes Buckys Gesicht. »Pfui Teufel«, rief er und schlug mit der Hand dagegen. »Abscheulich.« Als er es dann berührte, begriff er, daß es nur das Kabel mit dem Lichtschalter war. Er hob die Hände, bis es zurückschwang, dann fing er es ab und drückte auf den Schalter.

Eine nackte Birne glomm über ihm auf, und ein trübes, gelbliches Glühen erleuchtete die Steinwände rings um ihn.

In einer Ecke des Kellers stand so etwas wie ein alter Schmelzofen, der aussah, als sei er seit Jahren nicht mehr in Gebrauch gewesen. Eine der Verbindungsröhren schien zerbrochen und hing herab wie ein zerbrochener Baumast.

Altmeyer ging zu dem Ofen, ließ die eiserne Tür aufschwingen, schloß sie wieder. Dann ging er an den Kellerwänden entlang, starrte auf die Steine. Zweimal blieb er stehen und strich mit dem Finger über den bröckeligen Mörtel, dann sagte er: »Diese Leute beginnen mich zu nerven.« Seine Stimme war nur ein Murmeln. »Hier ist nichts.«

Paston und Rachel standen vor dem Laden. »Denken Sie mal über diesen Ort nach«, sagte Rachel. »Ist doch genau wie der Laden in Los Angeles. War mal ein altes Wohngebäude und ist umgemodelt worden in einen Laden, den dann diese Ashita-Leute übernommen haben. Sehen Sie ihn sich doch mal an.«

»Sie scheinen irgendein System zu haben«, sagte Paston.

»Sie verstehn nicht, worauf ich hinaus will, Arthur. Denken Sie doch mal an die Unterschiede. Gab's da 'ne Kasse oder so was? Sie haben gesagt, oben sei nichts, also auch kein Büro. Arthur, es gibt ja noch nicht einmal ein Telefon.«

»Wir wissen doch, daß sie keinen Einzelverkauf betreiben!«

»Nun, überlegen Sie mal einen Augenblick, Arthur. Die *müssen* ein Telefon haben. Die machen Geschäfte, wenn auch höchst gefährliche und illegale. Da wäre es absolut blöd, kein Telefon zu haben. Das hat heute jeder.«

»In Ordnung«, sagte Paston. »Suchen wir also nach einem Telefon.«

Sie taten sich im Laden um, suchten in der Holzverkleidung nach verborgenen Drähten. Bucky und Altmeyer kamen die Treppe herauf und sahen, wie beide auf Händen und Knien die Wände entlangkrochen. »Was treibt ihr denn da?« fragte Bucky.

»Habt ihr ein Telefon gesehen?« erwiderte Rachel.

Altmeyer grinste: »Klar doch.« Er holte eine Münze hervor, klatschte sie Bucky in die Hand. »An der Ecke, dort, wo wir in diese Straße einbogen, steht 'ne Telefonzelle. Rufen Sie die Auskunft an. Ich glaub, die haben die 142, aber das wird wohl auch in der Zelle stehn. Lassen Sie sich die Nummer von Ashita Electronics geben, und rufen Sie an, und wenn's die ganze Nacht dauert.«

Bucky schlüpfte zur Hintertür hinaus, und die anderen warteten. Ein paar Minuten später hörten sie ein gedämpftes Läuten.

Altmeyer ging langsam zur Mitte des Raums und drehte sich dann langsam um die eigene Achse. »Muß nicht weit von hier sein.«

Alle bewegten sich auf das Geräusch zu und standen dann im Lagerraum. Das Telefon klingelte erneut, und Rachel sagte: »Nein, ich glaube, wir sind dran vorbeigegangen.« Sie bewegten sich weiter in die Diele, und das Klingeln war deutlicher zu hören.

Paston flüsterte: »Ein Speiseaufzug«, und wiederholte etwas lauter: »Ein Speiseaufzug. Muß in der Küche gewesen sein.« Er bewegte sich an der Wand entlang und klopfte sie ab. »Das Eßzimmer wird oben liegen. Hier muß irgendwo der Speiseaufzug sein.«

Altmeyer trat neben ihn und legte sein Ohr an die Wand. »Klingt mir immer noch 'n bißchen weit weg.« Er bog im Lagerraum um eine Ecke und schob drei Kartons über einem Sack beiseite. Darunter befand sich eine kleine, polierte Holztür mit einer Messingklinke. Er öffnete sie und fand ein schwarzes Telefon, das jetzt viel lauter klingelte. Er hob den Hörer ab und sagte: »Hallo, Bucky. Sie können zurückkommen.«

»Okay«, sagte Rachel. »Ihr Telefon haben wir. Jetzt frage ich mich nur, was dazugehört, die Rauchdetektoren zu finden.«

»Vielleicht gar nicht so schwierig«, meinte Altmeyer. »Sieht mir ganz danach aus, als hätten wir ihr ganzes Büro vor uns.« Er langte rückwärts in den Speiseaufzug, holte einen Revolver und eine Schachtel mit Munition hervor und stellte sie auf den Karton neben sich.

»Nicht gerade ein Riesenwaffenarsenal«, spottete Rachel, »aber vielleicht ist es eine ganze Menge, falls die Polizei mit leeren Händen kommt.«

»Was ist dort sonst noch drin?« wollte Paston wissen. »Ihr steht alle davor und ich kann nichts sehen.«

Altmeyer reichte Paston ein dickes Bündel britischer 20-Pfund-Noten. »Ich glaube, wir fangen hier nur kleine Fische. Stecken Sie's ein.« Er überlegte. »Aber vielleicht spüren wir auch noch den großen Zaster auf.« Er kehrte dem Speiseaufzug den Rücken zu und hielt zwei dünne, fast durchsichtige Papiere in der Hand.

Während er las, zog er das jeweilige Blatt ganz tief nach unten; als er fertig war, reichte er eines davon Rachel.

Bucky glitt in diesem Augenblick durch die Hintertür in den Lagerraum und stellte sich unmittelbar hinter Altmeyer. Paston nickte ihm zu, schwieg jedoch.

Rachel krauste die Stirn und reichte das Papier Paston. »Die haben die Rauchdetektoren bereits verladen.«

»Das ergibt doch keinen Sinn!« Bucky schüttelte den Kopf. »Das hier ist der Ort, weiß doch jeder. Ist der auffälligste Platz seit dem Schwarzen Loch von Kalkutta.«

»Es macht eine Menge Sinn«, widersprach ihm Rachel. »Sehen Sie sich doch nur mal an, wo die hingeschafft werden.«

243

Paston reichte das Papier Bucky, und er las laut:»Vorverkaufte Ware... Natürlich. Lieferung an: Physical Sciences Annex, London University, Malet Street, London WC1.« Er lehnte sich gegen den Kartonstapel.»O Mann! London University.« Sein Blick haftete starr auf dem Papier.»Physical Sciences Annex. Oh. Scheiße.«

»Was ist das?« fragte Paston.

»Es ist dieselbe Tour wie in Los Angeles«, erklärte Rachel.»Es ist bloß eine Deckadresse, so wie ein Postfach, das man auf einen falschen Namen mietet. Die Firma läßt ihre eigenen Sachen darüber laufen, also stellt keiner lange Fragen. Aber wenn das Zeug hier ist, ist es vorverkauft, und niemand fragt danach, warum's nicht regulär auf dem firmeneigenen Laster befördert wird.«

»Aber wozu dieser University Annex? Und weshalb all diese Läden in unmittelbarster Nähe von Unis?«

»Scheint mir klar zu sein«, meinte Altmeyer.»Zu Tarnungszwekken. Wenn der ›falsche‹ Kunde wie 'n Riesenunternehmen aussieht, dann kannst du fast alles transportieren, ohne daß irgendwer auch nur 'ne Augenbraue runzelt. Aber 'ne große Fabrik oder so 'n Unternehmen kann man nicht aufziehen, bloß als Tarnung für 'ne einzige Fracht. Am besten nistet man sich am Rand eines großen Unternehmens ein und nennt sich einen Annex. Universitäten sind groß und kompliziert, und sie sind unterteilt in Colleges und Abteilungen und Forschungsinstitute und was man sonst noch alles erfunden hat, seit ich da weg bin. Bei denen dauert's Jahre, bis sie entdecken, daß ihnen irgendwer was abgezwackt hat – und vermutlich brauchen sie Jahrzehnte, bis ihnen auffällt, daß etwas Neues hinzugekommen ist – ein Gebäude am Rande des Campus mit einem akademisch klingenden Namensschild an der Tür.«

Bucky seufzte.»Einfach perfekt. Um die Bomben zusammenzusetzen, werden die vermutlich irgendeine Art Laboratorium brauchen. Und wo richtet man so eins am unauffälligsten ein? Genau dort, wo's noch Hunderte von anderen Laboratorien gibt.«

Sie gingen Lamb's Conduit hinauf zur Guilford Street und hinüber zum Montague Place. Paston wies auf ein riesiges Gebäude zur

Linken und sagte:»Das ist der Hintereingang des British Museum.«

Bucky warf einen kurzen Blick hinüber und blickte dann nach unten auf den Bürgersteig.»Falls es ein Leben nach dem Tode gibt, dann rotieren deine Mumien jetzt in ihren Kästen wie Hähnchen am Grill.«

Rachel sah nach vorn.»Falls die noch am Leben wären, so würden sie nach den Ashita-Produkten *ausgewickelt* Schlange stehen. Hier in der Nähe müßte eigentlich Malet Street sein.«

Altmeyer wies nach vorn und nach rechts.»Dort fängt das Universitätsgelände an, und die erste Straße ist unser Ziel.«

Paston schaute sich um.»Was für eine Menge Menschen. Da gibt's wohl irgendwo Abendkurse oder Vorträge oder was. Eigentlich könnten wir jemanden nach der Richtung fragen.«

Altmeyer schüttelte den Kopf.»Die sehn mir zu gescheit aus, als daß man sicher sein könnte, daß sie sich *nicht* an uns erinnern.«

Sie gingen die lange Reihe großer, weißer Gebäude entlang, mit kleinen Schildern über den Eingängen, bis die Universität hinter ihnen zu liegen schien. Es gab zwar noch ein paar Gebäude, die offenbar Verwaltungszwecken dienten, doch jetzt sah man auch kurze Reihen alter Stadthäuser, die, dicht beieinander stehend, zu Büros und Appartements umgebaut worden waren. Altmeyer, fast am Ende einer dieser Reihen, blieb plötzlich stehen.

Dort war eine einzige Fassade aus braunen Steinen mit sieben verschiedenen Treppen, die zu sieben übergiebelten Eingängen führten, jeder mit einer schweren, hölzernen Tür. Im trüben Licht war kaum auszumachen, wo das eine Haus aufhörte und das andere begann. Altmeyer stieg die Stufen hinauf, wobei er eine Hand in der Jackentasche behielt. Eine kleine Karte über dem Briefschlitz verriet: PHYSICAL SCIENCE ANNEX. Er drehte sich um:»Ich glaube, wir haben's gefunden.«

»Hätte ich mir ganz anders vorgestellt«, flüsterte Bucky.

»An einem der anderen Gebäude stand INSTITUT FÜR MATHEMATIK«, sagte Rachel.»Offenbar wuchern die wegen Raumknappheit über das eigentliche Universitätsgelände hinaus. Bei UCLA konnte Ashita nur was *in der Nähe* der Uni bekommen. Hier sind sie praktisch mittendrin, kleben einen akademischen Namen an die Tür und schwimmen so richtig im wirklichen Universitätsleben.«

Altmeyer drückte auf den Knopf neben der Tür, und innen erklang ein lauter Summton.

»Was tun Sie da?« fragte Bucky.

»Da steht: ›Um eingelassen zu werden, bitte klingeln.‹ Ich klingle, um eingelassen zu werden.«

»Sie wollen dort hinein?«

»Das ist mein sehnlichster Wunsch.« Altmeyer lauschte, doch innen blieb alles still. Wieder drückte er auf den Knopf, ließ seinen Finger eine Weile dort und verlegte sich dann auf eine ganze Reihe von kurzen Zeichen, wie beim Morsen. Nach etwa einer Minute sagte er: »Mein Finger wird müde. Würdet ihr mir zustimmen, wenn ich annehme, daß die zur Zeit keinen Unterricht haben?«

»Anzunehmen«, pflichtete Paston bei.

»Dann macht, daß ihr zum Hotel zurückkommt! Von jetzt an gibt's nichts, was ich nicht allein tun könnte.«

Bucky kreuzte die Arme. »Nein. Wir wollen's sehen.«

»Bucky, da gibt's nichts zu sehen außer 'n paar falschen Rauchdetektoren in 'nem Lagerraum. Haben Sie die Orderliste nicht gelesen? Die haben die erst vor zwei Tagen hertransportiert.«

»Prachtvoll«, sagte Paston. »Ich war ein bißchen nervös, weil ich mir nicht sicher war, was dort drin sein könnte. Gehen wir auch hier zur Rückseite des Gebäudes?«

Altmeyer seufzte. »Ist garantiert 'n Spezialschloß. Na, mal sehen.« Er holte seine Plastik-Automobil-Club-Karte hervor, schob sie zwischen Tür und Türpfosten und öffnete die Tür.

»Die Lichter sind an«, flüsterte Rachel. »Vielleicht gibt's hier so was wie einen Hausmeister.«

»Um so besser. Dann kann er uns sagen, wo der abendliche Unterricht stattfindet. Allerdings, falls die wirklich einen Hausmeister haben, dann ist das nicht der Ort, den wir suchen. Vielleicht lassen diese Leute auf dem Korridor 'n paar Lampen an, damit sie sich auf dem Weg zum Labor nicht den Hals brechen. Und deshalb geht die Sonne hier halt niemals unter.«

246

Sie schlossen die Tür hinter sich und sahen sich um, lauschten auf mögliche Geräusche. Langsam bewegte sich Altmeyer vorwärts, und die alten Holzdielen ächzten unter seinen Füßen. Die anderen bewegten sich links und rechts von ihm, um die Stelle zu meiden, wo es geknarrt hatte.

»Das dort am Ende der Diele sieht aus wie ein Büro«, flüsterte Paston.

»Das ist nicht das, was wir suchen«, erwiderte Rachel. »Diese ganze Geschichte ergibt nur auf eine einzige Weise einen Sinn. Die bezahlen astronomische Mieten, um ihre Läden in der Nähe von Universitäten zu haben. Ging's ihnen bloß um ein Büro, nun, das könnten sie überall haben. Das hier ist ein Laboratorium.«

Altmeyer nickte. »Sehen wir mal, wo's zum Keller geht. Dort müßte das Labor sein.«

»Woher wollen Sie das wissen?« fragte Bucky.

»Die arbeiten doch alle nach demselben Prinzip. Sie bedienen sich gemeinsam einer bestimmten Menge von Uran oder Plutonium oder dergleichen – stimmt's?« Er versuchte eine Tür, nahm erneut seine Plastikkarte, ließ sie in den Spalt neben das Schloß gleiten und öffnete die Tür. »Das ist der Teil, über den ich im Bilde bin. Sie wollen Detonatoren und Explosivstoffe unterhalb der Erdoberfläche lagern.« Er zog die Stirn in Falten, schloß die Tür, bewegte sich zur nächsten. »Und wer weiß, was die sonst noch alles brauchen? Vielleicht Wasser, elektrische Energie und so weiter.«

Paston blickte den Gang entlang. »Müßte sich auf der Rückseite befinden, genau wie in dem anderen Gebäude. Durch den Salon wurde die Kohle bestimmt nicht angeliefert.«

»Genau das ist der richtige Geist, Arthur«, sagte Bucky. »Es ist eine Ehre, sich in der Gegenwart von Greisen zu befinden.«

»Von Weisen, meinst du wohl.«

»Natürlich, entschuldige den Versprecher.«

Rachel bog bereits um die Ecke des Gangs. »Das muß es sein.« Das rote Zeichen über der Tür warnte: GEFÄHRLICHE APPARATUR. ZUTRITT NUR FÜR PERSONEN IN GEEIGNETER SCHUTZKLEIDUNG UND MIT VORHERIGER

GENEHMIGUNG DER UNIVERSITÄTSVERWALTUNG. Altmeyer prüfte das Schloß. »Deren Einbrecher müssen 'ne Klasse besser sein als unsere. Die meisten von unseren hätten das Schloß schon geöffnet, bevor sie mit dem Lesen der Gebrauchsanleitung fertig wären.«

»Das ist ja auch schließlich Universitätsgelände«, sagte Bucky. »Oder doch zumindest in unmittelbarer Nachbarschaft.« Altmeyer öffnete die Tür und fand einen Lichtschalter. Vor ihnen lag eine steil nach unten führende Treppe. »Großartig. Ich kriege langsam das Gefühl, daß ich diese Leute kenne. Wir stehn im Begriff, den einzigen Vorrat an echten Ashita-*Sleeping-Tite*-Rauchdetektoren auf der ganzen Welt zu entdecken.«

Sie gelangten zum Fuß der Treppe und standen in einem weiteren engen Korridor, mit je einer Tür zu beiden Seiten. Die Wände waren weiß und einfach, ohne auch nur eine Spur von Holz, und die Böden mit dunkelgrünem Linoleum belegt. Auf beiden Türen fand sich der gleiche GEFÄHRLICHE-APPARATUR-Hinweis, und neben beiden hing in einem Halter ein rotes Feuerlöschgerät.

Altmeyer öffnete die erste Tür, und langsam traten alle ein. Im Raum befanden sich vier glänzende, fleckenlose Stahltische. Auf ihnen lagen in ordentlichen Reihen schwarze Metallboxen, Koffern ähnlich, manche lang und schmal, andere nicht viel größer als ein Diplomatenkoffer.

»Was glaubt ihr, ist das?« fragte Paston.

»Keine Ahnung«, erwiderte Altmeyer. »Vielleicht irgendso 'n transportables elektronisches Gerät. Die sind nicht besonders groß.«

»Klar doch«, sagte Bucky. »Das ist deren reisende Atombombenfabrik. Haben sie vermutlich gleich nach den Rauchdetektoren hier hergeschafft.« Er trat zum Tisch, ließ einen der Behälter aufschnappen und trat hastig zum nächsten.

»Stimmt was nicht?« fragte Rachel.

»Sie sind leer. Da ist nichts drin, nur Schaumgummipolster.«

Altmeyer öffnete zwei weitere Behälter: »Diese sind auch leer, aber was da eigentlich reinpaßt oder reinpassen sollte, müssen kompakte, eckige Gegenstände sein, vermutlich irgendwelche Laborgeräte. Wie dem auch sei . . .«

»Warte«, unterbrach ihn Rachel. Sie stand neben dem nächsten Tisch, auf dem eines der langen, schmalen Behältnisse geöffnet war. »Sonderbar, dies Ding. Die Form des hohlen Teils ist anders.«

Alle versammelten sich um Rachel, prüften aufmerksam. »Wirklich sonderbar«, sagte Paston.

»Wie ein Fossil«, meinte Bucky. »Sieht aus wie der Abdruck eines Fischs. Dort ist der Schwanz, und da sind sogar Rückenwirbel.«

Altmeyers Gesicht schien sich zu verhärten. Er drehte sich um und ging quer durch die Diele zur anderen Tür. Kurz hantierte er mit seiner Plastikkarte, dann stieß er die Tür auf. Als er das Licht anschaltete, hörten die anderen, wie er mit völlig ruhiger Stimme »Scheiße« sagte.

Als Rachel zu ihm trat, begann Altmeyer im Raum umherzugehen und sich eingehend die Tische und Tresen zu betrachten. Da waren kleine, silberne Schraubenzieher und zusammengelötete Eisen und Voltmeter mit wirren roten und schwarzen Linien. Hier und dort fanden sich große Boxen, schwarz, mit Anzeigern und Meßskalen daran. Rachel sagte: »Sieht aus wie in einer Fernsehreparaturwerkstatt. Was für ein Durcheinander.«

Altmeyer drehte sich um und sah sie an. Er deutete auf einen der Tische, wo vier spiegelglatte Stahlkuben in das System der inneren Flächen eingepaßt schienen. »Diese Dinger sehen aus, als würden sie in diese kleinen Koffer passen. Was könnte dafür geeigneter sein?« Dann ging er zum anderen Ende des Raumes. »Die sind nicht für 'ne Bauernrevolte gedacht, um einem 'n paar Löcher in die Hosen zu verpassen. Um die Dinger richtig einzusetzen, braucht man schon 'n Militärflugzeug.«

Auf dem Tisch lag, in gepolsterten hölzernen Rahmen, eine Reihe von sechs langen, dünnen, glänzenden Silberformen. Rachel trat näher. »Die sind irgendwie – beinah schön. Bucky hatte recht. Sie sind wie große Fische.«

Altmeyer rief: »Bucky, Arthur. Suchen Sie überall nach was Geschriebenem und stecken Sie's ein.«

»Und was tue ich?« fragte Rachel. »Das Uran haben wir immer noch nicht gefunden. Das sind alles leere Hüllen.«
»Nimm die Feuerlöscher von den Wänden und stell sie in die Ecke. Dann greif dir Bucky und Arthur. Fahr' mit ihnen zum Russell Square.« Er öffnete einen kleinen Schrank unterhalb des Ausgusses, holte Metalldosen heraus und las die Etiketts. »Und du hast gesagt, dies sei das reine Chaos. Sieh dir doch mal an, was für hübsche Benzinprodukte die hier haben, um ihre Geräte sauber und rostfrei zu halten.«
Rachel holte die beiden Feuerlöscher und sagte: »Ist das alles, was wir tun können? Ich meine, du hast uns doch gerade klargemacht, daß wir's mit hochexplosivem Material und Detonatoren zu tun haben werden – und was ist mit der Radioaktivität?«
Altmeyer zuckte die Achseln. »Solltest du 'n paar Explosionen hören, hab' ich mich geirrt. Ich hab nichts gefunden, was auch nur annähernd einem der mir bekannten Explosivstoffe ähnelt, und ich nehm an, daß die entsprechenden Lieferungen noch nicht eingetroffen sind.«
»Und was soll ich tun, für den Fall des Falles?«
Altmeyer schob den Schreibtisch gegen die Wand und begann, klare Flüssigkeit darauf zu gießen. Dann stapelte er unmittelbar daneben die Schubladen und übergoß auch sie. Rachel roch den scharfen Geruch, der sie an leichtes Benzin erinnerte. Schließlich sagte Altmeyer: »Sollten mir die Ideen ausgehen, so wär's wohl das Beste, wir verkaufen unseren Landbesitz. Wer von uns überlebt, sollte sein Geld in Ashita investieren.«
Rachel lief zu ihm und drückte ihn fest an sich. Sie preßte ihr Gesicht gegen seine Brust und sagte: »Ich würde hinauf nach Oregon ziehen und Raymond heiraten und in den Wäldern leben. Und jeden Tag werden wir den Rindern erzählen, was für einen wundervollen Sinn für Humor du am Ende hattest.«
»Danke, Baby«, sagte Altmeyer. »Großartige letzte Worte habe ich zwar nicht auf Lager, aber ich werde dir statt dessen eine weit wertvollere Information geben: Ray trägt einen Geldgürtel.«
Sie blieb bei der Tür stehen. »Altmeyer, es gibt etwas, das ich dir unbedingt sagen möchte. Ich glaube, wir werden...«

»Raus mit dir, aber schnell«, unterbrach er sie. »Du wirst jetzt bei den beiden anderen gebraucht. Die vergessen sonst glatt, wann sie mit heiler Haut abzittern müssen.«

Altmeyer arbeitete im Keller, bis er sicher war, alles brennbare Material beisammen zu haben. Dann lief er die Treppe hinauf und fand den Raum, den Paston als Büro bezeichnet hatte. So sah's darin auch aus: ein alter Schreibtisch, Bücherregale. Er schob den Schreibtisch an die Wand, rückte vier Stühle heran und warf haufenweise Bücher auf und unter Tisch und Stühle. Schließlich übergoß er das Ganze mit dem Reinigungsbenzin, das er aus dem Keller mitgebracht hatte.

Auf der anderen Seite des Raums befand sich eine Reihe von Aktenschränken, und Altmeyer zog Schubladen voller Papier heraus und stülpte sie kurzerhand um. Dann lief er zurück zum Gang, die Treppe hinauf und begutachtete gleichsam das Ganze. Die Wände sahen ziemlich alt aus, vermutlich mit altem Gebälk darin, das in Sekundenschnelle brennen würde; aber zählen konnte er darauf nicht. Das Kellerlabor sah aus, als sei es von Feuerwehrleuten konstruiert worden. Er ging von Raum zu Raum, öffnete Türen, bis er schließlich einen fand, der ihm ›geeignet‹ erschien. Es war ein weiteres Büro mit einem hölzernen Schreibtisch und Aktenschränken aus Holz; viele Bücher und Papier, eine unordentliche Ansammlung. Wieder schichtete er in einer Ecke alles Brennbare zu einem Haufen, dann überlegte er einen Augenblick. Dieses Zimmer befand sich auf der Rückseite des Gebäudes, das andere Büro dagegen mehr im Zentrum, über dem Raum im Keller. Es mußte noch ein weiteres geben, weiter vorn.

Als er den Gang entlangging, folgte er gleichsam einer verschwommenen inneren Skizze, um den betreffenden Raum zu finden. Dabei entdeckte er eine altmodische, getäfelte Schiebetür; als sie sie öffnete, mußte er unwillkürlich lächeln. Das Mobiliar verriet, daß dies einmal ein Raum zur Aufbewahrung von Wäsche und Kleidungsstücken gewesen war. Jetzt lagerten hier nur Pappkartons voller Bücher und Papier.

Altmeyer stülpte einen der Kartons um. Eine Kaskade von Magazinen ergoß sich auf den Boden: *Der Spiegel, Le Monde, Vogue.* Wem mochten die Exemplare gehören? ging es ihm flüchtig durch den Kopf. Er schloß die Augen, überflog gleichsam die imaginäre Skizze des Hauses. Es mußte schnell geschehen. Vielleicht gab es im Haus Fässer voll Heizöl oder ein Labor voller Äther. Er riß ein Streichholz an und hielt es an den Stapel der Illustrierten. Die oberste Schicht krümmte sich schwärzlich, dann loderte es hell am Pappkarton hoch.

Altmeyer rannte zu dem Zimmer am anderen Ende des Ganges, zündete Papier und Mobiliar an, jagte dann zur Treppe. Jetzt war der Keller an der Reihe. Er warf ein brennendes Streichholz aus einer Entfernung von etwa drei Metern, und das Reinigungsbenzin entzündete sich sofort. Alles verlief wie geplant.

Er machte, daß er fortkam, nahm die Treppe nach oben in wenigen Sätzen. Im Büro zündete er zuerst den Papierstapel in der Ecke an. Die Flammen züngelten die ausgeschüttete Reinigungsflüssigkeit entlang, schlugen dann über dem Schreibtisch hoch.

Altmeyer rannte durch den Korridor zur Vordertür, öffnete sie mit einer einzigen Handbewegung, während er sein Gesicht gesenkt hielt. Als er hinaustrat in die kühle, feuchte Nacht, hörte er hinter sich das Prasseln des Feuers.

Rasch ging er in Richtung Malet Street, die Hände in den Jackentaschen, die Schultern leicht vorgekrümmt, den Blick nach unten gerichtet. Innerhalb von Sekunden war er einer von hundert oder mehr Menschen, die sich dort auf die gleiche Weise bewegten wie er. Nur atmete er wohl etwas hastiger und zählte seine Schritte.

Als er um die Ecke von Montague Place bog, warf er einen Blick auf seine Uhr. Es war erst Viertel nach neun. Er versuchte sich vorzustellen, wie es jetzt in dem Haus aussah. Das Feuer im Parterre mußte sich bereits auf die Wände auswirken. Hatte er in den beiden Korridoren sämtliche Türen offengelassen? Zugluft würde das Feuer gewaltig verstärken. Jetzt glich das Ganze einer Art Wettlauf. Stand ein Großteil des Gebäudes in Flammen, bevor die

Feuerwehr eintraf, so konnte diese den Brand höchstens unter Kontrolle halten – und gleichzeitig noch eine Menge Schaden anrichten.

Beim Russell Square erwarteten ihn Rachel, Bucky und Paston. Bucky schüttelte ihm die Hand und sagte nur: »Sie sind jedenfalls nicht explodiert.«

»Sie auch nicht.«

»War auch nicht eingeplant. Was machen wir jetzt?«

»Die U-Bahn-Station ist gleich da drüben«, sagte Altmeyer. »Zwei Haltestellen auf der Piccadilly Line, und ihr seid in Covent Garden. Eine Viertelstunde später könnt ihr schon schlafen.«

»Schlafen?«

»Sicher. Falls ihr nicht explodiert.«

»Spar dir deine Witze«, sagte Rachel. »Du weißt genau, daß keiner von uns so tun kann, als sei nichts gewesen. Wir müssen wissen, was vor sich geht, oder?«

Altmeyer seufzte. »Um rauszukriegen, daß es sich um Brandstiftung handelt, braucht's keinen Experten. Nur haben viele Brandstifter eine fatale Angewohnheit.«

»Nämlich?«

»Sie treiben sich gern – wie sagt man doch – am Ort der Tat herum, um ihr Werk zu genießen.«

Paston klopfte Altmeyer auf die Schulter. »Die werden nach einem Einzelgänger suchen. Wenn wir zusammen hingehen, kannst du in Ruhe zuschauen.«

»Hört zu«, sagte Altmeyer. »Was wissen wir schon, was in dem Haus dort versteckt ist und was passiert, wenn es brennt? Dies hier ist meine Frau und kein Offizier der Schweizer Gebirgsmarine. Eure Art von Tatendrang geht mir allmählich auf die Nerven.«

»Du weißt, daß wir wissen müssen, wer da noch aufkreuzt«, sagte Rachel. »Und das geht mit vier Leuten leichter.«

»Falls Sie nicht glauben, die Welt ganz allein retten zu müssen«, ergänzte Bucky.

Altmeyer schnaubte. »Die Welt retten? Ist es *das,* was Sie glauben? Mann! Ich wollte nur mal'n Trick probieren. Manchmal findet man Taxifahrer, die man ums Fahrgeld bescheißen kann. So einen habe ich gesucht. Die Welt retten! Da könnte ich wirklich aus der Haut fahren.«

Altmeyer neigte den Kopf zur Seite und blickte über den Platz, nach rechts erst, dann nach links. »Hört ihr's?« fragte er. Durch die Verkehrsgeräusche von der Tottenham Court Road her klangen Sirenensignale, die sich rasch steigerten. Es war ein schrilles, rhythmisches, pulsierendes Geräusch, das bald alles andere übertönte. »Das ist übel, aber ich hätte wohl damit rechnen müssen. Wenn die Feuerwehr nicht so tüchtig wäre, gäb's hier längst nicht mehr so viele alte Gebäude.«

»So klingt hier die Feuerwehrsirene?« fragte Bucky.

»Genau«, sagte Paston. »Während des Krieges . . .«

Rachel unterbrach ihn. »Ob die Zeit wohl gelangt hat?«

»Schwer zu sagen.« Altmeyer überlegte. »Es gibt dort 'ne Menge altes Holz, aber auch 'nen Haufen Ziegelgemäuer.«

Über den Platz, von der U-Bahn-Station her, kamen Leute. Wie auf ein Kommando verlangsamten sie ihre Schritte, starrten zum Himmel und lauschten. Nachdem ein paar stehengeblieben waren, sammelten sich weitere um sie herum, und rasch bildete sich eine kleine Menschenmenge.

Einer der ersten, ein Mann in einem Trenchcoat, trat ein paar Schritte zur Seite, unter eine Straßenlaterne. Rachel sah, wie sich sein Kopf mit dem hellgrünen Filzhut nach allen Seiten bewegte. Dann hob er den Arm und zeigte in eine bestimmte Richtung. Rachels Blick folgte der Linie des Arms. Über dem hochragenden Universitätsgebäude konnte sie ein rötliches Glühen sehen, das von Sekunde zu Sekunde heller zu werden schien. »Sieh dir den Himmel an«, sagte sie. »Du mußt gute Arbeit geleistet haben.«

Der Mann mit dem grünen Hut ging in Richtung des Feuerscheins. Bevor er drei Schritte gemacht hatte, folgte ihm ein junges Paar; die anderen schlossen sich an, und bald bewegte sich ein steter Zug von Menschen auf das Feuer zu.

Die Sirene klang jetzt lauter, auch voller und tiefer, und Rachel überlegte, daß die Einsatzwagen bereits die größeren Verkehrsstraßen hinter sich haben und unmittelbar der Malet Street zustreben mußten.

Ein Stück weiter links flog die Eingangstür eines Gebäudes auf, und ein Strom junger Leute ergoß sich auf die Straße, manche mit Büchern, Hüten oder Jacken in den Händen. Einige bewegten sich zögernd, andere stürzten hervor. Alle starrten zum Himmel, zu dem Schein, der sie wie magisch anzog.

»Wir sollten nach dem Typen Ausschau halten, den wir suchen«, meinte Bucky. »Das gibt hier eine Riesenversammlung.«

Altmeyer machte sich langsam auf den Weg. »Der wird kaum im Handumdrehen hier sein. Wenn ich eine Bombenfabrik besäße, würde ich mich auch nicht viel in der Gegend 'rumtreiben. Haltet Ausschau nach jemandem, der im eigenen Wagen kommt und aussieht, als ob er eine Menge Schotter erübrigen könnte.«

Drei junge Männer liefen an ihnen vorbei. Einer von ihnen stieß dabei leicht gegen Paston. »'zeihung, Sir«, murmelte er. »Reizendes Feuerchen.« Die drei Männer verschwanden um die Ecke in genau dem Augenblick, als die erste Sirene abbrach.

Gleich hinter der Ecke stießen sie auf die erste Gruppe von Leuten, die mit gekreuzten Armen dastanden, sich gegen den großen Baum lehnten – oder auch den Briefkasten daneben – und Kommentare über das Feuer austauschten. »Sieht mir nach Chemikalien aus, so hellgelb, wie es ist? Das muß brennender Schwefel sein.« Ein anderer widersprach: »Ist bloß altes Papier und Holz. Hoffentlich verbrennen denen die Unterlagen über Stipendien und so'n Zeug.« Und eine Mädchenstimme: »Ne, ne, ist bloß ein Institutsgebäude.«

Sie drängten sich durch die Menge, Altmeyer, dann Rachel, Paston und Bucky. Auf der Straße waren Feuerwehrleute in aller Hast dabei, Schläuche an einen hohen roten Hydranten anzuschließen.

»Das Ding hätten wir außer Gefecht setzen müssen«, sagte Bucky unzufrieden.

Altmeyer beugte sich zu ihm: »Ich wußte nicht, was es war.«

Sie gelangten zu dem Ring der Zuschauer um die beiden Einsatzwagen, wo ein überreizter Polizist die Ordnung aufrechtzuerhal-

ten versuchte. »Zurück, bitte«, rief er. »Überlassen Sie diesen
Gentlemen bitte einen größeren Anteil an der Straße.« Mit ausgebreiteten Armen schien er der Menge einen unsichtbaren Polizei-
kordon suggerieren zu wollen.

Durch die oberen Fenster sah Rachel, daß das Feuer das oberste
Stockwerk voll in seiner Gewalt hatte. Die Flammen füllten die
Fenster. Doch das Glühen am Himmel schien aus größerer Entfernung zu kommen. Dann gab es ein lautes Krachen, und sie sah
eine Flamme über dem Dach emporlodern.

Auch der Bobby sah es, und er rief der Menge zu: »Feuer sind
unberechenbar. Feuer betrachtet man am besten aus einiger Entfernung.« Wieder schwenkte er seine Arme, um die Schaulustigen
zurückzudrängen.

Rachel betrachtete die Leute ringsum. Alle starrten in die Flammen, das Feuer beleuchtete ihre Gesichter und ließ ihre Augen
glänzen. Näherte sich der einzelne Polizist, so traten sie, ohne die
Blicke vom Feuer zu lösen, ein paar Schritt zurück, schoben sich
jedoch gleich darauf wieder vor. Fast alle hatten die jungen, glatten Gesichter von Studenten; verstreut fanden sich auch ein paar
ältere Leute.

Altmeyer machte einen Bogen um die Gruppe und ging weiter.
»Kommt«, sagte er. »Ich glaube, unser Freund wird uns ein Stück
weiter hinten treffen.« Sie postierten sich schließlich zwei Türen
weiter auf dem Bürgersteig, wo sie außerhalb des Widerscheins
des Feuers standen. »Er wird kommen, um zu sehen, wo's brennt –
und nur so lange bleiben, bis er weiß, daß er nichts tun kann.«

Sie sahen, wie zwei Feuerwehrleute das Schloß der Eingangstür
aufbrachen. Als sie die Tür eintraten, schoß etwas wie ein Feuer-
strahl hervor und schien in der Luft zu schweben. Dann erkannte
Rachel, daß es dicke Rauchwolken waren, auf denen sich der Wi-
derschein der Flammen fing. Auf der Straße kauerten drei Feuerwehrleute wie eine Gruppe von Kanonieren und richteten die lange Messingdüse eines Schlauchs auf den Türeingang. Mächtig
spritzte ein Wasserstrahl, doch das schien den Rauch nur zu ver-
schlimmern.

Es prasselte unaufhörlich, dann gab es ein unheimliches Krachen, als offenbar eine der Etagen einbrach. Noch mehr Rauch quoll aus dem Haus, und die Flammen auf dem Dach schlugen höher. Andere Feuerwehrleute schleppten einen Schlauch zu einer Stelle, von wo sie in hohem Bogen hinaufspritzen konnten.

Paston hustete und hielt sich sein Tachentuch vor den Mund. »Der Wind weht offenbar in unsere Richtung.«

Sie wichen weiter zurück, bis sie plötzlich ein anderes auffälliges Geräusch hörten – hinter sich. Es war ein schrilles, konstantes, elektronisches Geräusch, eine Art Summen oder Surren, und es kam aus der Tiefe des Hauses nebenan.

»Was ist das?« fragte Bucky.

»Keine Ahnung«, erwiderte Paston.

Abrupt schien das Geräusch anzuschwellen, als habe sich sein Volumen verdoppelt. Mit den Augen suchten sie das Haus ab, aber nirgendwo war Licht. Immer noch schwoll das Geräusch an, mehr und mehr, bis zur dreifachen, vierfachen Stärke. Bald war es so laut wie das Dröhnen der Feuerwehrmotoren, und es steigerte sich noch mehr. Neugierige kamen vom Feuer zu diesem Haus, um auf das Geräusch zu lauschen, und bald standen sie zu Dutzenden dort.

Plötzlich flog die Tür auf, und drei Männer stürzten aus dem Haus heraus, mitten in die Menge. Für den Bruchteil einer Sekunde sah Rachel die Männer deutlich. Auf den ersten Blick glichen sie in ihrer weißen Kleidung irgendwie Sanitätern, doch trugen sie kleine Hüte oder Helme mit Schutzbrillen, als ob es sich um Feuerwehrleute in Spezialausrüstung handelte. Nur hielten sich die Männer wegen des furchtbaren Lärms die Ohren zu, und das sah echten Feuerwehrleuten wenig ähnlich.

Bevor der Lärm alles zu übertönen drohte, schrie Rachel Altmeyer ins Ohr: »Die Rauchdetektoren!«

Altmeyer war bereits in Bewegung. In schrängem Winkel drängte er hinter dem ersten Mann durch die Menge. Er blieb ihm, schon halb auf der Straße, unmittelbar auf den Fersen.

Mit einer plötzlichen Bewegung löste sich Bucky aus der Menge, schlang seinen Arm um den Mann in Weiß und wirbelte ihn herum, auf Altmeyer zu.

Der Mann versuchte, seine Arme freizubekommen, doch Bucky hielt ihn fest. Der Mann schien etwas sagen zu wollen, doch konnte man ihn nicht verstehen.

Noch immer schwoll der Lärm an, und Bucky bewegte seine Lippen. Altmeyer konnte sehen, wie die Adern an seiner Kehle schwollen, um sich trotz des teuflischen Krachs verständlich zu machen. Und dann las Altmeyer die Worte von Buckys Lippen: »Töten Sie ihn.«

Der Mann schien Buckys Ruf gehört zu haben. Mit äußerster Anstrengung riß er sich los und stieß Bucky zurück. Altmeyers Hand zuckte aus seiner Tasche hervor. Zweimal feuerte er und traf den Mann in die Stirn, dann ließ er sich in die Menge zurückfallen.

Einen Augenblick später befand er sich fast auf gleicher Höhe mit dem zweiten Mann in weißer Kleidung. Er nahm Altmeyer überhaupt nicht wahr, doch schien er etwas zu ahnen, denn als die Mündung des Schalldämpfers sich auf sein Ohr richtete, hob er eine Hand wie zur Gegenwehr. Als er zu Boden sackte, ging Altmeyer im gleichen Tempo weiter, hielt sich dann scharf rechts, wo der dritte Mann in Weiß, mitten in der Menge, von den Leuten gehalten zu werden schien. Als Altmeyer näher kam, sah er, daß der Mann hustete und um Atem rang. Er stützte sich auf eine Frau, den Arm über ihrer Schulter.

Erst als er ganz in der Nähe war, sah er, wer die Frau war: Rachel. Dann tauchte Paston mit einer Wolldecke auf. Er warf die Decke dem Mann über die Schultern, dann führten Rachel und er den Taumelnden aus der Menge. Altmeyer folgte ihnen. Auf der Wolldecke erkannte er das Emblem der Feuerwehr. Als sie den gegenüberliegenden Gehsteig erreichten, sah Paston Altmeyer. Sein Gesicht war ernst und wirkte sehr fahl im flackernden Licht. Paston blickte Altmeyer in die Augen und nickte.

Der Schuß ins Genick schien nichts zu bewirken; nur ein Haarbüschel bewegte sich. Dann gaben die Knie des Mannes nach, Rachel und Paston ließen ihn in eine sitzende Haltung gleiten und zogen ihm die Decke über Hals und Kopf.

Die drei schlängelten sich durch die Menge, trafen auf der anderen

Seite wieder zusammen. Auch Bucky war zur Stelle. Keiner von ihnen warf einen Blick zurück. Sie schritten ruhig und zielstrebig, wanderten gleichsam hinter ihren eigenen langen und schwankenden Schatten her. Hinter ihnen war alles durch die Flammen des brennenden Hauses taghell, und die Luft vibrierte vom ohrenbetäubenden Schrillen von zweitausend Ashita-*Sleeping-Tite*-Rauchdetektoren.

Los Angeles

Rachel öffnete die Schiebeglastür und trat hinaus aufs Sonnendeck. Paston lehnte sich auf seiner Chaiselongue zurück, zog die karierte Wolldecke über die Brust und blickte hinaus aufs Meer.
»Ein Anruf für Sie, Arthur. Von Leonard.«
»Sagen Sie ihm, daß ich mich morgen telefonisch bei ihm melde. Ich fühle mich heute ein bißchen abgeschlafft.« Er bog unter der Wolldecke sein langes, rechtes Bein und pochte mit dem rechten Fuß rhythmisch gegen das Stuhlgestell.
»Ich werd's ihm ausrichten«, sagte Altmeyer. Er stand auf, zog sich sein Hemd über, ging nach innen und schloß die Glastür.
Rachel tippte gegen Pastons Schulter. »Wie wär's mit einem Martini, Arthur?«
»Nein«, sagte Paston, »wohl lieber nicht.«
»Wir haben 26 Grad, und Sie sehen aus, als wären Sie auf einem Schiff im Nordatlantik. Sie brauchen etwas, um sich von innen zu wärmen.« Sie wartete. »Nun los, sagen Sie schon.«
Paston zuckte die Achseln. »Was gibt's da viel zu sagen? Wir sind alle vollzählig.«
»Wir mußten es tun, Arthur«, sagte Bucky.
»Wir waren die einzigen, die dort waren, Bescheid wußten, und die es tun konnten. Jetzt sind wir hier, und mir ist ganz und gar nicht nach einem Martini.« Sein Lächeln war müde und kalt, ein halbes Lächeln nur. »Die Leute glaubten immer, ich hätte ein Alkoholproblem. Sie kapierten nicht.«
»Was kapierten sie nicht?«
»Wie es war, Arthur Paston zu sein. Ich hatte alles erreicht, was ich je hatte erreichen wollen. Hatte, ohne viel drüber nachzudenken, eine Riesenmenge Geld gemacht. Und hatte all die Jahre einen Heidenspaß. Ich war praktisch auf einer Art Dauerparty.«

Rachel seufzte.

Paston blickte zu ihr. »Das änderte sich. Während ich dieses lange und interessante Leben genoß, beachtete ich's irgendwie gar nicht weiter. Dann kam jene Nacht, und es war wie im Film. Es gab einen alten, schwachen, gierigen, verkümmerten Kerl, der aussah wie ein Pharao aus dem British Museum, und der erhob sich aus seinem Kasten, und er ging durch die Straßen und tötete junge Männer, um seine Schätze zu retten. Oder vielleicht wollte er nur ihr Blut aussaugen, um ewig zu leben.« Auf Pastons Gesicht erschien wieder das leere Lächeln. »In einem Drehbuch gibt's ja immer irgendwelche Gags, aber ich weiß jetzt schon, daß die Schlußszene *nicht* darin gipfelt, daß der Pharao einen Martini schlürft.«

Bucky erhob sich mit soviel Schwung, daß sein Stuhl rückwärts aufs Deck kippte. »Du hast recht, Arthur. Eine Menge hat sich geändert, wir eingeschlossen, und irgendwie stinkt das zum Himmel.« Er bückte sich, um den Stuhl aufzuheben.

»Bucky«, begann Rachel.

Bucky hob eine Hand. »Nein, der Pharao hat recht. Man kann eine Grenze überschreiten und etwas tun, das einen für immer kaputtmacht. Denken Sie an diese drei Wissenschaftler. Die hatten die Grenze überschritten. Und zwar so eindeutig, daß ihnen jemand folgen mußte, um sie zu töten. Solange sie lebten, bestand die Möglichkeit, daß das Beverly Hills Hotel auf Grundeis gesetzt wird.«

Paston schüttelte den Kopf. »Wir haben die Leute ermordet, um die Polo Lounge zu retten.«

»Stimmt. Und ich würd's wieder tun und bin froh, daß ich die Chance hatte. Ich habe ein interessantes Leben gehabt. Ich zahle zur Zeit den Unterhalt für vier der schönsten und dümmsten Frauen in Amerika. Und falls ich weiterhin Wissenschaftler umbringen müßte, um mich bei schönen Frauen zum Narren zu machen – okay. Ich habe die Grenze, von der Arthur sprach, längst überschritten, und das ist nicht leicht für mich. Aber ich muß damit leben, denn die einzige Alternative wäre – sterben.«

Altmeyer saß an der Bar. Er goß mit der einen Hand Scotch in sein Glas und hielt mit der anderen das Telefon.

»Sorry, Leonard. Der alte Knabe ist von der Reise erschöpft und schläft. Wenn er wieder aufwacht, werde ich dafür sorgen, daß er Sie anruft.«

Die Stimme in der Muschel tönte: »Ich habe ihm ja klarzumachen versucht, daß er für solche Aktionen zu alt ist. Reine Zeitvergeudung. Viel habt ihr bestimmt nicht herausgekriegt, oder?«

»Nein, nicht allzuviel. Übrigens, haben Sie etwas über die Klinik in Santa Barbara herausgefunden?«

»O ja. Allerdings auch nicht viel, versteht sich.«

»Warum nicht? Ist doch eine Gesellschaft, oder?«

Leonard gluckste. »Ein Geschäftsmann wie Sie sollte sich solche Fragen eigentlich sparen. Das Unternehmen ist recht profitabel, was ja kaum verwundern kann. Sie haben eine Menge Grundbesitz in der Gegend von Santa Barbara, meist auf Mietbasis. Der Vorsitzende der Gesellschaft ist gleichzeitig der Chefarzt. Er heißt Bernard Felitan.«

»Was für eine Art Klinik ist das?«

»Gynäkologie. Das ist das Komische daran. Eine ihrer Investitionen ist ein Ort in Nevada mit Namen Hummingbird Ranch Club. Es ist ein offizielles Bordell.«

»Ärzte als Eigentümer eines Puffs?«

»Das wäre vermutlich die harmloseste Nachricht der Woche. Ärzte machen einen Haufen Geld, und das investieren sie, um noch mehr Geld zu machen. Alles auf legaler Basis. Als ich noch mein Immobiliengeschäft hatte, kamen dauernd Ärzte mit dicken Geldscheinbündeln. Sie wollten alle ihr Geld in etwas investieren, das ihnen einen hübschen Profit einbringt.«

»Und Sie meinen, dieser Dr. Felitan gehört auch zu der Sorte?«

»Hören Sie mal, Steuerhinterziehung oder so ist *der* Nationalsport. Sie sind darin wahrscheinlich selber Experte, also sparen Sie sich Ihre moralische Entrüstung. Wenn mich wer fragen würde, wer im ganzen Land am dicksten absahnt, so würde ich nicht sagen, die Spielkasinos. Nein – die Ärzte, und zwar mit Abstand.«

»Was ist mit Felitan?«

265

»Wenn der mit seinem Finanzgebaren den Fiskus hinters Licht führen kann, dann legt er mich in dem Punkt glatt aufs Kreuz. Er hat dort oben so 'ne Art Krankenhaus und eine Liste von Geschäftspartnern, über die man nur den Kopf schütteln kann – er sitzt im fettesten Klee.«

»Ist er groß genug, um Ashita zu kaufen?«

»Weiß ich nicht. Wenn's um die gesamte Kaufsumme ginge, würde ich sagen: unwahrscheinlich, aber nicht auszuschließen. Aber wir wissen ja nicht, ob irgendwer Ashita aufgekauft hat. Man braucht ja nicht das ganze Ding zu kaufen, um die Kontrolle darüber zu haben.«

»Ausschließen läßt es sich jedenfalls nicht?«

»Ich hab meine Erfahrungen mit Ärzten. Ich hatte mal 'nen Deal mit einem Psychiater. Er hatte enormen Kredit, leistete die Anzahlung, und alles sah eitel rosig aus, bis die Bank ihr Pfandrecht auf die Liegenschaft geltend machte. Aber selbst das tat seiner Kreditwürdigkeit kaum Abbruch. Der Mann kaufte sich ein Flugzeug – mit einer Kreditkarte! Ich kann dir sagen ...«

»Danke, Leonard. Da ist jemand an der Tür, und ich möchte nicht, daß Arthur geweckt wird.«

»In Ordnung. Richten Sie ihm aus, wir unterhalten uns morgen miteinander.«

Altmeyer stellte seinen Drink auf die Bar und drehte den Fernseher lauter. Dann trat er zur Glastür und rief: »Die geben jetzt wieder was durch.«

Altmeyer kehrte zu seinem Barhocker zurück, nippte an seinem Scotch und schaute zum Fernseher.

»Heute hat die britische Regierung erste Informationen über die drei amerikanischen Wissenschaftler, die vor zwei Tagen während eines Brandes in London ermordet wurden, bekanntgegeben. Man hat sie als Paul Weston, 37, William Lister, 48, und John Tedesk, 29, identifiziert. Bei den erstgenannten handelt es sich um Physiker, beurlaubt von der University of California in Santa Barbara, Weston war Arzt, gleichfalls in Santa Barbara ansässig.«

266

»Ich wette, ich weiß, wo der seine Praxis hatte«, sagte Altmeyer zum Fernseher.

Nachrichtensprecher David Harden hob den Blick von einem Stapel Papier in seiner Hand und blickte in die Kamera. »Die drei Männer befanden sich in London zur Vorbereitung einer wissenschaftlichen Expedition im kommenden Frühjahr, um das Treibeis vor der Prinzessin-Ragnhild-Küste in der Antarktis zu erforschen. Zwar hieß es zunächst, das Projekt sei in Absprache mit der London University geplant gewesen, doch wußten die Zuständigen davon nichts. Wir sind inzwischen dahingehend informiert worden, daß es sich um eine von Privatseite finanzierte Forschungsexpedition handelt.«

»Schwer zu glauben, Dave«, sagte Altmeyer. Er nahm einen Schluck von seinem Drink.

David Hardens linke Augenbraue hob sich. »Die drei Männer hinterlassen Frauen und Kinder.« Er schob ein Blatt Papier auf den Boden des Stapels, und sein Gesicht nahm jenen Ausdruck genau bemessener Sorge an, den er ›internationalen Entwicklungen‹ vorzubehalten pflegte. »Ein Sprecher der britischen Regierung hat erklärt, bislang hätten fünf Terroristengruppen die Verantwortung übernommen, doch hätte keine eine Erklärung für die großen Mengen von Uran geboten, die im Zusammenhang mit dem Laboratoriumsbrand in einem anderen Gebäude in Universitätsnähe aufgefunden wurden.«

Altmeyer lächelte. »Sie werden schon noch drauf kommen. Sprich nur weiter.«

»Wie von offizieller Seite verlautet, ist es noch zu früh, darüber zu spekulieren, ob es sich hierbei um dasselbe Uran handelt, das als Fehlbestand in einer kanadischen Lagerungsstätte, die vier Kernreaktoren in Alberta versorgt, gemeldet wurde.«

»Sie werden schon noch drauf kommen.«

Altmeyer ging zurück zum Sonnendeck und setzte sich neben Paston. »Es scheint, daß die eins von den Dingern in der Antarktis hochgehen lassen wollten.«

Bucky setzte sich. »Um Pinguine zu rösten?«

Altmeyer blickte zum Meer. »Ich glaube, das war nur Show, es ist so, wie Mr. Cord sagte: Man bastelt eine Reihe von diesen Dingern und läßt dann eines irgendwo hochgehen. Auf diese Weise weiß jeder, daß man ein Produkt zu verkaufen hat. Und die Antarktis...«

Rachel fiel ihm ins Wort: »Ich kapiere. Sie ist unbewohnt, es gibt nur einige Stationen mit Wissenschaftlern aus aller Welt, und die haben alle möglichen seismischen Geräte und Thermometer und Windmesser und Gott weiß, was sonst noch. Und da aus fast jedem Land der Welt Wissenschaftler dort sind, hätte keine Regierung was vertuschen können.«

»Sehr clever«. Paston nickte. »Und was ist mit unserem Beverly Hills Hotel, Bucky?«

»Die Pinguine hätten ihnen das Zeug nach der ersten Demonstration sicher noch nicht zum Höchstpreis abgekauft«, erwiderte dieser, »aber die nächste Demonstration hätte womöglich direkt mitten in deinem Martini-Shaker stattgefunden. Ich weiß, Pharaonen macht so was nichts weiter aus, aber denk mal an uns gewöhnliche Sterbliche.«

Altmeyer betrachtete Bucky für einen Augenblick. »Ich wünsche mir zwei Sachen von euch.« Er blickte zu Paston. »Sie setzen Ihre alten Knochen in Bewegung und telefonieren mit Leonard. Sagen Sie ihm, er soll ihnen ein offizielles Angebot machen, ihr Zentralbüro in Japan zu kaufen. Über den Preis verhandeln wir später.«

Rachel fragte: »Und was ist das andere?«

»Dafür brauche ich einen oder eine Freiwillige. Die Person muß mutig, intelligent, umsichtig sein.« Er schwieg einen Augenblick. »Außerdem ist die Zugehörigkeit zum weiblichen Geschlecht Vorbedingung.«

»Handelt sich's um was, das mir zuwider ist? Ist es abscheulich?«

Altmeyer nippte an seinem Drink. »Ja.«

Rachel ging den kalten, leeren kleinen Gang entlang, vorbei an den Kabinen mit den Vorhängen. Sie schlüpfte in die dritte und begann sich anzuziehen. Sie fühlte sich schwindlig und außer Atem, und lehnte sich etwa eine Minute lang gegen die Wand, bevor sie, ohne zu strauchein, in ihre Schuhe schlüpfen konnte.

Während Rachel ihren Rock straffte, dachte sie über Dr. Schumaker nach. Sie war sicher, daß er nichts begriffen hatte. Er war viel zu töricht und selbstzufrieden, als daß ihm ein ›Licht‹ hätte aufgehen können. Das Sprechzimmer mit der kleinen Wanduhr hatte die Form des Steuerrads eines Schiffs, und alles wirkte so kindlich, nein, kindisch.

Sie lauschte am Vorhang, schlüpfte dann hinaus auf den leeren Korridor und gelangte zum Hauptgang. Am Ende der Halle sah sie ein Schild KONFERENZZIMMER. Konferenzzimmer, wo die jeweiligen Bosse alles brav um sich versammelten. Rachel bog vorsichtig um die Ecke, lauschte auf die Geräusche sich nähernder Schritte und glitt langsam an der Wand entlang.

Altmeyer saß im hellen Sonnenlicht und blickte empor zu den knorrig-grünen Hügeln, die hinter dem flachen Gebäude mit Glasfront das Blickfeld beherrschten. Als Rachel durch die Glastür kam, ließ er den Motor von Buckys Mercedes an, stieg dann aus und öffnete ihr die Tür.

»Wie ist's gelaufen?« fragte er.

»Scheußlich, aber nicht weiter überraschend. Zuerst der Bluttest, dann die Urinprobe. Danach die üblichen Untersuchungen, die man als Frau über sich ergehen lassen muß. In dem Raum gab's auch so einen Sensor, der automatisch die Klimaanlage reguliert, je nach Lufttemperatur. Ich möchte wetten, daß das Ding von Ashita produziert wird.«

»Was hast du herausgefunden?«

Sie kramte in ihrer Handtasche. »Ich werde eine kleine Skizze für dich anfertigen.«

Altmeyer legte den Gang ein, und der Mercedes setzte sich in Bewegung. »Mach die Skizze im Hotelzimmer. Jetzt und hier wird's doch nur Gekrakel.«

Sie sah ihn an. »Altmeyer, was hast du eigentlich vor?«

Altmeyer hielt seine Augen auf die Straße gerichtet. »Ich hab dir gesagt, du würdest es hassen. Und du wirst es hassen.«

Rachel setzte ihre Sonnenbrille auf und klappte die Handtasche zu. »Das hört sich fast so an, als ob du keine armen Schnorrer mehr jagst.«

»Ich bin nicht mehr im Geschäft.«

»Vielleicht sind schon in der nächsten Woche fünfzig weitere Männer wie dieser Doktor auf dem Plan, die ein paar Millionen haben – und den Drang zu spekulieren.«

»Kannst du einen Plan von ihren Büros machen?«

Altmeyer klopfte an die Tür seitlich vom Konferenzraum, auf der PRIVAT stand.

Eine Männerstimme rief von innen: »Herein.«

Altmeyer drückte die Türklinke, und die Tür öffnete sich.

Ein Mann in einer Kamelhaar-Sportjacke und einer irgendwie uniform wirkenden Krawatte saß an einem Schreibtisch. Er war etwa sechzig, sonnengebräunt und trainiert, mit klaren, wachen Augen. Für eine Sekunde wirkte er verwirrt, dann lächelte er und sagte: »Ich bin Dr. Felitan. Für den Fall, daß Sie sich verirrt haben, kann ich Ihnen den Weg weisen. Diese Etage ist für Damen.«

Altmeyer sagte: »Nein, danke. Ich bin Dr. Altmeyer.«

Felitan wirkte perplex. Dann stand er auf und sagte nur, kaum hörbar: »Sie?«

Altmeyer sah, daß Felitan die Hände zitterten. Die Fingerspitzen waren auf die Schreibtischplatte gepreßt, doch die Handgelenke vibrierten.

»Was wollen Sie?« fauchte der Arzt. Und als Nachsatz fügte er hinzu: »Raus mit Ihnen!«

Altmeyer zog die Pistole aus seinem Jackett und zielte damit auf Felitans Stirn. Der große Schalldämpfer verlängerte den Lauf beträchtlich.

»Sagen Sie doch etwas«, schrie Felitan.

»Es war nett, Sie kennenzulernen.«

Altmeyer feuerte. Der erste Schuß riß den Kopf zurück, der zweite bohrte sich mitten durch die Krawatte. Der Raum wirkte eigentümlich still und in völlig normaler Ordnung, als Altmeyer der

Leiche den Rücken zukehrte und durch den Konferenzraum zur Treppe ging.

Er hatte damit gerechnet, angestrengt suchen zu müssen – vielleicht in Aktenfächern und Schreibtischschubladen nach Papierfetzen fingern. Doch er hatte es sofort gesehen, hinter dem Aschenbecher. Es war ein Streichholzheft mit einem schwarzen, doppelköpfigen Adler und dem Aufdruck:»Prince Andrei Hotel.« Er hoffte nur, daß Felitan ihn bei der ›Handelskonferenz‹ aus irgendeinem harmlosen Grund ausgesucht hatte. Ja. Altmeyer hoffte sehr, daß er nicht der erste Name auf einer bestimmten Liste war.

Altmeyer lag neben dem Koi-Teich und warf Brotkrumen auf das Wasser. Vier große, helle, fleckige Fische stiegen aus der Dunkelheit empor und rundeten ihre Mäuler, um an die Krumen zu kommen, dann schwenkten sie ihre Schwänze und jagten zu einer anderen Stelle der Wasseroberfläche.

Er hob den Kopf und sah, wie Rachel langsam über den Rasen ging, wobei sie irgend etwas las. Zwei Ziegen folgten ihr und drängten einander gegenseitig von ihr fort. Als sie drei Meter von Altmeyer entfernt war, blickte Rachel von dem Papier auf und sagte zu den Ziegen:»Mädchen.« Dann blickte sie zu Altmeyer.

»Ich habe eine Rechnung von der Klinik in Santa Barbara!«

»Kann man ruhig bezahlen. Jede Woche gehen Hunderte von Frauen zu der Klinik.«

»Altmeyer, ich habe nachgedacht. Es besteht doch die ernste Möglichkeit, daß die Arthurs Angebot, Ashita zu kaufen, akzeptieren werden, oder?«

Altmeyer streckte sich flach auf den Rasen, schloß die Augen und ließ die Sonne sein Gesicht wärmen.»Möglich wär's schon. Viele wollen ihren Besitz in Bargeld umwandeln, kennen aber den eigentlichen Wert ihres Besitzes nicht.«

»Und was ist der Wert?«

»Kommt darauf an, was du bist. Bist du ein Elektronikproduzent, ist's vermutlich herzlich wenig wert. Es gibt 'ne Fabrik, 'n

Lagerhaus und 'n paar Läden, die 'ne Menge Kosten mit sich bringen. Arthur ist ein Filmproduzent.«

»Und was bist du jetzt eigentlich?« Langsam füllten sich ihre Augen mit Tränen. »Du bist hinter den Leuten her, die in den Läden arbeiten, du bist hinter denen her, die in der Fabrik arbeiten und im Krankenhaus und . . .«

»Ich hab' 'ne Theorie«, sagte Altmeyer ruhig. »Felitan konnte höchstens die wenigen Leute einweihen, die er unbedingt brauchte. Niemand durfte zuviel wissen. Und es gibt jetzt vermutlich niemanden, der das Puzzle zusammensetzen könnte. – Vielleicht irre ich mich auch, und womöglich gibt's doch jemanden, der uns umlegt, bevor dies wieder zum Problem wird.«

»Du hast meine Frage eigentlich nicht beantwortet.«

Altmeyer stützte sich auf einen Ellbogen und sah sie an. »Auch darüber habe ich nachgedacht. Es bleibt wohl nur die Feststellung übrig, daß ich ein *Ex*-Kaufmann bin und überdies ein Hilfsziegenhirt.«

»Der Bericht aus der Klinik sagt, daß du außerdem Babyhüter werden wirst.«

Altmeyer grinste, ließ sich ins dichte, duftende Gras zurückgleiten und schloß die Augen. »Auch das noch. Eine runde Sache, alles in allem.«